百名山わずらい

牧野 恵子

風媒社

はじめに

　最後の日本百名山として八甲田山の山頂に立ったのは、2015年
10月4日だった。踏破の夢をかなえようと定年後は周囲を顧みず、
ひたすら未踏の山を目指していた。達成して5年余が過ぎた今は、穏
やかな日々を送っているが、時々、百名山にチャレンジしていた当時
を思い出し、胸が熱くなる。あの頃の私の精神状態は、常軌を逸して
いたかもしれない。体調の異変を感じても、何かに取り憑かれたよ
うに登高を繰り返した。最終段階では1カ月に7座登頂。台風の中、
帰路の橋の様子の確認ができていないと聞き、友人と北アルプス裏銀
座コースを1往復半も歩く事態も体験した。

　日本百名山は、作家・深田久弥が独自のものさしで選んだ北海道
利尻岳から鹿児島県宮之浦岳までの百の山々で、著書『日本百名山』
に紹介されている。20代半ば頃、偶然、書店で版画入りの美しい装
丁本を見つけて即購入。格調高い文章にも魅了され、繰り返し手に取
るうちに各地の山々をよく知った気持ちになった。といっても、百も
の頂きは、全国に分散しており、その頃は日数や費用面などから全山

踏破など考えもしなかった。

　しかし、子供が成長し、余暇を利用して登山を再開してみると、百名山は、意外なことに手が届きそうなほど近くに感じられた。百名山ブームが起こり、トムラウシなど難所の山には便利な登山道が切り開かれていたからだ。アプローチも、鉄道が国鉄民営化でズタズタに寸断されたが、航空路線や道路網が整備され、土地勘のない場所で威力を発揮するカーナビも普及。多くの日数を費やさなくても、登る意思さえあれば、割と楽に入山できた。日数が抑えられれば準備は楽になり、登山費用も相対的に下がる。ペーパードライバーから脱却したこともあり、各地を代表する名山に観光気分でトライしてみるのも楽しいかも、と機会を見つけては遠出をするようになった。

　定年の数年前に既登の百名山数を数えたら約30座、退職した2011年6月には38座だった。意外に少なかったのは、踏破に重点を置いていなかったからだろう。ふと、目的にしたら踏破できるのか、と考えた。百の頂きには、蔵王山や八幡平など駐車場から楽に到達で

きる平易な山がある一方、厳しい岩峰の剱岳、さらには山中泊が条件の赤石岳や飯豊山のような高難易度の山もある。岩場は、若い頃に山岳会で鍛えられたこともあり、こなせそうだが、長丁場の山行は手強そうで、全く自信がなかった。しかし、会社をリタイアしたのだから、いつでも何度でも挑戦できるし、それが失敗で終わっても、トライもせずに悔やむよりは良いように思われ、可能な限り挑戦する決意を固めた。

　2012年5月から未踏百名山62座へ登り始め、その年は16座に登った。翌年も16座、14年は17座と着々と登頂を重ね、15年の13座目が達成最終目標となり、念願の百名山踏破を果たすことができた。

　山行の形は、山の友人と連れ立つことが多かったが、同行者がいない場合に重宝したのは、交通手段や宿泊がセットされた登山ツアーだった。個人ガイドにお世話になったこともある。費用面では高くつくが、安心面では絶大で、いずれも大満足だった。単独行も、危険度が少ないと判断した山では幾度となく経験した。最近は"ソロ"とい

うようだが、女性のソロ登山者も幅広い年代で見かけた。ブームもあって、登山道や表示は整い、シーズン中の晴天日なら、近郊の低山より登山条件は格段に良かった。

　若い頃の登山は、転居時に記録の一部を紛失、記憶頼りにせざるを得ず、第2部として後半に収めた。定年後に登った39座目から100座目の記録は手元にあり、第1部として時系列に沿って並べた。そのため、文章に微妙な違いが生じている。なお、文中の人名には敬称を省略させていただいた。

2020年6月

＊山名と山名の前の数字は、深田久弥著『日本百名山』（新潮社）による。標高とアルファベット表記は、深田版ではなく、2014年国土地理院標高成果改定を参考にした。

CONTENTS

10

34

20

1部〈定年後の山々〉

CONTENTS

55

64

85

2部〈若い日の山々〉

1

定年後の山々

91
大峰山
Oominesan

1,915 m

霧氷が奏でる天女の調べ

　定年退職後初の日本百名山は、大峰山最高峰・八経ケ岳だった。定年後の登山を考える中で、ツアーも選択肢の一つであり、数多くのツアーパンフレットをかき集めた。その中からクラブツーリズム（クラツー）の『日本百名山を登る旅　近畿最高峰大峰山縦走（登山中級A）』1泊2日のバスツアーを見つけ、登山シーズンが始まる前に、いくつかのツアーとともに申し込み、参加した。ツアーは事前に、大峰山の高低差グラフや概略図などのコース概要が送られ、登頂後には百名山記録帳と登頂証明書、山頂での集合写真が渡されるなど至れり尽くせりの内容で、添乗員のほか、専属ガイドも同行した。

大峰奥駆道を歩くツアーに参加

　紀伊半島の背骨のようでもある大峰山一帯は、紀伊山地の霊場と参詣道として2004年に世界遺産に登録された。修験者の修行場『なびき』が75カ所あり、八経ケ岳には修験道の開祖・役行者が法華経八巻を埋めたと伝えられている。ツアーは、世界遺産の一部である第58なびきの行者還から第51なびきの八経ケ岳までの大峰奥駆道を歩くといううたい文句で、予定は、初日が弥山小屋泊、2日目が八経ケ岳に登頂して天川川合登山口に下山、だった。名古屋からさほど遠くないが、登山口までの公共交通機関はなく、個人が車で行くと駐車場に戻らなければならないことから、大抵は同じ道を往復するピストンになる中、ツアーでは、登山口と下山口が異なる縦走の点も魅力があった。

ブランク1年半の平和ボケ

　2012年5月11日7時。名古屋駅西口に集まった参加者は女性14人を含めた19人。そこに添乗員・安井浩和と山岳ガイド・長谷部亮が加わった。ゴールデンウイーク中は、汗ばむほどの陽気が続いていた。また、私は定年前後の約1年半、大きな山から遠ざかっていた。そのブランクで、登山感覚が鈍っていたのだろう。前日、安井から「寒いので、防寒具をお忘れなく」との電話をもらい、ザックにユニクロのダウンコートを詰め込んでいることを確認したが、当日のウエアは3シーズン用ラガーシャツと夏用パンツで、帽子も夏用だった。西口の参加者の重装備を見た瞬間、大きなミスに気付いた。紀伊半島だから温暖だと思い込んでいたけれど、2,000m近くの高山である。安井のアドバイスを真摯に受け止めるべきだった、退職後の平和ボケだと反省した。

一度も脱がないままのダウン

　天川村役場近くを通り、川沿いの国道からヘアピンカーブが多い細い道に入り、行者還トンネルに着いたのは10時30分。バスから下りると、ひんやりした空気で、風もあり、体感温度は冬の感じだった。それでダウンコートをまとったが、暑くなって脱ぐことは一度もなく、下山するまで着ていた。歩く順番については、安井は「名簿順に4組に分かれ、休憩後に先頭を歩いていた組が最後になる方式で進みます」と説明、5人グループの一員として歩いた。

　10時50分登山口を出発。登山道は最初から急で曲がりくねり、歩きにくかった。先頭グループは随分速いペースだったが、知らない人ばかりなので緊張し、隊列を乱さないように前の人にくっついていた。しばらくすると、直前グループが急停止し、女性が坂に横たわり、そばにいた人が介抱し始めた。急傾斜に気持ちが悪くなり、吐いたという。ツアーではこんな時どうするのだろうか、と思ったら「休憩」との声がかかった。ガイドは様子を見て話を聞いていたが、手当てをすることはなかった。しばらくたつと、彼女が起き上がり、先頭グループが最後列に付き、何ごともな

かったように登山が再開した。歩みは、ゆっくりになった。ケースバイケースだろうが、一人だけ下山ということにはならない、ツアーに参加するにはまず体力なのだ、と気持ちを引き締めた。

弁天の森を過ぎると、空から「シャラシャラ、シャラ…」と風雅な音が舞い降りてきた。バスの中で、天河神社の伝説を聞いており、天女の音楽の放送だと思った。でスピーカーはどこに？　頭上を見上げて驚いた。木々に白い霧氷（**写真**）がびっしりと付いており、それが解け始め、風もないのに落ちていたのだ。積雪などがない広範囲の地面上に散らばった透明の小片。音だけでなく、見た目も美しい落下現象だが、運悪く頭に落ちたら…。頭を押さえながら早歩きをした。

奥駆道出合、聖宝宿跡銅像前でそれぞれ10分ほど休んだ。軽装備なので、樹氷があっても積雪はなくて良かった、と胸をなでおろした。背の高い針葉樹林は、低木の広葉樹林に変わり、新芽が膨らみ始めていた。そんな裸木を見て、ある男性は「これはオオイタヤメイゲツ。カエデの仲間で、秋には黄色くなり、丸い葉の形を満月に例えて名付けられた。大峰山は群生地で、有名なオオヤマレンゲ以外にも特有の植生がある」と皆に教授した。弥山と弥山に鎮座する弥山神社に立ち寄ってから、15時に近くの弥山小屋に入った。

火の気なく底冷えする山小屋

弥山小屋は、新しそうな山小屋だった。大きな部屋は、女性に解放され、一人が使えるスペースは広かったが、室内には暖房がなく、底冷えがした。夕食時に暖まれれば、と願ったが、食堂に入っても火の気なく、食事時に温かいお茶ではなく水が出た。植物博士のような男性は「コーヒーなら

温かいだろうと注文したら、ありません、と断られた。寒いところだね」と苦笑いしていた。管理人はたった一人で、大変さも理解できるが、標高1,800ｍの山小屋。少しの時間でも暖房を入れるとか、食事時に白湯でもいいから振る舞ってほしかった。私はダウンコートの上に上下のカッパを着た。カッパを防寒着として着るのは、若い時以来で、カッパの上着からダウンコートの裾がのぞく風変わりな格好になった。布団一組に二人のぎゅうぎゅう詰めの山小屋なら人いきれで暖かいのに、寒さが身に染みる時に贅沢なほど広くてゆったりしているとは、皮肉だった。

　12日は5時起床、6時朝食、6時50分出発。小屋を出て間もなくオオヤマレンゲの自生地になり、カモシカの食害を防ぐための柵に設けられた出入り口を通り抜けた。

　7時30〜45分八経ケ岳。薄曇りで、遠くの景色はぼんやりしていて、説明を聞いても知らない山名が多かった。安井は『日本百名山を登る旅』と書かれた横断幕を取り出し、参加者の集合写真を撮った。

　下山は、明星ケ岳下を右折して大峰奥駆道から分かれ、頂仙岳下を巻き、栃尾辻、門前山などをひたすら下った。

　12時50分天川村の川合登山口に到着。この日歩いたのは約14kmで、前日の約4kmに比べると強行だったが、全員が予定通りに下山した。天川川合には温泉はなく、昼食をいただいた旅館で入浴を済ませ、名古屋駅には18時30分予定通りに戻った。

35
高妻山
Takatsumayama
2,353 m

🌿 巡礼道のキバナアツモリソウ 🌿

　クラツーに早々と申し込んだいくつものツアーのうち、高妻山、トムラウシ、飯豊山（催行中止）の３山は、単独で登るのは難しいだろうと考えた上級者向きの山だ。ツアーでも一抹の不安があったけれど、好きな縦走ではなく、山頂ピストンなので、最悪の場合は動かずに皆の下山を待とう、と覚悟していた。高妻山は長野市境にあるが、小学６年まで市内で過ごしたのに、『日本百名山』を読むまで名前を知らなかった。隣にある戸隠山は「八方睨みは険しい」と聞いたり、手前の飯縄山には麓まで遠足で行くなど親しみがあり、それぞれの歴史も知っていた。両山を置いてなぜ高妻？　と不思議だったが、あるスキー帰り時に長野ICから戸隠連山の右奥にある山に気付いた。均整のとれた三角錐が真っ白な雪に覆われて輝き、即座に百名山だと納得できた。同時に、冬には登れないこと、さらには、夏も簡単に登れそうもない、と漠然と察せられた。

　2012年６月24日。定員の20人は昼すぎ、戸隠奥社に着き、自由行動で森林植物園から宝光社、日之御子社、中社を散策した。夕方、宿泊する『Lodge ピコ』に入った。翌日、戸隠キャンプ場登山口から山頂を往復し、帰名する予定で、夕食が終わると、下見から帰ったばかりのガイド・増田悟から登山概要の説明があった。

　「登山口は標高1,170ｍ。コースは長く、岩場などがあり、最初の難所・なめ滝ではザイルで確保します。続いて幅広の一枚岩・帯岩のトラバースで、付いている鎖をしっかり握って越えること。一不動からは、十までの数字の名前が付いた小さな祠が続きます。九勢至までほぼ平坦ですが、そ

れ以降、山頂までは約1時間で、最後に最も急なガレ場が現れます。ストックを使ったり、竹を握ったりして進んで下さい。昨年同時期は、4時15分出発、10時15分登頂、休憩は20分で、下山完了は15時35分でした。下山は往路を戻りますが、注意が必要で、後ろ向きに、といったら指示に従って下さい」。大変な山ということがひしと伝わってきた。パンフレットに掲載されていたキバナアツモリソウについて尋ねると「見てきました。明日、皆さんに紹介します」。楽しみを見出せそうだった。

　6月25日。3時朝食、3時30分ロッジ出発、55分キャンプ場着。4時10分ヘッドランプをつけ登山口を出発。まもなく夜が明け、高原の道は林の中の登山道へと様変わりした。5時08分なめ滝。ロッククライミング経験がなければ大変だった、と思ったが、かなりの年配者も含め、全員がそつなくこなしていた。

　そんな参加者も、下が切れ落ちた崖の中腹にある帯岩を見た時は当惑していた。足場になる窪みが刻まれ、手の位置には等間隔でボルトが打ち込まれ鎖が付けられていたが、鎖は短く、それぞれのボルトの下に垂れ落ちていた。恐らく夏季には、全ての鎖を繋いで右岸と左岸が横一本に結ばれるのだろう。しかし、冬季は鎖が雪や氷の重みで切れるのを防ぐために、切り離しており、6月はまだシーズン前なので、繋げていないのだ。短い鎖をつかんで少しへつり、次の鎖に持ち換えてへつり、を繰り返した。渡り切った先は、落差の大きい滝頭で、一難去ってまた一難と思えたが、無事に通過できた。

　5時45分〜6時。一不動避難小屋前で休んだ。案内板には、南へ進めば戸隠山と書かれていた。約15年前、南チロルの会の野村容子と近藤洋史の3人で戸隠山を縦走したことを思い出した。戸隠神社から入山し、この難所を下山したのだ。若かったので、なめ滝や帯岩を難所と思わなかったのだろう。

　尾根通しになった道に、二釈迦、三文殊、四普賢─と菩薩名の付いた祠が現れた。先人は、不十分な装備で、こんな山中まで祈りに来ていたのか、と巡礼の道に思いを馳せた。五地蔵の手前で「キバナアツモリソウ、ここです」と増田が足を止めた。口を広げた袋を下げた、いかにもアツモリソ

ウの黄色い花は、自然色で周囲に溶け込んでいた。

道の真ん中に散乱したザック

六弥勒に近づいた時、何と、登山道の真ん中に大量の糞があり、その周囲にザックや食べ物、衣類がばらまかれていた。規則性のない無茶苦茶な散乱ぶりで、離れた脇道には、手つかずのザック４個があった。荷物をデポして山頂を目指しているかもしれない。とはいえ、大きなカメラが残ったままだし、なぜ一つのザックだけ荒らされているのか。皆で「おーい」と呼びかけ、周囲を探したが、人影はなかった。増田は「散乱は熊の仕業でしょう。長野県警にこの状態のザックを見かけたとだけ連絡します」と電話した。七観音の手前で、増田が谷を隔てた向こう側の山中に黒い動物がおり、まっすぐ上に登っていることに気付いた。「ここにいた熊かな」「足が速いらしいよ」「高妻って熊が多い山？」。離れているのを幸いに、皆、勝手なことを言いながら観察した。八薬師、九勢至を通過すると、増田は５分間休むようにと指示。それから最後の登りに挑んだ。

十阿弥陀を越え、9時30分〜10時高妻山。山頂は曇りで遠くは見えなかった。昼食を食べていたら、乙妻山方面から登山者５人がきた。誰かが「ザックをデポしましたか。熊に荒らされており、事情が分からなかったので、ガイドさんが県警に連絡しました。電話して下さいね」と言うと、慌てて山を下りて行った。

下山では七観音、三文殊、一不動で休憩を取り、13時20分になめ滝を通過。人生２度目のカッコウの鳴き声を聞いたり、ラショウモンカズラという紫の花と名前の由来を見聞きし、14時40分に登山口に戻った。10時間半の山行だった。

帰りのバスの中で、高妻は、見た目だけでなく、一枚岩の岩場あり、祈りの歴史あり、貴重な動植物あり、といろいろな面を併せ持っていた。やっぱり深田久弥が選んだ日本百名山だ、と振り返りながら、これから登る未踏の数十の山の頂きにどんな魅力があるのか、とワクワクした。同時に、登るだけで精一杯という場合があるかもしれないけれど、それでも後から悔やまないように納得できるように登りたい、とも思った。

6
トムラウシ
Tomuraushi

2,141 m

ガイドも驚いた晴天

　大雪山系・トムラウシは山が深く、長いルートのうえ、避難小屋泊になるので、最低でも数日間の食料や寝具などの荷揚げをしなければならない。深田久弥でさえ「北大の現役山岳部員の援助を得て」登山と書いている。だから私のような素人には踏破できっこない。ずっとそう思っていたが、子育てブランク後に山を再開したら、登山環境が著しく整っており驚いた。トムラウシ温泉から短縮路が開かれ、短縮路登山口からだと、日帰り往復が可能とのこと。標高差1,176m、歩行距離約13.6㎞、往復標準コースタイム10時間50分は依然として高いハードルではあるが、1日なら辛抱できる、体力があるうちに挑戦したい、と思うようになった。

　定年後にパンフレットで見つけ、申し込んだクラツーの十勝岳・トムラウシ3泊4日登山ツアーは、2日目の十勝岳登頂後、連泊するトムラウシ温泉『東大雪荘』に行き、3日目にトムラ往復、だった。私は十勝は未踏だけど、2日目なら登らない、と考えた。単独行でも登れる山だし、十勝で体力を使い果たし、3日目の本命をミスってしまう事態が絶対にないわけではない。「トムラ登頂を確実にするために余力を残しておきたい」と最初にクラツーに伝え「離団中の事故は自分で責任を負う」という書類を提出した。

　2012年7月22日。2時に起き、同室の女性4人で朝食を食べた。前夜の説明会では「出発したら食事はとれません。登山口まで約30分のマイクロバス内でも振動が大きくて無理」と言われていた。ヘッドランプ、泥除けのスパッツを身に付け、ストックカバーなど不要の物を部屋に残し

たが、ザックは重かった。北海道の沢の水は飲めないことから飲料計３Ｌ、昼食、行動食、雨具、アイゼン、レスキューシート、携帯トイレ、非常用のコンパクトダウン、念のためのフリースも入れていた。２時55分バス出発、３時22分登山口。10人余の参加者は３班になり、３時30分に出発。添乗員は安井、ガイドは増田で、それぞれ大峰山、高妻山で一緒だった安心感がある。参加者にも、両山で一緒だった数人がいた。

　幸先のいいモルゲンロートの中、トムラウシ温泉からの合流点、カムイ天上を経て、緩やかな尾根道を進むと、遥か遠くに初めてのトムラウシが見えた。岩が重なり合う急峻な岩峰を想像していたが、山頂部は平らに見えた。数回登頂している増田は、これまで天気が今一つで「ここから山頂を見たのは初めて。今日は本当に天気が良い」と驚いていた。トムラ登頂経験のある友人からも一様に「田んぼのドロドロ状態」「晴れでも、それまでの雨で泥まみれ」と聞いており、覚悟していたが、靴底は最後まで乾いていた。逆方向には十勝岳があり「噴煙は見えない」と静かなざわめきが広がった。２週間前、入山規制がかかり、クラツーから２日目の目的を芦別岳に変更すると連絡があった。だから富良野観光をした私以外は、十勝ではなく芦別に登ったのでいろいろな思いがあったのだろう。

岩間に入るエゾナキウサギ

　登山道は、コマドリ沢まで下降してから登り返しだったが、こんなに下ってしまって大丈夫か、と不安になるほど長かった。コマドリ沢に入ると、厚みのある雪渓が残っており、雪解けのために大小の岩が転がったり、浮いたり。登り詰めると岩れき帯で、大岩と大岩とのすき間に足を取られそうで歩きにくかった。休憩時に「キュッ、キュッ」と岩が擦れたような音と「氷河期の生き残りのエゾナキウサギです」との説明が同時に聞こえ、後ろでは「いた！」。振り返ると、エゾナキウサギがのっそりと岩間に入るところで、愛らしかった。その後、キタキツネやエゾシマリスなど北海道の固有生物も見たが、一様に人を恐れなかった。

　７時50分〜８時。前トム平で、登りは残り２時間10分になった。一息つき、回りを眺めたら、イワブクロやチシマギキョウなどが雪解けで一

斉に咲き始めたところ。ベストシーズン真っただ中にいる、と実感した。ゴールが近づき花を愛でるの余裕ができたのだ。岩れき帯を登り、また下ると『トムラウシ公園』の標識が現れた。カーブを道なりに進むと、深い青色の池、松を抱いた築山、造形的な巨岩—。名前の通り、庭師が丹精したような景色が展開した。楽しいハイキング道と錯覚しそうだが、一帯は3年前の2009年7月の遭難事故現場だった。風を遮る山も、ランドマークもなく、視界が悪ければ道迷いに陥るのは必然で、雨でびしょ濡れのところを強く吹かれたのだ、と想像した。

急坂を登り返した広場の先に、トムラ山頂が見えた。今度はギザギザした冠のようだった。南沼キャンプ場に荷物をデポし、ひと登りし、10時にトムラウシに登頂した。途中、追い越しも追い越されもしなかったが、山頂には多くの人がいた。集合写真を撮ってもらったところ、この写真が翌年のクラツーの雑誌『山旅』の表紙下に小さく掲載され、笑ってしまった。

山中12時間半は晴天のおかげ

10時18分下山開始。気が楽になったのか、班員同士のおしゃべりが弾むようになった。前トム平で、2度目の挑戦という女性は「初回の登山日はあの遭難日。本当にひどい雨風で、この辺で引き返したんだワ。前トムまで来たのだから登りたいという人もいてね、ガイドさん、困っていたけど、下山したら取材の人が多く、登らない判断が良かった、と言われていた」。登山口には15時28分に戻った。山中に12時間半いたわけだが、それでも、天気に恵まれ、当初予定より1時間以上早かった。

この山行中、参加者同士でよく百名山の話をした。富良野のホテルの同室女性は「あと数座で完登」、少し前に定年だった同じ班の男性は「退職した年に28座登ったヨ」、帰り際、同じ会社勤めと判明した村上一朗は「トムラは2度目」などと話していた。家族の理解があるとはいえ、一人で百名山登山を考えていると、お気楽に山登りしていて社会からかけ離れすぎかも、とうしろめたくなることがある。しかし、ツアーでは、同じ志の人に出会え、勇気づけられることにも気付いた。

43
浅間山
Asamayama
2,568 m

黒斑は私の浅間山

　山岳ガイド同行の安心感、登山口に楽に入れる便利さから登山ツアーにもっと参加したい、と初夏になって追加申し込みを試みたら、10月分は「待機人数が少なく、解約手数料が発生する頃、解約が出ます」とかろうじてキャンセル待ちにしてもらえたが、他は満席で申し込めず。そこで、もう一度、いろいろな募集を見直したところ、クラツーには観光ツアー『浅間山（黒斑山）日帰りハイキング』があった。

　浅間山は1973年の噴火以来、入山が規制されるようになり、レベル2の山頂は立ち入り禁止である。百名山完登を目指す人は、山頂に最も近い第1外輪山・黒斑山（2,404 m）を浅間として見立てていたが、2010年4月、山頂により近い第2外輪山・前掛山（2,494 m）がレベル1になり、見立ては前掛に変わった。だからカッコ内の黒斑山の表記を見て、限りなく浅間山に近づくなら前掛だ、と引っ掛かったのだが、一方では、山頂を踏めない以上、黒斑だって前掛だって同じじゃないか、とも思った。そもそも百名山は、自分が成し遂げて完結する自己満足の極みではないか。浅間の噴火を知らず、1971年に亡くなった深田久弥はお墓の中で、黒斑だ、前掛だ、という見立てをどう思うことだろう。私の浅間山は黒斑だ、と決めれば済むこと、と申し込んだ。

　2012年7月25日7時前。名古屋駅の集合場所で、避暑地に行くような軽装のカップルやカメラ機材を担いだ年配男性、それに登山の格好の参加者たちとバスに乗った。添乗員によれば、ハイキングの22人と観光目的の18人の合計40人が乗車。車坂峠到着後は、グループ別に行動し、

17時に再集合し、帰名するという。車中で昼食を済ませ、正午頃、車坂峠に着いた。浅間山や八ケ岳は雲に隠れていたが、観光組の目的地、花が美しいという高峰山が見えた。ハイキング組は『高峰高原ホテル』前で現地ガイドと合流、長野県小諸市発行のハイキング案内と手作り散策路図を渡され説明を受けた。「山頂まで往復約5.5㎞、3時間30分で、往路は表コース、復路は中コースを歩きます」。ガイドは、山岳ガイドではなく自然観察員と自己紹介した。下山後、火山に登ったのにトンボウグサなど多くの植物に巡り合った感があったのは、彼女の影響だったのだろう。

12時25分車坂峠登山口出発。砂れきの坂を登り、コメツガやカラマツの林を越えると、コマクサが咲いていた。噴火に備えたシェルター近くで休憩後、第1外輪山の縁・槍ケ鞘まで登ると、迫力ある浅間山が見えた。丸みを帯びた大きな山容で、噴煙は上がっておらず、草木は見られず、焦げ茶色の砂山肌には、山頂からすそ野の湯ノ平にかけて何本もの細い沢のような縦筋が付いていた。外輪山の稜線を北に進み、小さなアップダウンの後、トーミの頭に着いた。湯ノ平から隆起したような浅間山全山が俯瞰でき、絶好の展望台だった。自生するヒカリゴケを眺め、電波塔を越えた。

14時30〜50分黒斑山。狭い山頂には人が多く、雲が出始め、視界は今一つだった。下山の中コースは、表コースとほぼ並行なのに、緑が多く、行き来する人は少なかった。16時18分に車坂峠に戻った。

その後の早春、夢の中で浅間山山頂を目指した。浅間山荘から入山し、残雪の雪原を壺足で、火山館、湯ノ平へと徐々に登り、黒斑山の岩峰を見下ろし（**写真**）、避難シェルター脇の入山禁止ロープをまたいでから巨大な

火口壁にある山頂に立った。深田は山頂で噴煙に襲われて逃げまどったと書いていたが、雌阿寒岳や焼岳のような恐ろしい噴煙や臭い、音はなく、穏やかだった。しかし、禁を破った入山に心がチクチクし「やっぱり私の浅間山は黒斑山」と確信したところで夢から覚めた。

14
早池峰
Hayachine
1,917 m

高山植物の宝庫

　東北大震災後に被災地を訪れる東北復興支援ツアーに2012年春、ヨーコを含め4人で参加、八戸に向かう車窓から岩手山を見た。平らな山頂からの長い稜線の優美なこと。「いいねえ、登ってみたいね」。思わず出た感嘆に、ヨーコもうなずいた。それで2012年夏、二人の恒例の遠出山行は、再興されたFDA花巻路線を利用し、レンタカーで回る東北3山3泊4日になった。ともに毎日仕切り直して連登したことはなかったが、早池峰山からスタート、順調に3座に登頂した。

　8月4日。南部曲り家や遠野昔話村などの観光後、HPで知った『峰南荘』に入った。夏山シーズン中、マイカーは規制で登山口まで入れないけれど、バス停『峰南荘前』前の好立地である。この日の宿泊者は6組17人で、一人の下山者以外は、翌日、早池峰に登るという。

　8月5日。5時32分発のシャトルバスは満員状態だったが、すぐ後続バスが来た。河原の坊で下車すると、ボランティアがマップを配布しながら「豊かな生態系を壊さないように」と呼びかけていた。携帯トイレ必携と同時に、登山用ストックを使うなら地面を保護するキャップをつけるよう訴え、可能ならストックはしまってほしい気持ちが伝わってきた。

　6時15分。樹林帯にある登山口を出発。雨降りで道はドロドロになるようだが、しばらく降っていないようで乾いていた。約1時間で覆いかぶさってくる早池峰が正面に見え、立ち止まると、休憩中の夫婦が「4度目の登山で、初めてここから山頂を見た」と感激の面持ちだった。

　コウベゴオリ通過後は岩場で、強い陽射しが痛いほどなのに日陰はな

く、休まずに御座走り、打岩、千状ケ岩などを越えた。足元は緑色の蛇紋岩になり、磨いたような艶のためか、滑りやすく注意が欠かせなくなった。ハヤチネという響きは優しいけれど、登山道は時にはヒヤリとする険しい岩場続きだった。このルート、今は台風被害により入山禁止になったと聞くが、大岩はどれが転がり落ちてもおかしくなかった。8時46〜51分千状ケ岩の先で休憩。それまでクガイソウ、ナンブトラノオなどを見つけ、ワクワクしていたら、岩場の足元にもハクサンシャジン、ヨツバシオガマ、シナノキンバイ、ウメバチソウなどカラフルな花が咲き誇っていた。さすが"高山植物200種類の花の山"だ。ハヤチネウスユキソウは、似た花があったけれど、探し出せなかった。

箱内の鈴鳴らし登頂感謝

　9時30分〜10時20分早池峰山。広い山頂には、高校生や若い人が目立ち、「太平洋は見えないの？」という会話が聞こえた。薄い雲がかかっていたが、岩手山が見え、明日はあの天辺からこちらを眺めるのだと期待が膨らんだ。「ジャラン、ジャラン」。鈴の音がして振り向くと、早池峰神社にお参りしている人が鳴らしたらしいのに、鈴は見当たらなかった。近くにいたグリーンボランティアに尋ねると「正面の箱の中に入っています。箱の丸い穴に手を入れ、右をさぐればあります」。神社に立ち、鈴を鳴らし、登頂を感謝し、この先も無事に山に登れるように祈願した。

　下山は、小田越口を目指した。しばらく平らな稜線を歩き、湿地帯の御田植場を過ぎると、大きな下降が始まった。巨大な岩が現れてびっくりしたが、はしごが2本架かっており、難儀をせずに通過できた。9合目下ではお目当てのハヤチネウスユキソウに出会えた。往路登山時も懸命に探せばあったのだろう。奇妙な岩の造形展開に目を奪われすぎていたのかもしれない。下山道は歩きやすかった。御金蔵を経て、12時20分小田越登山口。12時42分のバスで『峰南荘』に戻り、シャワーをお借りし、そばをいただいた。それから郷土文化保存伝習館に立ち寄り、映画『早池峰の賦』の世界を思い出しながら岩手山麓に向かった。

岩手山
Iwatesan

2,038m

🍃 どこを見てもコマクサばかり 🍃

　東北３山中、登山時間がかかるのは、２座目の岩手山で、避難小屋泊
の登山者も多い。しかし、ヨーコも私も山小屋泊は避けたく、日帰りがで
きるなら多少の無理をしても構わない派だった。地図を広げ、５カ所の登
山口のどこの往復が日帰りでベストなのか、と宿もアシも予約したのに、
どのコースを採るか最後まで判断しかねていた。そんな中、７月のトムラ
ウシのツアー中、参加者から焼走りルートにコマクサの大群生地があるこ
とを聞いた。「目の前に一輪のコマクサが現れたら皆、おおっ、と大喜び
し、写真を撮る。先には群生地があり、そこでも夢中でシャッターを押し
続ける。さらにその先にもいっぱい咲いていて、となると、そのうち誰も
写真を撮らなくなり、最後は見飽きてしまう」。この話をヨーコにすると、
とんとん拍子で、焼走りルートに決まった。

前日に焼走り登山口を下見

　2012年８月５日。夕方『いこいの村岩手』でチェックインを済ませ、
登山口と駐車場の下見をした。焼走り登山口に近い立地だったが、道路は
直線というわけではなく、車で山を下り、西に進んでから登り返した。真っ
暗な朝、ぶっつけ本番で向かうと、心配になりそうな山道で、下見して良
かった。

　８月６日３時起床。４時前にいこいの村を出て、４時20分に駐車場に
着き、30分に登山口を出発した。いつ降ってもおかしくない空模様。天
気予報は、１週間前には旅行中「雨」だったが、前日には「一部曇り」に

変わり、この日は「曇りのち雨」で、二人とも早く登り終えるつもりだった。

　初めの樹林帯は、無風で湿気が多く、気温は高くないのに汗が噴き出した。「山頂まで4.5km」地点でヘッドランプをしまい、第二噴出口跡で休んだ。木々の向こうには、大きな溶岩流が流れて固まった跡が見えた。登山道と並行しているようで、大きな火山だったのだ、と感心していたら、遠くで「ドン」という音がしてびっくり。雷の音だった。第一噴出口跡からは、遠くの平野を見渡すことができた。

　樹林帯が終わると、足元は砂交じりのガレ場に変わった。平らなら普通に歩けるが、傾斜があると、ずり下がってしまい、踏ん張りがきかない。なのに傾斜はどんどんきつくなり、登りにくくなる一方。そんな格闘中、岩陰の砂地に、うつむいて咲くピンクの花が目に入った。

　コマクサだ、やっと会えた、と思い、周囲を見回すと、ロープが張られた登山道両側の、上にも下にも、ずっと遠くまで群れ咲いていた。7月の満開のピークを過ぎており、全体の色合いは、周囲の砂地の色に似て灰色がかっていた。しかし、とにかく数が多く、濃いピンクの今が盛りの咲きっぷりの花から、この先でも見られることが分かる蕾まであった。コマクサはそれまで、数回見たことがあった。最初は常念で一輪、それからも数株単位だったので、大群生は、話に聞いた以上にインパクトが大きく、数が多くても、他の植物はなく、気高く、かつ健気に感じられた。砂地の道は休憩後も続いて苦労したが、同時にずっとコマクサを眺められた。群生地は、見当がつかないほどの広さなのだ。ふと、『高山植物の女王』との別名から数少ない貴重種と思い込んでおり、こんなにも群生することを想像できなかったのだ、と思った。

地元の団体は雨で登頂断念

　8時14〜25分ツルハシの分れ。ガスが出てきて小雨が顔に当たったので、雨具を着た。ここから原生林で、足元は普通の土の道で、やれやれと一息ついた。しばらく進むと、地元団体の約10人が下りてきた。こちらは蒸し暑くてたまらないのに、雨具の下に防寒具が見え、寒そうな様子。前夜は平笠不動避難小屋に泊まったが、今日は寒いし、雨も上がらないの

で、山頂に向かわず、下山してきたとのこと。「雨と分かっていたのに、女性二人だけで出発してきたのか」と私たちを気遣ってくれるので、出発時は晴れており、霧雨は少し前から、と説明した。天気が崩れそうな時は地元の人でも登頂を断念する山なのだ、と気を引き締めた。

　垂直に切ったような大岩が見え、9時15〜45分平笠不動避難小屋で休んだ。中ではコマクサ群生地で私たちを追い抜いた青年が休んでいた。福島から来たとのことで「福島にも安達太良山などいい山がたくさんあります。登りに来て下さい」と強調、何とザックの中からパンフレットを取り出し、一部を渡してくれた。雨は時々本降りになり、私たちもパンを食べながら、様子見の雨宿りをした。明るくなり外に出ると、雨は止んでいた。霧がなくなり、岩手山が見えた。全く土地勘のない大きい山での霧は怖かったが、霧がなくなったので、山の様子を目で確認しながら登れると安心した。

高山植物も咲き乱れ

　小屋からは前日の早池峰とは微妙に種類が異なるさまざまな高山植物が咲き乱れていた。イワブクロ、ミヤマキンバイ、ギボウシ、離れた所にはまた砂地にしか咲かないコマクサも現れた。ハイマツ帯を抜けると、霧が切れ、周囲が一層くっきり、はっきり見えた。スケールの大きい裾野、ごつごつした岩稜の連なり、緑に囲まれた湖、さらにはユニークな外観の地熱発電所までも分かった。

　平笠不動分岐からは一転して木も草もない殺風景な火山特有の砂れき帯になり、お鉢の縁に着いたことが分かった。後は最高地点へトラバースするだけだが、再び濃い霧が出て視界が悪化した。遮るものがない山頂の風は痛いほどで、悪条件下なのに、不思議なことに往来する登山者は増えつつあった。馬返しルートからの登山者だった。

　10時25〜35分岩手山。焼走りルートからは、私たちのほかは二人だったが、山頂にはツアーバッジを付けた人も多く、ざっと数えただけで約30人がいた。山頂を極めた喜びもあって一様に元気だった。雨は弱くなりもしたが、風は強いまま。吹き飛ばされそうな瞬間もあり、私たちは

お鉢を一周せず、来た道を戻った。

　11 時平笠不動避難小屋。1 時間半ほど前は、3 人だけで静かだった室内は、馬返しルートからの縦走者でにぎわい、熱気で暖かかった。お昼を食べながら、そばの人と話をしていたら、横浜の夫婦、大阪市の夫婦、佐賀県鳥栖市の山岳会会員たち—。皆、私たちと同じく東北の山数座に登る計画だった。

　雨は止みそうもなくなり、11 時 40 分、踏ん切りをつけて小屋を出た。途中から、本降りになり、雷も鳴り始めたが、幸い、大雨には遭わず 14 時に登山口に戻った。それからこの日泊まる『八幡平ロイヤルホテル』に直行、温泉に漬かり、クールダウンに努めた。

コマクサ

12
八幡平
Hachimantai
1,613m

頂上直下へ窓全開ドライブ

　東北３座目の八幡平は、頂上駐車場から登ると、最高点までの標高差は約100ｍ、一帯を一周しても２時間かからないので気は楽だった。

　2012年８月７日。ホテルを出発すると、雨は上がっていた。松川温泉地熱発電所を眺め、樹海ラインに入ると、空気は思いがけず冷たい。エアコンを切り、窓を開けると、風を受けて髪が喜び狂ったように逆立った。何と気持ちのいい風だろう。夏に長野に行く時でもエアコンを付けっぱなし、窓全開はいつ以来か―。硫黄の臭いが鼻をつき、白っぽい地面から湯気が出ている藤七温泉前を曲がったら、点在する露天風呂が見えた。

　頂上駐車場に着くと、霧雨状態だった。乾かし、ザックにしまったカッパにまた手を通した。９時15分登山口出発。幅広く、傾斜の緩い道はところどころ木道で、見返峠から源太森分岐を過ぎると、八幡沼を眺めるビューポイントがあった。説明書きによれば、この一帯は高層湿原なのだが、山は遥か遠く、湿原を囲むイメージもないので不思議だった。

　９時35〜45分八幡平。平らな山頂には、木組みの櫓が立っていた。山頂には何もない方がいいのに、と思いながら登ると、八幡沼の全体を俯瞰できた。曇っていて残念ながら岩手山や姫神山は見えなかった。

　下山は、鏡沼への道を下った。樹林帯がうっそうとし、小さな湖沼が点在し、往路とは違った趣だった。駐車場に戻ったのは10時５分。汗もかいていなかったので、温泉には立ち寄らず、アスピーテライン経由で小岩井農場に行って時間を過ごし、夕方、花巻空港から名古屋に戻った。連日、全く異なった山容の山に登り、充実した４日間だった。

22
磐梯山
Bandaisan
1,816m

 お花畑と爆裂火口

　金沢市での単身赴任中に入会した『ふるさと山の会』から磐梯山に誘われた。会員が運転するマイクロバスのレンタカーで福島県入りし、翌日登頂して金沢に戻る土日利用の1泊2日の計画である。横井成次が強いリーダーシップで率いる会は、パワフルな山行を展開しており、名古屋に戻ってからも、金沢に前泊して時々、参加していた。申し込み時に後泊も必要か、と考えているうちに、福島まで行くなら現地に残り、他にも登ってみたくなった。横井に相談すると、OKとのこと。単独行で大きな山の連登経験はなかったが、居心地の良さそうな宿とレンタカーの予約をし、磐梯山後に吾妻山と安達太良山に登る計画書を持参して金沢に入った。

　2012年9月8日6時。参加者約20人を乗せたバスが金沢を出発した。会では、登山口到着まで、順番に話をするのが恒例で、この日は遠出とあって、事前に調べた福島県の鶴ケ城をめぐる逸話や日新館の什の掟、金沢の辻家庭園など興味深い話題が披露された。北陸道から磐越道に入り、正午頃、会津若松に着いた。そばの昼食後、白虎隊終焉地、六角形をした木造3階建てのさざえ堂など市内見学。鶴ケ城は翌年のNHK大河ドラマ『八重の桜』の舞台で、観光客が多かったが、その後の五色沼には姿はまばらだった。1年半前の東北大震災の影響なのか、閉鎖ホテルも目立ち、『五色沼ホテル』には私たち以外の客はおらず、奥さんは深いため息をついていた。

　9月9日6時。朝食後にホテルを出た。車窓から見た磐梯山は、爆発により山の真ん中がえぐれ、岩などの地肌がそのまま表面に現れた荒々し

い様相で、草木はなかった。横井は「この裏磐梯からの表情と、表側からとは、全く違いますよ」と言う。

　7時30分ゴールドライン猫魔八方台駐車場に到着、40分登山口出発。白樺林交じりの道は傾斜が少なく、ブナの森の快適な散歩道だった。木々がなくなったところは中の湯跡で、眩しい光の中、小さな池のほとりのさびしげな廃屋を通り、裏磐梯スキー場からの合流点を過ぎると、本格的な登山道になった。尾根を登り、小さなピークを越し、斜面を横切るようなわずかな斜度の下降路を再び登り返すと、お花畑と弘法清水小屋との分岐点で、先頭は迷わず、左のお花畑へと進んだ。

　9時25分お花畑。暗かった視界が一転し、明るくて高い青空に真っ白な入道雲が浮かび、覆い被さってきそうな磐梯山頂が輝いて見えた。澄んだ空気の中、視界をずらすと、遠景の山々を従えた大きな檜原湖とそこに浮かぶ島々、湖岸のユニークな形のホテル、さらに点在する小さな湖沼の数々の一方、荒涼とした大きな爆裂火口跡があり、足元にはミヤマキンバイなど名残の高山植物―。バラエティーに富んだ景色てんこ盛りの最高の登山だった。

　弘法清水小屋での小休止時に、バンダナを買いながら店の人に目の前の山の名前を教えてもらった。針葉樹の濃い緑の吾妻山、その中腹にある蝶の形のグランデコスキー場、飯豊連峰、右端にうっすらと白い安達太良山―。初めて足を踏み入れたエリアの聞き慣れない山名の中、百名山だけはすぐ、名前と姿が脳裏に焼き付いた。

　10時15分～11時磐梯山。岩の多い広い山頂には、多くの人がいた。お花畑では磐梯山の向こうまでは見えなかったが、全方向、三百六十度のパノラマになり、南側に大きな猪苗代湖があった。下山時、中の湯跡で温かい地面に手を触れ、登山口には13時20分に戻った。

　私はこの日、JR郡山駅でレンタカーを借りて白布温泉に向かう予定で、JR会津若松駅で、皆とお別れした。会津ライナーにはすぐに乗車でき、車窓から、大きくてなだらかな山容の美しい磐梯山が眺められた。畏敬の念を抱く横井の話の通り、磐梯山は、荒々しさとおおらかさの、二つの魅力的な顔を持つ山だった。

20
吾妻山
Azumayama

2,035m

🌿 大岩海を経てあっさり山頂 🌿

　福島・山形県境の吾妻山は最高峰・西吾妻山と東吾妻山、その中間に
ある中大巓の３山域の総称であり、中部地方ではなじみが薄い。山友の
間でも話題になった記憶はないけれど、首都圏ではスキー場として有名で、
車でならアプローチも容易らしい。磐梯山帰りに足を延ばす山として調べ
たところ、登山口の北望台からロープウェイとリフト３台を乗り継ぐと、
西吾妻山頂まで標高差215ｍ、コースタイム片道約２時間だった。天気
さえ良ければ、無理せず、楽に安心・安全登山ができそうで、登ることを
決め、北望台に近い白布温泉『中屋別館不動閣』を予約した。９月９日、
西吾妻スカイラインを経て白布温泉に向かった。

　９月10日８時。天元台ロープウェイ湯本駅の駐車場には10台近くの
車がとまっていた。天気予報は、晴れのち曇りで、申し分ない。提出計画
書は「往路はロープウェイとリフトを利用。登頂後（自分の足で）下山」
とした。しかし、チケット売り場で「片道を」と言うと、係員は「若女平
から下る予定なら、最近、熊の目撃情報が数件あるので止めた方がいいで
す。目撃は若女平下だけで、他にはありません」とのこと。仕方ないとア
ドバイスに従い、往復チケットを購入した。もしも、無視して若女平で熊
に遭遇したら大変だし、事件になって「係員の注意を聞かず、熊出没情報
のある道を歩いた無謀な女性61歳」と非難されたくはない。

ロープとリフト３台で楽々登山

ロープウェイの終点駅・天元台ロッジで降り、少し離れたリフト乗り

場に向かい、約1時間かけ『しらかば』『しゃくなげ』『つがもり』の3台のリフトを乗り継いだ。しらかばリフト下は、ファミリー向けゲレンデで、ゲレンデ脇には、リンドウの紫、ヤマハハコの白、アキノキリンソウやウサギギクの黄色、シモツケソウの濃いピンクの花が咲き、オオカメノキの赤い実が熟してカラフルで、手入れのいい庭のようだった。

　9時30分。つがもりリフト終点の北望台に着くと、北斜面特有の薄暗さがあった。スキーのホームゲレンデ・志賀高原横手山の第3リフト終点みたいだ。終点近くは、それまでのゲレンデとは異なる急斜面で、覆いかぶさるような雰囲気も似ていた。リフトの客は私だけだったが、少し先には、街着のような軽装の女性グループがいた。かもしか展望台への道も背の高い木々が多く、暗かった。雨の前触れだろうか？　計画段階では、単独行なので、雨ならどこにいても即撤退のつもりでいた。が、実際に登山口を出たら、登山の煩悩で、気持ちが揺らいでいた。体温を奪い、目を開けられない強風なら撤退は当然だが、多少の雨なら大丈夫だろう。ともあれ、降らないでもらうのが一番、と願いながら木々の根を踏み進んだ。

貴重な水場で元気をもらう

　9時53分〜10時5分カモシカ平。広くて明るいスペースで、米沢の街が遠望できたが、飯豊山や朝日連峰は見えなかった。それから見晴らしのいい尾根続きになり、木道が現れた。人形石と西吾妻山との分岐で地図を広げていたら、東大巓に往復する単独行の女性がきた。「吾妻連峰が好きで、暇があると、東京から通っているんです」。木道をさらに進むと、名残の花が咲く池塘が点在していた。10時27〜32分大凹。枯れていることが多いという貴重な水場。幸いにも、ちょろちょろと流れており、備え付けカップで頂くと、冷たくて、元気をもらえた。

　急坂を登ると、瑞々しかった景色が一転、無褐色の大岩がゴロゴロと転がる岩場になった。目の前のたくさんの大岩は、もしも垂直の縦方向に立っているなら、迫力ある岩場なのだろうが、水平というか、広い平面にまき散らしたようだった。これをどう表現するのかしら？　チケット売り場で渡された地図を見たら『天狗岩は大岩海です』と書かれていた。言い

得て妙だった。梵天岩、次いで天狗岩、とユニークな名前の岩の間を抜け、赤ペンキの印に従って吾妻神社に向かった。ルートが分かりにくい中、貴重で有難い印だった。

前日眺めた山頂に立つ喜び

岩を積み上げて固めた神社に到着後は、垂直に曲がって西吾妻小屋に進んだ。小屋先には磐梯山や安達太良山が見えた。昨日はあの磐梯山からこちらを眺めていたのに、今日は逆にこちらから磐梯山を眺め、明日は安達太良山からこちらを眺めるつもりでいる。これは山好きの極み、贅沢な喜びだと思った。

11時30分〜12時05分西吾妻山。三角点よりも周囲の木々の背が高く、標識がなかったら、通り過ぎてしまいそうな、あっさりした山頂だった。誰もおらず、木々に遮られて視界も悪かったが、静かな落ち着ける感じで、そこで昼食を食べた。

帰り道、天狗岩で西吾妻山頂を振り返ると、平べったく見栄えは今一つだった。しかし、山のスケールが大きかった。道中も高層湿原や岩っ原など変化に富み、ここの良さは登ってみなければ実感できない、としみじみ思った。雲は次第に濃くなり、人形岩に寄ると、その一帯も大岩海だった。往路とは別の暗い道を経て13時50分北望台に戻った。

中屋別館では、チェックアウト時に「西吾妻に登る予定」と話したら「帰りに時間があるなら、もう一度、温泉に入って下さい」と声をかけられていた。それで遠慮なく寄らせてもらうと、前夜、湯船から見た木々は深い川を隔てた反対側にあること、横長のユニークな湯船は渓谷に添う形だったことが分かった。山形米『はえぬき』のご飯で米沢牛や鯉の煮物を頂いた夕食の記憶も徐々に蘇ってきた。自分では気付いていなかったが、初めての連続単独行に緊張し、心が温泉やごちそうに向いていなかったのだ。それから無事に下山できた喜びが込み上げてきた。近郊の低山には単独行で登っているけれど、土地勘も、情報もゼロだった百名山に単独で挑戦して登れた、明日も大丈夫、と気持ちは安達太良山に飛んでいった。

21
安達太良山
Adatarayama

1,700m

🌿 山頂を目で追いながら登頂 🌿

　『智恵子抄』の一節「山の上に毎日出てゐる青い空が智恵子のほんとの空だといふ」で有名な安達太良山。地元の人が自慢する山でもあり、岩手山で話をした福島の青年は「春夏秋冬、いつでも魅力的。ゴンドラリフトのあだたらエクスプレスで8合目まで行けるのもいい」と言って、山中だったにもかかわらず、パンフレットを手渡した。きっといい山なのだろう、楽に登れそうだし―。南東北エリアの単独山行の締めは、ゴンドラリフト利用の安達太良山だった。

　2012年9月11日朝。『郡山ビューホテルホテル』を出てしばらくすると、広い平野の果てに安達太良山が見えた。この日は、下山後JR郡山駅から東北新幹線などを乗り継いで帰名の予定だった。9時40分奥岳駐車場。平日だからか車は少なく、咲き始めたコスモスに目を留めていたのは私だけだった。隣の『あだたら高原富士急ホテル』の大きな建物は、閉鎖されていた。晴天日の百名山の登山口は一様に混んでいるイメージがあったが、あまりの静けさに、ここにも震災の影響が、と心が痛んだ。

　山麓駅では、往復切符を購入した。縦走して中腹の温泉のある山小屋『くろがね小屋』への立ち寄りも可能だったが、小屋から再び1時間以上、駐車場まで下りてこなければならない。残暑の厳しい炎天下、再び汗まみれになって名古屋に戻ることは避けたい、と自分に言い訳をした。

　9時55分ゴンドラに乗り、10時20分山頂駅到着後、出発した。初めは木道で歩きやすく、両側には五葉松、途中からはシャクナゲなどが木陰を作っていた。10時50分～11時県民の森の分岐。木々の間から、安達

太良山の山頂付近が確認できた。丸く膨らんだ山は緑に覆われ、乳首山という別名がある真ん中の岩場は濃いベージュ色だ。

　分岐からは急坂で、アップダウンがなく、ひたすら登りばかり。これまで登った山の山頂は、遠くからしか見えなかったり、途中から消えたり、最後まで現れないなど大抵は十分に眺められないもどかしさがあった。しかし、ここではずっと眺められ、私は最後まで目で追いながら登った。なるほど山頂を見て登れるなら、親しまれるはずだ。稜線に出ると火山岩のガレ場で、山頂は思いのほか近かった。

　11時30分〜12時安達太良山。さらなる高みの乳首岩は登頂のおまけ、ご褒美だが、何人も登っていたので、私も岩場に取り付いて半周するようにし、11時41分てっぺんに着いた。強い風が雲を飛ばし、三百六十度の展望が広がっていた。磐梯山からも見た安達太良山の裏側は、荒涼とした真っ白なガレ場だったが、この日登ってきた道は、濃い緑色の森の中にあった。山頂からの眺望は、カラフルな色彩で、遠くの街並みは立体感があり "お見事" と言いたくなった。

　天気は下り坂になり、帰路は風を受けた。ナナカマドの紅葉やリンドウが「もう秋」と告げていた。薬師平には『この上の空がほんとの空です』と書かれた木の標識があり、見上げたら白い雲が浮かぶ青い空と美しい緑色の安達太良山一帯と岩の最高峰があった(**写真**)。携帯で写真を撮り、しばらくの間、待ち受け画面にしていた。下りゴンドラに乗り、13時10分駐車場に戻った。

　レンタカー返却の16時まで時間があり、岳温泉に立ち寄った。カーラジオでは、会津地方に大雨注意報が出たと伝えていたが、中通地方では降っていなかった。今回、3座を無事に登り終えられたのは、一度も雨に遭わずに済んだからだ。ありがたかったと思い、さらに今のレンタカーはカーナビ付きだし、タブレット端末などの便利グッズもあり、余裕を持って山を選べば、もっと一人で登れる、とも考えた。

10
岩木山
Iwakisan

1,625m

霧の鳳鳴小屋で鐘突き

　クラツーの巻機山ツアーが催行中止になり、再び単独行を考えた。ポピュラーで難易度が低そうな山として目を付けたのは、ロープウェーのある青森県八甲田山と8合目まで車で登れる岩木山。レンタカーを利用し、弘前市のビジネスホテル泊の1泊2日の計画を立てた。

　2012年9月23日。FDA機で雨の名古屋を出て、曇りの上空から甲形の八甲田連山を眺め、正午すぎに青森空港に着いた。天気予報は「曇り、翌日は曇りのち雨」。予定は初日に八甲田だったが、翌日の帰りは夕方便なので時間があり、ゆっくり回りたいという思いもあり、迷った末、岩木山に向かった。運の悪いことに、翌日は強風でロープウェーが稼働せず、酸ケ湯登山口から入山しようとしたら『熊に注意』の看板があり、無理することないと断念、しばらくの間、順番を変えなければ、と後悔しきりだった。

　岩木山は、津軽平野を走っていたら黄金色に輝いていた。津軽富士とも呼ばれる美しい姿。写真ではおなじみなのに、実物の迫力に心が高ぶり、山頂が三つに分かれ『山』の字形に見えることも楽しくて、笑いが込み上げた。コンビニで昼食を求め、岩木山神社里宮を通り越すと『嶽きみ』というのぼりを掲げる屋台が次々と現れた。前には焼きトウモロコシをほおばる人がいて、特産トウモロコシの名前と分かった。

　津軽・岩木スカイラインのゲートで料金を払った時、係員から「午後5時で道路を閉めます。遅れると翌朝まで出られません」と念押しされた。スカイラインは、山頂を中心に描かれた同心円状の等高線を垂直に切るよ

うに造られ、69 カ所もの小カーブが真上に向かってジグザグをしている。地図を見て、道路が重なり合う様子を下から眺めたら壮観だろうと思ったが、実際には見えるはずがなかった。

14 時少し前に 8 合目駐車場に着いた。霧が出ており、気温は低く、軽ダウンウエアを着て、フリース首巻きを夏帽子の上に巻きつけた。展望台を兼ねた休憩所に入ったが、視界は今一つ。計画よりも 30 分近く遅れており、リフトを使うことにした。14 時 50 分リフトの 9 合目鳥海頂上駅に着き、出発した。霧は一層濃くなり、辺りは真っ白で、全容が見えない岩場に神経を使った。風も強く、遮るものがないため、寒さに拍車がかかり、9 月なのに体感は冬。歩いても温かくならず、帽子の下から冷気が入り、耳が痛くなった。遅い時間なので後続登山者はいなかったが、鳳鳴ヒュッテでは鐘を突く 4 人家族、山頂直下の岩場では苦労して下山する母子など数組とすれ違った。

下山せかす『蛍の光』の音楽

15 時 20 〜 30 分岩木山。モニュメントや避難小屋、岩木山神社奥宮があり、若い男女が写真を撮り合っていた。奥宮裏の切れ落ちた谷の下に、里宮が見えるようだが、霧で見えなかった。

下山中、遠くから『蛍の光』の音楽放送が流れ、最終リフトの案内があった。せかさなくても大丈夫なのに、と思いながら山頂の二人を思い出した。鳳鳴ヒュッテ通過時には鐘を突いた。この山で遭難した高校山岳部員の悲劇を繰り返さないように建てられたそうで、案内を読んだら、遠い昔だろうと思っていた事故発生は東京五輪の 9 カ月前の 1964 年 1 月。高校生は、まさに私とほぼ同じ世代だった。9 月でもこの気象だから、冬に荒れれば、と神妙な気持ちになり、車で登れると甘く見ていたと反省した。

9 合目からは、リフトに乗らず、8 合目まで歩いた。笹がガサガサするので、私が熊に間違われはしないか、と妙な心配をし「霧だ、早霧だ」と歌いながら下った。16 時 15 分 8 合目登山口。駐車場の車は私の車を合わせて 3 台になっていた。ヘアピンカーブを下り、16 時 40 分料金所を通過した。

66
雲取山
Kumotoriyama

2,017m

🌿 東京の最高峰から黒い富士 🌿

　秋の陽は本当につるべ落としだ。でも、もっと登りたい。そう考え、目を付けたのは、東京都の最高峰・雲取山だった。首都圏だから縦走しても公共交通機関は当てにでき、山中の雲取小屋に泊まれば、時間的にも無理がなかった。山中泊は苦手だが、この頃から、百名山を目指す以上、山中泊は絶対に必要であり、克服しなければならない課題だと思うようになっていた。秋のシーズンであり、北アではないから、かつての涸沢のような混みようではないだろう。そう期待しつつ、混んでいたら、それもトレーニングのひとつ、とみなそうと考えた。東京の子供宅に前泊させてもらえるよう頼み、小屋を予約。秩父側の三峰から登り、奥多摩側の青梅街道沿い鴨沢へ下る1泊2日の単独行縦走計画を立てた。

ロープウェイなく登山口まで倍時間

　2012年10月4日6時54分。池袋駅でJRから西武鉄道秩父線に乗り換え、8時39分西武秩父駅に着いた。手元のガイドブック『日本百名山地図帳2006年版』では、三峰の登山口はこの駅から御花畑駅に移動して秩父鉄道に乗車、三峰口駅でバスに乗り換えて大輪から三峰山頂までロープウェイに乗ると、所要時間合計約40分と書かれている。しかし、ロープウェイは廃止されており、9時10分発のバスに乗車した。9月30日に本州に上陸した強い台風17号の影響で、晴れにもかかわらず、乗客は数人の観光客と軽装の女性登山者二人で、雲取小屋まで行くのは恐らく私だけ、と察した。

10時25分三峰神社に到着。神社で手を合わせ、参道から登山口に向かうと『熊に注意』と注意書きがあった。10日前、八甲田山麓の酸ケ湯登山口で、同じような看板を見て躊躇し、引き返していたが、この日は引き返すつもりは全くなかった。熊は日本のどこにでもいるはずだが、熊も人が怖いかもしれず、往来の多い山では隠れて出てこないだろう。「東京で熊が人に危害」というニュースは、見聞きしたことがなかった。登山道には、強風で落ちた小さな栗の実が散らばっており、熊の餌？　と余計な心配が脳裏をかすめたが、危険を察したらその時点で引き返せばいい、と熊除け笛を確認した。

　10時55分登山口出発。ひんやりとして少し肌寒い。正午すぎ、雲取山からの下山者とすれ違った。「今朝は8時まで雨が降っていましたよ。山荘宿泊者は10人で、今日もきっと空いています。下山中に会ったのは、貴女で6人目ですから」。12時50分〜13時霧藻ケ峰。そのころから両神山が見えるようになった。稜線は、目立てをしたノコギリのようにギザギザした峰の連続で、インパクトが強かった。次に登りたいけど、これから先は冬だから、春まで待たなければならないか―。考えることは、山のことばかりだった。

ノコンギクなどに物寂しさ

　前白岩山を通過すると、台風の影響で、倒れて間もない多くの倒木があった。14時30〜40分白岩小屋。廃屋のようで、近寄るのが怖く、それまで見た枯れる寸前で咲き乱れるトリカブトやノコンギクなどの様子と重なりあい、物寂しさが漂っていた。風速1m増すごとに体感温度が1度下がるといわれるが、次第に風が強くなり、ひんやりしてきて、出発時に脱いだベストを着直した。

　白岩山を越えると、アイゼンなどの装備が十分でない初心者は入山を戒めるように、という内容の看板があった。登山口での注意ならともかく、ここまで来た人に言うのか、と思ったが、実際のところ、雲取山は山が深く、ちょっと手強いかも、と思い始めていた。もっとも登る一方だった登山道は下降も混ざるようになった。名古屋から随分離れた山中なのに、1959

年の伊勢湾台風の時には大きな影響を受けた、という表示板があり足を止めた。

16時20分雲取山荘に到着した。雲取山直下という地の利がある大きな山小屋だけに、予約時には「定員の200人以上泊まる場合もありえますので」と釘を刺されていた。しかし、受け付け時に「今日は宿泊者が少ないので、パーティーごとに個室になります」とのこと。私は単独だから一人で部屋を占有できるらしい。

こたつのある8畳間を一人占め

2階の部屋に入ると、部屋は8畳の広さで、真ん中に豆炭こたつがあった。手を入れたらすでに温かく、夕食時まで中に入って過ごした。白馬の小屋には別料金の個室があると聞いたけれど、普通料金で山小屋の一部屋を占有できることがあるとは、考えたこともないラッキーだった。今日は10.7km歩き、明日はさらに多い12kmだけど、天気は良さそうだし、頑張ろう。ヌクヌク、ポカポカ、ウトウト―。居心地のいい部屋で、何だか力がみなぎってきた。

夕食の食卓を囲んだのは、鴨沢から登ってきた単独の男性一人、母と息子の二人組、女友だち同士の二人組、先を歩いていたらしい三峰から来た岐阜県の夫婦、それに私の5組8人だった。翌日の予定は、岐阜の夫婦は雲取登頂後に三峰神社に戻るピストン、鴨沢から来た5人も三峰まで縦走とのことで、鴨沢へ下山するのは私一人と分かった。

10月5日。5時からの朝食時、

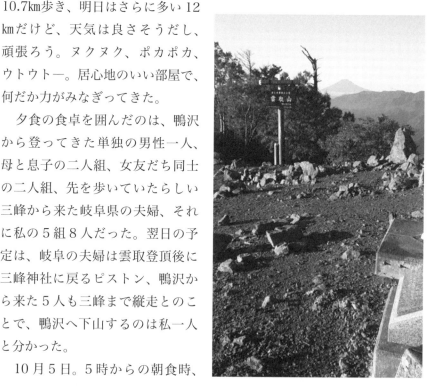

皆が日の出を見る話をしているのを聞き、私も外で待機した。5時50分。山の端から太陽が昇ると、歓声に沸き、夫婦の夫はほら貝をふいた。久しぶりに仰いだご来光だった。6時5分山荘を出た。

　6時30～50分雲取山。登頂直前、明るく眩しい青空の中に、ひときわ大きい、真っ黒い富士山（**写真**）が現れ、お腹の中から自然に「おおっー」という声が出た。ドキっ。何という大声を発してしまったのだろう。しかし、思いのほか広い山頂には誰もおらず、気兼ねは要らなかった。さほど歩いておらず、体は温まっていなかったけれど、7時前のこと。あとは無事に下山して名古屋に帰るだけで、鴨沢発10時26分の奥多摩駅行きバスには、十分間に合うだろうと算段し、しばらく黒富士の景色を独占するぜいたくに浸った。

光が満ちあふれたブナ林

　8時00～10分七つ石小屋への分岐のブナ坂。前日は風が強く、曇っており、コースは概して暗かった。しかしこの日のコースは、広葉樹林の南斜面の下降で、目に入る景色は、光に満ちあふれた広大な黄葉のブナ林で、底抜けに明るかった。天気も、打って変わった晴天で風もなく、これこそ秋晴れだ、とルンルンしながら緩やかな秋山を下った。

　堂所下を通過し、9時15分に初めての登山者に出会った。奥多摩駅始発のバスで鴨沢に来て入山したのだろう。それからパラパラと、さらにはまるで団体のような多くの人が連なって登ってきた。この日は金曜日だから、週末は雲取山中で過ごす計画なのだろうか。始発でこれほどの人が入山するならば、今晩の山荘はさぞ混むだろう。1日違うだけで、待遇には雲泥の差がある、と知った。

　鴨沢集落の坂道を下り、バス停に9時50分に着いた。鴨沢に下りたつもりだったが、一つ先の小袖川まで来ていた。喫茶店などはなく、30分ほどの待ち時間は、水位の下がった奥多摩湖の青い湖面を眺めて過ごした。

　奥多摩駅では駅で紹介してもらった『もえぎの湯』に立ち寄った。それから青梅、立川、東京で乗り継ぎ、帰名の途についた。

70
大菩薩岳
Daibosatsudake
2,057m

🌿 マユミの大木の登山口 🌿

　キャンセル待ちの順番が早いので大丈夫と言われた通り、クラツー大菩薩嶺・甲武信岳1泊2日ツアーの案内が届いた。申し込み時点では、自分が連日異なる山に登れるのか不安だったが、ほぼ半年の間に多くの山行を重ね、すっかり自信が付いていた。「カヤト（カヤ）の原に覆われ、富士山展望が美しい」と記された大菩薩嶺（岳）の登山を心待ちにした。

　2012年10月19日。集合場所の名古屋駅西口に出向くと、やけに女性が多い。20人募集に17人が参加、うち女性は14人という。若い人も年配者もおり、私はほぼ真ん中世代。バスで隣席だった毛勝三山の登頂経験のあるベテラン女性曰く「ツアーには、一人でも登りたい女性が参加するのよ」。確かに友人同士の参加はなく、一人参加が多かった。

　台風が発生し、北上が心配されていたが、この日は日本のはるか南にあり、車窓にはまぶしいほどの青空が広がっていた。中央道諏訪湖SAを過ぎると、左に八ツ、右に甲斐駒、さらには正面に富士山が現れた。先の雲取から見た時は真っ黒だったが、この日は肩の辺が白かった。青梅街道の両側にはブドウの販売店が並んでいた。再び、雲取を思い出し、青梅街道沿いに下山した達成感が蘇ると同時に、安穏と景色を眺めていられるツアーの心地良さをありがたく思った。塩山、裂石を過ぎ、上日川峠に着いた。福ちゃん荘まで25分歩くと知らされていたが、添乗員の石田登容子は「タクシーを利用します」と変更を告げ、参加者は4台に分乗した。山を歩くために山中に入るのに車利用は矛盾だ、といつも思うけれど、山でわざわざ車道は歩きたくないので、タクシーは大歓迎だった。

　正午福ちゃん荘に到着。登山口には、満開の濃いピンクの花が彩る大木があった。マユミの木とのことで、こんなにも大きかったか、こんな色の花だったか、と首をかしげながら近づくと、花に見えたのは実で、幹や枝ぶりにはずいぶん年季が入っていた。標高1,701mもの高所の環境に適合し、こんなに立派になるのだろうか。

　準備体操をして12時20分出発。「キーン」と大きな音が山の中に響いた。キジの鳴き声で、帰路でも鳴いており、工事がいきなり始まったような騒がしさだった。唐松尾根の高みに出ると、山並みの向こうに富士山、手前に群青色の上日川ダムの水が瞳のように見えた。周辺は、透明感のある真っ黄色や血赤のような濃い赤色などの木が点在し、錦秋の景色を一層立体的にしていた。日差しは強く、上着は不要になった。

　13時15分雷岩。南アルプスなども眺められる展望台で、多くの登山者が昼食を広げ、寛いでいた。大菩薩嶺はすぐ先だが、針葉樹に囲まれて展望が悪く、登頂後はここで休憩という。

遮るものがないカヤトの原

　13時30分大菩薩嶺。山頂標識を触り、雷岩まで戻った。帰路は大菩薩峠へ向かった。雷岩直下まであった木々の姿が消え、視界を遮るものはなく、カヤトの原が続いていた。歩いて気持ちのいい道だった。旧大菩薩峠の賽の河原、親不知ノ頭と名前も重々しい場所を通過し、14時30〜45分大菩薩峠。奥まったところに山小屋『介山荘』があり、石田が「売店でバッジを扱っています」と告げると、数人が買いに走った。峠からは未舗装の車道で、介山荘の占有道とのことだが、通行車はなかった。ほぼ下りきると、小説『大菩薩峠』の著者・中里介山ゆかりの建物という勝縁荘があった。日本百名山には深田久弥がここに泊まり、主の増田勝俊と話をしたと記されているが、閉鎖中だった。

　15時20分福ちゃん荘に戻った。帰りもタクシーが待っており、楽をさせてもらった。歩行は合計3時間。明日も歩くので、ちょうどいいくらいだった。

67
甲武信岳
Kobushigatake
2,475m

🌿 千曲川源流のおいしい水 🌿

　大菩薩嶺の翌日は、甲州（山梨県）、武州（埼玉県）、信州（長野県）の３州にまたがるので名付けられたという甲武信岳に登った。深田久弥は「奥秩父の山として金峰山の次にあげたくなる」というから魅力的なのだろう。しかし、八ツや甲斐駒から眺めているはずなのに覚えがない。インターネットでは、木賊山（とくさ）から撮影した緑色の富士山型の美しい写真を掲載している。

　2012年10月20日午前４時。満天の星の下、バスで長野県野辺山にある『八ケ岳グレイスホテル』を出て、登山口のある毛木平（もうきだいら）に向かい、４時40分に着いた。山で用いる地図は以前、国土地理院の２万５千分の１図を愛用していたが、最近はもっぱら見やすい昭文社の地図に変えた。しかし、そのカラフルな地図で毛木平は見やすい場所にはなく、探さなければ分からないほど左端隅に記されている。なのでマイナーな登山口だと思い込んでいたが、駐車場にはバスが何台もとまれるほど広く、大きなトイレもあった。

　満天の星の中で、体操などを終え、ヘッドランプをつけて５時登山口を出発。暗いけれど、幅広く、勾配の緩い道を順調に歩いた。気温は低く、この日は朝、着込んだフリースを一日中、脱ぐことはなかった。大山祇神社、ナメ滝などを通過した。数日間、晴れ続きだったそうだが、道はところどころ、ぬかるんでいた。用心して歩いていたら、いつの間にか地面や木切れ、草や苔に淡い霜がつき、美しい白い世界が広がっていた。

　８時30〜40分千曲川・信濃川水源地標地点。日本最長の川の源流は、

崖下の岩のトンネルから湧き出しており、口にしたら、冷たくておいしかった。奇しくも8日前、横井らと岐阜県下呂市で合流し、川上岳に登り、中腹にある宮川（神通川）源流地を訪れ、その水を飲んでいた。日本海に流れる2本の源流の水を続けて飲めるとは―。心身の健康、山を最優先にできる時間、元気な家族に恵まれているからできること、と感謝した。

「あっ」という声に顔を上げたら、鹿が崩れ落ちそうな崖を跳んでいた。鈴鹿でカモシカには出くわすが、鹿とは初対面だった。急傾斜を登って森林帯を抜け、9時に尾根に出ると、明るくなり、遠くまで見えた。道は岩場になったが歩きやすく、詰めていくと山頂が視界に入った。

9時30〜10時15分甲武信岳。青空の下、八ツや南アはよく見えたが、富士山方面は厚い雲に覆われていた。山頂から少し離れると、正面にきりりとした木賊山が眺められた。

あの人、徳ちゃんだった!?

帰路は往路を戻った。石田と最後尾を歩いていたら、登ってきた男性に「どこから？」と聞かれた。石田は返事をし、同じ質問を返すと「甲武信小屋に世話になっているもの」とのこと。ところが、しばらく経ってから、突然「あの人、徳ちゃんだった」と残念がった。通称『徳ちゃん』は甲武信小屋主人で、山梨県側から徳ちゃん新道を開いたという。

11時50分〜正午ナメ滝。朝は気なしに通ったけれど、昼の光の中で、水しぶきが輝いていた。谷も、黄色主体の紅葉が逆光を受けて美しかった。毛木平までは、三宝山を回るルートもあったが、往路の景色の様変わりぶりに、ピストンで良かったと思った。

13時30分に登山口に戻った。バスで毛木平を後にした時、振り返ったら秋色の山が目に入った。「甲武信？」と石田に尋ねると「残念ながら甲武信は麓から見えない山。あの奥にあるのです」との返事。これまで見た記憶が定かでなく、今回、尾根に出て見えたといっても近づきすぎていた。甲武信岳山頂からは多くの頂きが見えていた。だから、いつかある日、そうした頂きから逆に甲武信の山容を眺めたいと思った。

90

大台ケ原山
Oodaigaharazan

1,695m

🌿 山頂から「まさか」の熊野灘 🌿

　大台ケ原山に登るコースは、奇岩の多い大杉谷を詰めていくのがベストらしい。かつて山仲間や会社の山岳部に誘われたのに、2度とも都合が悪くて登りそびれ、強い思い入れがあった。2004年、大杉谷は台風で壊滅的な被害を受けたが、2012年夏、迂回ルートから大台に入山できるようになった。それで大杉谷経由の山行を楽しみにしたが、バタバタしていて秋になってしまった。大杉谷は今後の楽しみに残し、まずは日帰りで大台に登ろう。考えていたら、クラツーが10月中旬から9回、東大台ケ原の日帰りハイキングツアーを計画していた。ガイドは付かず、滞在時間5時間を各自が自由に過ごすフリープラン。大台まで車で行こうとすれば、カーブの多い山岳道路で距離も長いが、ツアーなら楽だし、絶景で名高い
大蛇嵓から大台ケ原山最高峰・日出ケ岳への周回は、起伏はあっても、危険はないはずだ。近郊の山に登っている勤め先の仲間に声をかけると、遠藤文康、服部次男ら5人が参加するとのことで、6人で申し込んだ。

　2012年10月29日正午前。参加者30人が乗った中型バスがビジターセンターに着いた。センター前は、山の中とは思えないほど平たんで、視界に高い山はなかったが、肌寒い風が吹き、底冷えがした。参加者は帰りの集合場所と時間を確認し、別行動に移った。

　12時5分。大蛇嵓を目指し出発。うっそうとした森の道は公園の様相から急な下り登山道になった。シオカラ谷では風はやや和らぎ、休憩した。月曜日にもかかわらず、多くの往来があった。大蛇嵓方面から来た団体は、雨具やビニールカッパをまとっており「雨でしたか」と聞くと「寒くて持っ

ているものすべてを身に着けました」とのことだった。

シオカラ橋からは、シャクナゲの木の急坂を登り返した。初夏はシャクナゲのトンネルかもしれない。登っていたら体は熱くなったが、風はさらに強くなり、体温が奪われ、上着は脱げないままだった。

13時50分〜14時10分大蛇嵓。「大蛇の背に乗ったような感覚から」と名付けられ、800m切れ落ちているという大絶壁で、岩上は赤や黄色の紅葉と針葉樹の緑色でカラフルだった。強風の中、バランスを崩さないように、大蛇の背に立ち、下をのぞいた。岩稜は切れ落ちているのではなく、谷底からせり上がってくるようで、左側ははるか先の平野に川筋が光り、右側は絶壁にある2本の滝がとうとうと水をふき出し、見るものすべてが生きているかのような光景だった。

木枯らし1号の牛石ケ原

日出ケ岳への道は、緑色のじゅうたんのような笹原で、池塘もあった。神武天皇像のある牛石ケ原や尾鷲辻を通過しても、風は強いままで、寒さが身に染みた。もしも今、雪が降っているならブリザードだ、と思うほどだった。正木ケ原には、かつての大正池のような枯れ木が林立していた。展望デッキの説明版には「伊勢湾台風でトウヒ林が倒れ、ミヤコザサの原になった。笹を餌にする鹿が増加中」と書かれており、台風前に撮られた樹高の高い木々の林の写真と、あまりにも違うことに驚いた。

15時30〜40分日出ケ岳。山頂からは、湖が見えたが、あまりにも大きく、皆で「どこだろうか」と考えているうちに、熊野灘と分かった。まさか、と信じられないくらい近くに見え、驚いた。三角点を覆うような一段と高い展望台に登ると、八経ケ岳など大峰山系のパノラマが楽しめ、同時に、その景色から大台ケ原が正木峰のような平らな山の集まりであることや、日出ケ岳直下の川が、結構深いシオカラ谷になることも理解できた。

シオカラ谷の源流になる川沿いを歩き、16時20分センターに戻り、温かいぜんざいを食べ、寒さに耐えた体をいたわった。帰宅後「関西で木枯らし1号が吹いた」というニュースを知り、大いに納得した。

40
赤城山
Akagisan

1,828m

筑波山とスカイツリーを一望

　筑波山と開聞岳を除けば、百名山の標高は 1,300 m 以上である。標高が 100 m 上がると 0.7 度下がるというから、11 月でも低温が苦にならない 2,000 m 足らずの山はないだろうか―。しつこく探したら赤城山があった。鍋割山、長七郎山などいくつものピークがあり、最高峰・黒檜山は 1,828 mで、名古屋よりも、12、3 度低いくらいだ。群馬県は、東京からの日帰り圏で登山口までは夏季は毎日、それ以外は土日祝日限定で、前橋駅前から直通バスが出ている。雨なら順延すればいい、と 11 月第 2 土曜日に仮計画を立てたら、晴天の予報になった。前泊のため、前橋駅前のビジネスホテルを予約し、定年元年の 16 座目、かつ 2012 年最後の百名山とし、高崎まで新幹線を乗り継ぎ、さらに JR で前橋に入って登頂した。

　2012 年 11 月 10 日。8 時 45 分発の赤城山ビジターセンター行きバスに乗った。車体側面が『日本百名山　赤城山』の文字と真っ赤な紅葉の山の写真でラッピングされており、心がときめいた。紅葉は、駅前のケヤキ並木から始まっており、途中から赤やオレンジ色の赤城山が見えた。今年は各地でたくさん紅葉を見た、と思っていたら、バスの前を小太りの小動物が横切り、後ろから「イノシシだ」との声がした。そういえば、山の生き物も何とたくさん見たことか。また、多くの高山植物も―。長いようで短かった登山シーズンを振り返った。

　9 時 53 分大洞バス停。登山靴の乗客は約 10 人いたのに、下車したのは私一人だった。黒檜山登山口から黒檜山に登頂し、駒ケ岳経由でビジターセンターへ縦走する計画は、一般的ではないのだろうか。大沼湖畔にも、

赤城神社にも人影はなかったが、登山口には車で来たらしい多くの人がいた。単独行で最も緊張するのは登山口探しだが、心配無用だった。

10時30分出発。家族連れが多いのに、登山道は急で、途中からは溶岩の岩場になった。猫岩を通過すると、歩いてきた大沼と赤城神社や地蔵岳などが、さらに上がると、大沼の背後に小沼が見えた。山の中に、湖が宙に浮いたような不思議な見え方だった。風は強く、長い霜柱が現れ、木陰の残雪が次第に増えた。稜線に出ると、狭い登山道には駒ケ岳から来たたくさんの登山者も加わって行列ができており、その列に加わった。

11時45〜55分黒檜山。着いた瞬間、近くの山がかすかに見え、何という山だろうか、と大きな地図を出していたら、姿がみえなくなってしまった。5分早ければ、と残念だった。山頂は広かったが、残雪でぬかるみ、人があふれていた。三角点を触ろうと再び並び、その間に山頂の人数を数えたら何と43人もいた。早々に下山し、駒ケ岳との分岐を直進し、御黒檜大神の祠の前でランチタイムをとった。

駒ケ岳への道は、往路と違って岩場ではなく歩きやすかった。天気は再び回復、花見ケ原森林公園の紅葉はきれいだった。12時35分。遥か南東に裾野を広げた雄大な山が見えた。よく見れば、美しい双耳峰である。群馬の山は分からず、少し先でコンロを前にした人に尋ねると、筑波山とのこと。深田久弥も「だだっ広い関東平野で目立つ」と記していたが、周囲に山がないと、こんなにも目立つとは。驚いているとさらに「スカイツリーも見えますよ」と教えてもらえた。言われたままに視線を筑波山から右に移すと、確かに垂直に立った1本の細い棒が見えた。東京では、ぽっちゃり太めのタワーだが、遠くからだとマッチ棒だった。

駒ケ岳を通過し、13時30分駒ケ岳登山口に到着。13時45分、ビジターセンター出発のバスに間に合った。バスの乗客は、私以外に男女一人ずつで、女性から「直通バスに間に合ってよかったですね。朝も同じバスでしたよ、私も一人だからよく覚えているのです」と話しかけられた。それで終点まで「事前に十分調べ、全コースを頭に入れるので山がよく分かる」とか「天気予報に合わせて日程を組める」などと単独行の山談義に花が咲いた。

29
至仏山
Shibutsusan

2,228m

🌿 初対面のオゼソウに感激 🌿

　百山会の山仲間から「尾瀬を見たい」との声が上がり、参加者10人は2013年6月30日から『水上高原ホテル2000』に2連泊し、尾瀬散策組と至仏山登山組に分かれ、それぞれの尾瀬を楽しんだ。

　百山会は1996年、私の登山の趣味を知る職場の元上司・山田相と先輩・平野幸司から「医者からもっと歩くように、と言われたが、どうしたらいいか」と相談を受けたのをきっかけに、先輩・神田徳蔵が加わり、4人で近郊の山に登ることで始まった。私がリーダーとして数カ月に1回ペースで定期的に山行を企画すると、回を追うごとに参加者が増え、平野が「この集まりが百回続くように」と命名した。近郊の山のほか、年に1回"遠征"と称し、遠出をし、中国や韓国の山に登ったこともある。

　至仏山開山日の7月1日。全員が7時15分発のホテルの送迎バスに乗車、8時20分に鳩待峠に着いた。開山祭式典は始まっており、神官に続き、関係者が玉串を奉納していた。この後、何本も並んだアルペンホルンの演奏やお神酒の振る舞いも予定されていたが、帰りのバス出発は15時35分で、現地滞在は7時間半。心を残しながら小形耕八、山田、ヨーコと私の計4人は8時35分登山口を出発した。

　落ち葉の堆積でフカフカの道を歩き始めると、すぐに下山者に会った。朝一番に山の鼻を出たとのことで、その後も数組いた。GWから植物保護のために入山禁止だったので、開山日を心待ちにしていたのだろう。9時28〜38分トカゲ岩。天気は薄曇りで、視界は悪く、燧を背景にした広大な尾瀬ケ原湿原を俯瞰するはずなのに見えなかった。登るにつれ、地塘

が現れ「尾瀬だねえ。6人はこういう高層湿原を歩いているんだ」と会話が弾んだ。

オヤマ沢田代を過ぎると、木々がなくなり、雪塊が現れた。霧は時々切れ、その瞬間、なだらかな稜線の先に尖った形の小至仏山が望めた。ねじれた斜面の登山道を雪塊が塞ぐ個所があり、自然渋滞ができていた。アイゼンを使わず、歩けそうな場所を探していたためだ。『夏の思い出』の歌では優しげな尾瀬も、荒天なら冬装備が必要だった。

足元の岩が滑りやすいと思ったら、艶のある濃い緑色で、早池峰で覚えた蛇紋岩だった。雪渓と岩場を越えたところでザックを下ろしたら、楽しげな夫婦がいて、目が合った瞬間「オゼソウがありますよ」。教えてもらうと、地味な花で、クリーム色の小花を茎いっぱいにつけたところに感激した。ここで休まなければ、恐らく一生知ることはなかっただろう。奥さんはさらにカトウノハコベ、ホソバヒナウスユキソウを紹介し「ここは早池峰同様、特有の珍しい植生の場所」と説明した。

ゴロゴロした岩を越え、小至仏山に着くと、霧はなく、間近に至仏山への道と山頂が見えた。あと一息。しかし、一度下ってからの登り直しに山田は躊躇し「ここにいるから往復してきて」。時間さえあれば登れるのに、バス時間が気になるのだ。気持ちをくんで3人は先を急いだ。

12時10～25分至仏山。天気は曇天に戻り、燧岳も尾瀬ケ原も見えなかった。人が多く、小形は、制服姿の群馬県警谷川岳警備隊員と話をしていた。「持ち場は谷川岳だけど、今日は尾瀬でトレーニング」という。山田から「寒いので下山を始めた」との連絡があった。

帰りも、道の雪塊に行列ができていたが、往路ほどは混まず、その先で山田と合流した。気持ちのいい道を下り、14時55分鳩待峠に戻った。散策組6人はすでに到着、私たちが見られなかった燧岳や湿原のオゼコウホネを見たという。「尾瀬沼の湖面に映った燧岳が良かった。コウホネは小さくて3本だったけど、見られない年もあるから貴重だと聞いた」。水芭蕉が終わり、ニッコウキスゲには早い狭間だったが、全員が尾瀬の名前がついた貴重な花に巡り合えていた。

30
谷川岳
Tanigawadake
1,977m

魔の山は遠くて近い山

　尾瀬遠征２日目は谷川岳。魔の山とも呼ばれる恐いイメージは、衝立岩など岩場で事故の多さによるもので、一般道は子供も登っているという。2013年７月２日、ロープウェイとリフトを利用して天神峠まで登り、再び、新幹線利用の平野、小形、ヨーコ、私の４人は登山組、細川恵治運転の車利用の６人は峠周辺ハイキング組に分かれた。

　８時30分ロープウェイ土合口駅で始発に乗った。乗り場に『７月２日は谷川岳の日』というポスターがあったが、イベントはなかった。真っ白い濃い霧が出ており、天神平駅でさらに濃くなった。リフト券には水芭蕉やニッコウキスゲと谷川岳の双耳峰が印刷されていたが、花も山の端すらも全く見えず、終日、霧が消えることはないと思われた。天神峠で２組はそれぞれ「気を付けて」「名古屋で」などと別れを告げた。

　登山組は８時50分天神峠を出発、緩やかな道を下り、天神平駅からの登山道と合流した。熊穴沢避難小屋からは急登になり、道幅も狭くなった。足元の岩は、皆が踏む個所がつやつやした濃緑色をしていた。前日も見た蛇紋岩で、ここも水分を含む濃霧により水を撒いたような状態で、滑りやすかった。安全のためのロープを張った箇所が現れたころ、歩くペースが落ちてきた。

　天狗のトマリ場は、通りにくくて行列ができていた。足場は悪いのに、急かされるようで登りにくい。まもなく平野は立ち止まり「ここから下山し、天神平駅で待っている。みんなで登ってきて」と言った。そこで10時40〜50分休憩。高度計を見たら標高1,790ｍだった。1,820mの天

神のザンゲ岩まで標高差30m、山頂まで200m足らずで、正午まで1時間以上もあるから、ゆっくりでも登頂できる。帰りが心配なら、どこにいても13時に折り返すことにすれば、15時にはロープ駅に戻れる。もう少しの我慢なのだが、小形も「古傷が痛んできた。僕も下りる」と言う。ヨーコと二人で「みんなでピークを踏みましょう」「最終ひかりに乗るなら、上毛高原駅発は20時半で、時間もたっぷり」などと説得にかかったが「女性陣は登ってきて。男性陣は下山」の一点張り。引き返したくない私たちは結局「お言葉に甘えて」と14時に天神平駅合流と決め、11時に別れた。

　肩の小屋、トマの耳の下を経て、11時50分〜12時10分谷川岳最高峰・オキの耳。前方右下にあるはずの一ノ倉沢は霧で見えず、どんな風か想像もできないのがもどかしかったが、それが幸いして、山頂に未練はなくなり、昼食を食べ終え、すぐ下山した。トマの耳で足を止めたら、霧が薄らぎ、白毛門がぼんやりと見えた。

　熊穴沢避難小屋あたりで、霧は突然消え去り、またたく間にあたり一帯が鮮やかに見えるようになった。谷川は、緑が多い山に囲まれた岩山なのだ。天神平に近づくと、正面と右手にスキー場が見え、夏なのに緑色の斜面から家族連れのスキーの歓声が聞こえるような気がした。朝こわごわと歩いた場所は、こんなに広くさわやかだった—。毎度おなじみとはいえ、天気で印象が変わることに、あらためて感心した。

　14時。二人と合流し、ロープウェイで土合口駅へ。タクシーがなく、電話で呼ぶと約30分後に来た。首都圏の有名な山も、名古屋近郊と同様、公共交通機関を利用するなら確認が必要だ。運転手さんに「日帰り温泉に立ち寄りたい」と相談すると、お薦めは谷川町営『湯テルメ』とのことで、向かってもらった。

　湯テルメには、谷川岳の日の記念割引料金が設定されていた。谷川岳稜線が見えるとのことだったが、残念ながら、再びの霧で見えなかった。再度、タクシーを呼び、『MAXとき』と『ひかり』に乗り継ぎ、20時ころ名古屋に戻った。魔の山・谷川岳も、新幹線を使えば時間的には遠くはなく、費用はかかるけれど、その気になれば、日帰りだって可能だろう。遠いけれど、近い山だった。

80
北岳
Kitadake

3,193m

『草すべり』で高度稼ぎ

　2013年7月。東北地方に豪雨禍があり、27日出発予定のクラツー飯豊山ツアーは宿泊予定の川入地区に入れないことから催行中止になった。飯豊山は難易度の高い百名山、気力・体力とも充実しなければ、と努めていたので、ガックリした。しかし、ベストシーズンだからどこかに、と欲が出て、いつでも登れるはずと思いながら未踏だった日本第2の高峰、南ア・北岳から間ノ岳への単独行縦走を計画した。

　当初予定は、7月29日白根御池小屋泊、30日北岳山荘泊で31日帰名、8月1日予備日で、同時に、天気、体調、意欲ともベストなら2日目に農鳥小屋泊、3日目に間ノ、農鳥岳を経て大門沢小屋泊、予備日に帰名という計画書も作った。アプローチは、夏季の名古屋発長距離バス運行を知らず、朝一番の『しなの』から『あずさ』に乗り換え、10時2分甲府着。10時発のバスには僅差で間に合わないので、次発11時に乗車、広河原着12時53分とした。大きな山への午後入山には抵抗感があったが、仕方ない。事前予約のために白根御池小屋に電話を入れると「ハイシーズンなので、布団一組に二人です」と言われた。

　予定日が近づくと、天気予報は豪雨に変わり、テレビでは注意を呼びかけるようになった。単独行だと、自分の判断で予定変更しやすく、山小屋に「1日延ばしにしたい」と連絡した。結局、当初予定の前日の28日は各地で豪雨で、島根・山口県境でがけ崩れなどの大災害が発生。29日には強風などの天候不順で、中アで大きな遭難事故があった。

　迎えた7月30日。雨は残っておらず、予定通り13時に広河原の吊り

橋を渡った。白根御池への登山道は、踏み跡がしっかりしており、豪雨による登山道崩れはなさそうだった。1年中で最も暑い夏の昼下がりだが、樹高の高い針葉樹が日差しを遮り、雨後の蒸し暑さもなく快適だった。数人の下山者はいたが、登山者には会わず、私がこの日最後の登山者のようだった。一人で登っていると、息が上がっていても休まず頑張ってしまいがちだが、絶妙なタイミングでベンチが現れ、そこでおやつを食べ、静かな山中の時間に浸った。2番目に現れた第2ベンチからは、鳳凰三山が正面に見え、いつあの峰に登ろうか、とワクワクして眺めた。

白根御池小屋には16時に着いた。小屋前のテラスでは、若者グループが夕食までのひとときを談笑していた。昔は小屋に着くと、ホッとしていたことを懐かしく思い出した。小屋の裏側に回り、翌日歩く草すべりルートを確認すると、白根御池の先に緑色の垂れ幕のような急斜面と、まっすぐ伸びたルートが見えた。バットレスなど岩山で名高い北岳の山腹ながら、高い木がない草野原と美しい小さな池の不思議なエリアだった。

小屋に入ると「宿泊者は70人。一人1枚布団を使ってもらえます。部屋は8人部屋に女性7人です」と告げられた。うれしい想定外に、不謹慎ながら台風一過は狙い目だなあ、と思った。さらに小屋が新しく、布団は清潔で、暖房便座のトイレの臭いが全くしなかったことに喜んだ。

青い空、緑の大地と黒い瞳の池

7月31日。4時起床、5時朝食で、5時30分に小屋を出発。快晴で、太陽は朝早くから強烈な陽射しとなっており、体が焼けるようだった。ただ、草すべりルートは急な泥交じりの土道で、雨なら滑って危険そうで、暑い方が歓迎だった。何気なく視線を下に落とすと、遥かなほぼ真下から双眼鏡でこちらを見上げている人がいて、一気に高度を稼いだことが分かった。高みでゆっくり足を止めると、真っ青な空を背景に、緑の大地に立つ小さな小屋、黒い瞳のような白根御池、遠くには白く輝く鳳凰三山。最高の景色に息をのみ、晴天に恵まれた素晴らしい光景は、もう二度と見られないかも、と脳裏に焼き付けた。

6時40〜50分。小屋周辺が視界から消えたことを確認して腰を下ろ

した。先客がおり、挨拶するとこのルートは登山者が少ない、と教えられた。右股ルートと合流すると、一帯はハイマツ帯に変わり、赤岳や黒い富士山などが見え、視界が広くなっていった。

7時40〜50分小さな岩の窪みを発見、ラッキーとばかりに体を半分潜り込ませた。わずかでも陽射しを遮り休めるのは有難い。そこに「いいとこ見つけたなあ」と頭上で声がして「僕らも休みましょう」。顔を上げたら、男性3人組が休憩するところだった。リーダーらしい声の大きい男性は、聞きもしないのに「浜松の同じ町内の、アラセブンのグループで、北岳・間ノ岳登山に」と自己紹介。テンポの良さにつられて「私も名古屋から同じく両山を目指して」。浜松には友人が転勤しており、親近感を感じ、軽く挨拶した。それが後に大きな意味を持つことになった。

休憩を終え、北岳に向かった。3人組は休んでいたが、途中で追い抜かれ、さらに追い抜いて、と相前後した。8時5〜10分小太郎尾根分岐で、槍の穂先や常念、甲斐駒、仙丈、中ア、御嶽など名だたる山が一望できた。勾配が緩やかになり、いつの間にか3人と一緒に歩き、山の話で盛り上がっていた。8時50分〜9時20分。肩の小屋のベンチの昼食中の雑談で、小杉継雄は、山慣れしたリーダー・大塚信夫は、浜松勤労者山岳会の元会員であり、同行の横田允は登山未経験なのに、いきなり3,000m峰に登ったと教えてくれた。自身は、大塚と数多くの山に登っており「リーダーは百名山を目指しているんですよ、すごいですよね」と告げた。百名山と聞いて、私は「興味あります」と身を乗り出した。

10時5〜30分北岳。広い山頂には人が多かった。山頂直下の道は、途中までの急登に比べれば、なだらかであり、展望は、南方も開けたとはいえ、それまで感嘆してきたので、既視感があった。といっても、やはり日本第2の高峰、私には57番目の日本百名山。次第に満ち足りた気持ちになり、農鳥までは行かないことを決めた。

11時25分北岳山荘に到着。宿泊手続きを済ませ、大きな荷物を部屋に置いて身軽になり、小屋前に出た。3人と合流し、間ノ岳に向かうことになっていた。

81
間ノ岳
Ainodake

3,190m

❧ 日本一高くて長い稜線歩き ❧

　2013年7月31日12時10分。真っ青な青空の下、大塚らと北岳山荘を出発した。山荘前から間ノ岳に向けては、日本で一番高所にある長い天空の稜線である。実際、歩いていると、視界を遮るものがなく、遠くの山々まで眺められた。これこそ登山の醍醐味だった。アップダウンも、さほど大きくなく弾む足取りだったが、ぜいたくなもので、広大な景色ばかりを見ていたら慣れてしまった。次第に飽き、途中からは、ひたすら足元を見つめて歩いた。緊張感が緩み、朝からの疲れが出たのかもしれない。足元には石ころが転がっていた。それでNHK・Eテレ『日曜美術館』で紹介していた洋画家・犬塚勉の『縦走路』を思い出した。北岳から間ノへの山行の絵は、背景に山が折り重なっていたけれど、絵の中央はドキドキする岩場とか高山植物ではなく、何の変哲もない乾いた道だった。早世した画家は、この単調な何気なさを描きたかったのだ、と想像を膨らませた。

　12時50分〜13時中白峰。風が出てきて肌寒くなった。振り返ると、どっしりとした丸みを帯びた北岳があった。離れて見ると、やはり険しい岩山で、かっぷくの良さが際立った。

　14時5〜35分間ノ岳。この山頂の標高は以前、奥穂高岳に次ぐ日本第4位だったが、国土地理院の大掛かりな測量結果で3,189.5mと判明、切り上げて3,190mと奥穂と同じ3位になったばかりだった（発表は2014年4月1日）。1日の間に、2位北岳と3位に登れたわけだが、北岳にいた多くの人は、ここまで足を延ばさないのか、間ノにいたのは、しばらく我々4人だけだった。16時5分北岳山荘に戻った。

8月1日下山日。6時10分、濃い霧と雨の中、大塚らと八本歯ノコルから大樺沢に向かった。吊尾根分岐手前を右折しトラバースすると、左の山側、右の谷側の両急斜面は、雨に打たれた高山植物で埋め尽されていた。大塚は「有名なお花畑で、先にはキタダケソウ自生地もある。少し遅いけど、晴れていれば見つけて紹介できるのに」と残念そうだった。

　八本歯ノコル合流点に着くと、道は横ばいから一転し、岩場を真下に下る縦ばいになった。霧は一層濃くなり、一歩下でも見にくいが、微妙な凸凹の難所には、垂直に近い角度ではしごが架かっていた。はしごのない頃は、大変だっただろう。急坂で、この日初めて会った登山者を追い越した。年配男性が孫らしい小学校低学年くらいの姉と弟を連れていた。

8月なのに蒼氷の大樺沢

　大樺沢最上部に達した時、雪渓を見て大塚は「この時期、見たことがないほど大きい」と言った。解けた雪が再び凍って、中央部はぞっとする蒼氷になっていた。私は夏山の雪渓は日中には解けるから、とアイゼンを持参していなかった。慎重に歩けばいいと思っていたら、大塚が片足を貸してくれた。縁を歩き始めると、氷はアイゼンの歯が刺さりにくいほど固く、片足でも有難かった。雨は降りしきり、雪渓を強く打ったが、朝の早い時間に氷を解かすことはなかった。せめて見晴らしが良ければ、全体を見ながら通過するのだろう。しかし、それもできない嫌な天気だった。

　静かな谷に突然「ああっ」と絞り出したような、妙に心に残る声と「大丈夫？」という女の子の声が響いた。私たちは顔を見合わせたが、すぐ静寂が戻った。しばらくたち、若い女性が「子供の滑落を目撃しました」と駆け下りてきた。大塚は「探しましょう」と立ち上がり、下りて行った。3人も事の重大さに気付き、慎重に後を追った。後から、女性はたまたま通りすがった看護師で、看過できなかったと聞いた。

　沢の中に傾斜が緩く、谷幅の広い場所があり、「おーい」という声が聞こえた。凝視すると、雪渓の大海に小島のような岩があり、そこに小さな影があった。最悪の事態さえ想定される滑落ながら、子供は無事だったのだ。大塚は、私が返したアイゼンを履いて岩まで行き、少年を抱きしめ「も

う大丈夫」と声をかけ、背負い、ピッケルで氷をカットして足場を作りな
がら、戻ってきた。看護師は、打撲など確かめ、救急措置不要と判断した。
緊張が解け、皆で上に向かって「無事ですよ」と叫んだ。おじいさんと妹
が下りてきて、少年と別れた。

もしも半日早ければ…

　いつの間にか大雪渓は終わり、二股を過ぎると、あまりにも多い登山
者に「ハッ」として現実に戻った。大雪渓の出来事は夢のようだった。雨
は上がり、快晴になっていた。この青空、もしも半日早ければ、少年はバ
ランスを崩して滑落せずにすんだかもしれない。私たちもキタダケソウが
探せた、と様々な思いが錯綜したが、無事に下山できれば全て良し、だっ
た。すれ違う人は私たちのずぶ濡れ姿を不思議そうに眺めていた。

　12時10分広河原登山口。車で来た大塚パーティーは、麓の温泉に立
ち寄るという。スーパー林道の北沢峠を通ってみたい私は、12時30分
発の戸台口行きバスに乗る予定だったが「温泉が好きなら、浜松から戻っ
てもいいじゃないか」と誘われ、心が動いた。万一の場合でも、浜松に友
人がいるので連絡すればいい、と同行させてもらうことにした。

　帰りの道すがら、大塚から百名山攻略法を授かった。衝撃的だったの
は「百番目の山は、楽な山にすることが大事」とのアドバイスだ。未踏の
富士山に、と思っていたが、「富士山はしんどいから、一度で十分という
人が多い。山頂で"一人万歳"をするならいいけど、誰かに祝ってもらい
たいなら、皆が登れる山にしなければ」。言われてみれば、その通りだっ
た。自分自身で本当に到達できるか、という不安もあり、真剣に向き合っ
ていなかったのだ。帰名したら、踏破青写真を描き、本腰を入れて登ろう
と決意した。大塚はさらに、同じ目的を持つことに共感して自身の登山計
画を示し参加すれば、とも言ってくれた。北岳の日陰が提供してくれた不
思議な縁、帰路の予定を変えて大正解だった。不安だった浜松の到着時間
も17時前で、JRで復路の払い戻しをして新幹線に乗ったら帰宅は19時
だった。浜松は近い。今後、大塚の登山計画に参加させてもらいやすい、
と喜んだ。

32
苗場山
Naebasan

2,145m

🍃 山上台地にワタスゲの白い穂 🍃

　定年2年目の、ヨーコとの恒例山行は、山上に苗代田のような池塘が広がるという信州・越後国境の苗場山だった。多くのガイド本では登山口を和田小屋や赤湯からと紹介しているが、名古屋からだと、西側の小赤沢からの方が時間的に短い。それで私の帰省時に長野まで来てもらい、長野駅でピックアップして秋山郷・小赤沢からの入山計画を立てた。

　2013年8月4日午前10時。JR長野駅でヨーコと合流。国道117号を経て宿泊する長野県栄村の民宿『出口屋』に行き、チェックインしてから日帰り温泉『楽養館』に出向いた。効能がありそうな濁った茶色の湯に漬かっていたら登山帰りらしい女性がいた。尋ねてみたら、やはり苗場山帰りだった。「登る時は天気が良かったけれど、途中で激しい雨に遭った。明日も同じような天気みたい」。確かに天気予報も「午後から雨、所によって雷も」で、前週半ばまでの「全国的に晴れに」から変わっていた。6日を予備日としていたが「出発時に晴れなら登ろう」と決めた。

　5日。曇り。6時からの朝食を済ませ、民宿を出た。3合目登山口までの道路は曲がりくねり、前が見にくかったが、対向車はなかった。登山口の駐車場は迷うほど広かったが、最奥のワンボックスカーを下りた人が登山口らしいところに向かったので、奥まで入った。

　7時30分出発。前日の雨で、登山道はどろどろしており、水たまりも目立った。湿度が高く蒸し暑い。8時5～20分4合目。水場があったので、手などを洗い、水分を補給した。ワンボックスカーの人も休んでいた。アウトドア関連雑誌の取材に来たとのこと。苗場山は6,000haの高層湿原

があり、天空の楽園と言われるとか。「登山愛好者でない人も、遠方からでも、登ってみようかと思わせる魅力があるのです」

登山道は次第にうねる木の根が占めるようになった。1合目ごとに標識があったが、風はそよともせず、蒸し風呂のような暑さには参った。9時20〜30分7合目。登山道に岩が目立つようになり、大岩には鎖やロープが張られていた。さらに険しい岩場をよじ登っていくと、なだらかな頂上台地に躍り出た。難所は長く続かなかった。

10時05分。9合目到着と相前後して空が暗くなった。山上一帯は確かに広く、大小いくつもの池塘が点在し、稲のような緑の葉と白いワタスゲの穂が揺れていた。複雑な曲線が縫うように張り巡らされたなだらかな道を進んだ。

濃い霧が発生しながら、消えてしまう瞬間も頻繁に訪れた。歩いていると、明瞭な景色に紗がかかり、その後、少し角度が異なる景色が訪れるといったコマ落とし映像を楽しんでいる気持ちだった。山頂直下の苗場山自然体験交流センターに着くと、雨粒が顔に当たるようになった。覚悟していたので、ここまで来られて良かったという感じだった。

本降りの前に登ってしまおう、とセンターの裏に進み、10時47分苗場山頂に立った。平らな山頂で、ニッコウキスゲが咲いていた。センターに戻り、民宿のおにぎり包みを広げると、手作りのフキミソが入っており、舌鼓を打った。周りは若者の団体で、引率者に聞くと、新潟県立高田高校の伝統行事の全員登山であり、この日は別パーティーも立山や早池峰などに挑戦中とのこと。事故が起こった場合の責任問題などから、リスクをとらないですむようにと登山行事をなくす学校が多い中、登山経験させようという先生方に敬意を感じた。また、高田は父の出身地で、高田高にはいとこたちが通っており、生徒には親しみを抱き、自分の経験から「恵まれた高校生活だった、と気付くように」と願った。

11時20分下山開始。雨は正午すぎ、本降りになった。岩が滑りやすく、ペースは落ちた。登りと同じく7合目と4合目で休み、14時登山口に戻った。ストックや靴、雨具などは泥だらけで、登山口わきの水場で流した。なるほど。苗場山は、水が豊富な水田を連想する山名だった。

75
空木岳
Utsugidake
2,864m

🌿 台風接近でハプニング続き 🌿

　会社の後輩だった黒田直子が喫茶店『ステージ』の経営を始めるとのことで、2013年夏に再会した。5歳年下だが、東海山岳会に所属していたパワフルなクライマーで、岩場のトップができ、御在所藤内壁では、気軽に練習に付き合ってもらった。会った途端、山の話で盛り上がり、同行した先輩の大塚のり子と『チームステージ』で、空木平避難小屋泊で中ア・空木岳に登る計画ができた。

　予定では、黒田家で仮眠して9月15日未明出発だったが、15日前後に大型台風到来の予報が出た。この年は台風が多かった。9月4日に聖岳を目指し聖光小屋に泊まりながら、名古屋中心部が大雨で冠水と聞いて帰名し、青空を見上げて後悔していた。だから台風予報でも、可能なところまで登りたいと願ったが、連絡はなかった。そうか二人とも肝が据わった強者である。雨なら停滞すればいいと中止は頭にないのだと考えた。

　14日夕方、黒田家に出向いた。そこで登頂と下山を半日早めることになった。夜のうちに池山林道終点の登山口まで行き仮眠、15日登頂、16日は早めに下山―である。15日0時すぎ、木曽駒高原奥の登山口に到着した。林道は奥まで延びていたが、脇に空木岳への標識があり、前方には1台の乗用車。雨が降り始め、ツエルトを出さず、車中で仮眠した。

　15日4時30分。電波状況が悪く、カーラジオからは何も聞こえなかった。台風状況が分からないが、雨は上がっていた。5時30分出発。樹高の高い木々の中の登山道を進むと、石仏があった。三本木地蔵で、前夜、池山林道終点に至っていなかったことを知った。約50分のロスだった。

6時20分池山登山口出発。7時40分〜8時池山避難小屋分岐。休憩中に、空木平避難小屋に泊まった下山者が通った。「昨晩は20人定員に2倍以上の人で、土間で寝た人もいた。空木は夏より紅葉の季節の方が混むからね」。笹原を進むと雨がパラつき、雨具を着ると本降りになった。

　10時やせ尾根入り口。大地獄、小地獄、迷い尾根など恐ろしい名前の難所が続き、木の根や鎖をつかみ、切れ落ちた谷に落ちないよう慎重に進んだ。今度は宝剣岳から来た団体が下りてきた。1年前に予約した木曽殿山荘泊とのことで「昨日からの道でここが一番怖い」と話していた。確かに岩場の上では、風の強弱でバランスが崩れそうだ。緩やかな道になったら雨が上がった。12時35分〜13時。空木平分岐でゆっくり座って昼食を食べた。3人とも久しぶりの山中泊で誰もラジオを持たず、天気状況は分からないままだったが、青空が見え、まっすぐ山頂に向かった。

赤と緑のパッチワーク紅葉

　森林限界を超えると、麓の駒ケ根の街並みや宝剣岳稜線の山々、とりわけ檜尾岳と避難小屋がくっきりと見えた。1カ月半前の空木―宝剣岳を縦走した団体の遭難事故では、助かった人がいた小屋だ。駒石の巨石間に縫うような登山道の脇に、ウラシマツツジが真っ赤に燃えていた。ハイマツの緑と紅葉はそれぞれ鮮やかで、まるで砂れきの淡いベージュ色の布地に加えたパッチワークみたいだった。後の天候の急変ぶりに頬をつねりたくなるほど美しい空木の秋だった。

　無人の駒峰ヒュッテを経て14時50分空木岳山頂。誰もおらず、3人の占有だったが、霧が出てきた。下山は、空木平に下りた。リンドウやチングルマの実が風流な風情を醸し出していた。百花繚乱の夏も、ここはさぞ美しいだろう。再び雨が降り、16時20分避難小屋到着。私たちが着いてから、先着していた女性の同僚という男性が来た。宿泊者はこの会社員二人と関西の若い男性、私たちの計6人で、各自が自由にスペースを取って休んだ。水は小屋前ではくめず、下山中に見たポイントまで登って確保した。雨は本降りになり、夜中に、風雨とも激しくなった。頑丈そうな小屋で良かった、と眠った。

16日4時30分起床。雨風は強くなく、会社員は「ラジオでは台風は今日、関東甲信越に上陸と言っている」と皆に伝え、下山した。関西の男性は、雨が上がるまで停滞という。私たちは6時30分下山を始めた。空木平分岐では避難小屋管理人という中年男性が登ってきた。「NHK-BSの日本百名山撮影チーム8人が明日入るので、事前点検です。雨は14時ころ上がり、明日は晴れますよ」と言った。

落ち続ける生の木の枝

大地獄と小地獄で本降りになり『地獄の入り口』標識を越えると、雨粒は異様に大きく、激しく、袖口や首筋から染みてきた。登山道は、傾斜が緩くなったが、水がたまって淀んであふれる川状態になり、真ん中が深くえぐられた川中を歩く思いだった。左側が谷なので、もしも道の左淵が切れれば、水が簡単に抜けるのだが、道の両サイドは決壊しそうになかった。樹林帯に入れば、風雨は和らぐかも、と期待したが、大外れだった。風が強いまま、生の木の小枝までも吹き飛ばし、小枝が私たちの上に絶え間なく落ち続けた。地面は大量の小枝で、濃い緑一色になった。

10時10分。池山避難小屋に入ると、広い小屋には朝、先行した会社員女性がいた。後続の男性と離れてしまったそうで「見かけたら車で待ってると伝えて」と言い残して下山していった。ザックを下ろし、温かいお茶を飲んだ。誰も大変だなどとこぼさなかった。直子は、ウルトラマラソン大会出場のため、京都に出かけた夫に電話をすると、台風がひどく、帰りは明日になるとのこと。全国的な大型台風だったようだ。

小降りになった11時に小屋を出て、12時20分三本木地蔵登山口に戻った。駒ケ根高原手前で落石があり、通りかかった地元の人の力を借り、端に寄せてから通行した。帰宅後、大型台風18号はこの日の朝、愛知県に上陸だったと聞いた。落下する小枝の中を歩いていた頃で、ぎりぎりセーフのやせ尾根通過だった、地獄で台風に遭わずに良かった、と胸をなでおろした。最後までハプニング続きだったが、乗り越えてしまえば、やっぱり山はやめられない、とも思ったことだ。

26
平ケ岳
Hiragatake
2,141m

🌿 あこがれの玉子石に対面 🌿

　ガイドブックで平ケ岳の山頂近くにあるという卵形の大岩の写真を見たのは約30年前だ。名前も『玉子石』のその岩は台座から今にも転がりそうな強烈な印象で、登頂して奇妙な光景を確認したくなった。早く行かなければ転がってしまう、とも。しかし、山中には山小屋がなく、鷹ノ巣登山口から山頂まで5時間35分、玉子石経由だと1時間余分にかかる。往復23km、休憩なしで11時間35分のロングコースはハードルが高く、今のように車での移動なども考えられない時、新潟・群馬県境に行く手段も思いつかなかった。

　なので定年になり、まず登りたいと思った山は平ケ岳だった。体力のあるうちに玉子石をこの目で見たい、という思いもあった。それでツアーに申し込もうとしたら、登山時間は中ノ岐登山道から山頂へ往復約6時間と書かれていて驚いた。子育て中に、ここにも百名山ブームにのって短縮ルートが開かれていた。新しい地図で確認したら、かつて破線だったかなり高所から実線が引かれており、ラッキーとばかりに申し込んだ。

　2012年9月、心待ちにしていたツアーは、直前の豪雨による林道閉鎖で、催行中止になった。ならば単独で行けないだろうか。調べてみると、登山口に至る林道は私有地だが、地権を持つ銀山平にある民宿に泊まると、宿泊代込みで登山口まで送迎をしてもらえることが分かった。ただ、林道は、年内の復旧はないとのこと、また、登山のお好きな現天皇が皇太子時代に登った時、一部を舗装するなど整備されたようで『プリンスロード』との別名もあると知った。

2013年春。クラツーにツアー予定がなく、晩夏に単独やむなし、と考えていたが、大塚から平ケ岳山行計画を聞き、メンバーに加えてもらった。

　9月22日昼前に浜松に出向き、大塚、小杉のほか、百名山を目指している鶴田競子、竹下喜美子と合流。5人は、大塚車で新東名高速、関越自動車道、シルバーラインを経て銀山平に向かった。道中、鶴田は残り9座で、この秋に完登予定、竹下も約90座登頂済みと聞き、刺激を受けた。民宿『樹湖里』に到着したのは17時。食事をする本館も、宿泊用の全3棟もしゃれたログハウスである。私たちが泊まるログハウスは2階建てで、女性が2階に陣取った。夕食前、銀山平温泉『白銀の湯』に出かけると、温泉を含め、一帯はすべてログハウスで、新潟県が一帯を開発したのだと聞いた。

　23日4時。竹下は体調が悪く、民宿に残ることになった。4人は民宿のマイクロバスに乗り込み、奥只見湖沿いの国道を南下した。運転手役の民宿のご主人は、奥只見湖に沈んだ村の出身で「林道は昔からあったけど、雪崩で流されたり、雨による冠水、強風による落石などで使えないことが頻繁でね。毎年修復しているけど、それ以上に自然の破壊力の方が強くて、今年も台風が多くて大変だった」と話した。

　一般車両進入禁止のゲートをご主人が鍵で開けて林道に入ると、激しい凸凹道で、バスはのろのろ運転になった。国道15kmと林道15km計30kmを経て林道終点には予定よりも15分早い5時15分に着いた。

　駐車場にはマイクロバス3台がとまり、1台が出て行くところだった。「このバスも出て行くのですね」と言いながら降車すると、ご主人はこう話した。「あのバスは鷹ノ巣登山口に向かいます。ここから縦走する客を、あちらで乗せて戻るのです。今通ってきた林道は、お分かりのように悪路で、通るだけでパンクなどのリスクがあります。銀山平に戻っても、またすぐに迎えの時間ですから、送迎車はここで待機しています。今日はこの4台で、ずっと皆さんの下山を待っています」

　5時30分。まずまずの天気の中、谷川近くの登山口を出発した。橋を渡ると、いきなり急登が始まり、いくら登っても険しい傾斜が続いた。稜線に出るまで一度も平地がなく、休憩も急斜面に縦並びで、話し相手の顔

は、真横ではなく、見上げるか、見下げる位置にあった。谷を挟み、反対側にある山も急斜面で、大きな雪渓がトンネルの形で残っていた。もっとも、急登なので高度を稼ぎやすく、いつの間にか森林限界を越え、2回目の休憩後、山上に踊り出た。そこからは、うって変わった広い草原で、ほどなく木道、さらに山頂との分岐が現れ、私たちは玉子石に向かった。

8時5分。小ピークを越すと、前方下にあこがれていた玉子石が見えた。形もさることながら、細い台座上に不安定に立っていて、上から見ても、宙に浮いているようだ。しかし、近づき、正式に対面したら、卵の形の大岩ではなく、小さな岩が卵型に固まってできた岩と分かった。表面も、つるつるしてはおらず、凸凹である。台座は、玉子石と同じ塊の一部というか、一体化していて、転がり落ちる心配はなさそうだ。積年の思い入れが強すぎて、ちょっと拍子抜けしたが、玉子石に会えたうれしさは格別だった。イメージと違うところが、まさに自然が作った奇妙な造形なのだ。そばには「風化が進んでいるので触らないで」との注意表示があった。転がる心配はなくても、やはり、いつかある日、奇妙な造形が見られなくなるかもしれない。間に合って良かった。

山頂に至る道に戻り、点在する大小の池塘を眺め、小さなアップダウンを繰り返した。一帯は、赤や黄色、緑などカラフルな葉の草紅葉に時折、紫色のリンドウが加わり、秋の彩りを深めていた。玉子石は草紅葉のおまけつき、とほくほくした気持ちだった。

ゆで卵を手に「はい、ポーズ」

9時5〜40分平ケ岳。山頂は、名前の通りに平らで、苗場や西吾妻などの頂きを思い出した。少し前に出始めた霧で、近くの山は見えなかった。民宿の弁当には、ゆで卵が入っていた。「玉子石だ」と笑い合いながら、少し奥の三角点で、ゆで卵持参の記念写真を撮るなどしていた。

下山にかかった時、待っている竹下を思い出し、皆やや急ぎ足になった。10時15分玉子石分岐通過。1回休憩して、12時10分に登山口に戻った。駐車場の送迎車は2台で、最後にはならなかった。銀山平で竹下と合流し、大塚車に乗り換えてから新潟県六日町温泉『大和屋旅館』に向かった。

27
巻機山
Makihatayama
1,967m

山頂で悪天候のピーク

　平ケ岳の翌日は、井戸尾根ピストンで巻機山に登頂、宿泊していた旅館で温泉を使わせてもらい、その日のうちに帰宅というハードな計画だった。2013年9月24日4時30分。まだ暗い中を大塚パーティー5人は前日に下見を済ませた登山口下の桜坂駐車場に向かった。いつ降ってもおかしくない空模様だが、すでに数台の車がとまっていた。

　5時15分。登山口を出発すると、夜が明けた。曇り空で、6時4合目、6時55分5合目、7時50分6合目、とペースは順調で、ブナ林の中の登山道も歩きやすかった。

　しかし、私はとても胃が痛かった。もともと胃腸は丈夫なのに、この夏は時々、シクシクした。医者にかかり、胃カメラをのむように言われ、下山後の検査日を予約していた。前日の平ケ岳では何もなかったが、この日は、周期的に射すような痛みに襲われた。

　6合目を過ぎ『6合7勺』という標識を見た。1合目間の距離が長いからだろうか、初めて見る勺単位だった。8時55分7合5勺目。足元はガレ場になった。霧雨になったため、雨具を身に付け、強くなった風に抗って歩を進めた。なだらかな斜面のニセ巻機山とも呼ばれる前巻機山に着くと、やがて高低差が少ない尾根道になった。

　真っ白な霧の中に赤い屋根の小屋が浮かび上がった。9時40分〜10時巻機山避難小屋。中には単独行登山者3人がおり、私たちも早い昼食を食べた。小屋からは、霧の中に池塘が見え隠れする緩やかな道。普段ならば、一帯の晴れた日の様子を思い描くことができるのに、胃痛、強い雨

　風、スケールの大きい山容の三重苦で、心は動かなかった。雨はいよいよ本降りになり、風は勢いを増し、絶え間なく吹き続けるようになった。

　10時25分巻機山。標識のある広い山頂からは、越後駒や武尊岳も見える三百六十度の展望のはずなのに、視界は1～2mくらい。風は呼吸するのが苦しいほど強く、ストックを目の前でぶら下げたら、35度くらいに傾いたままになっていた。大塚は「山頂はここで、普通はこれで下山になる。だけど、三角点はもう少し先にある。せっかく来たのだから行ってみよう」と牛ケ岳方面に進んだ。10時40分。さほど目立つわけでもないケルン近くの三角点に到達。さっきよりも、こちらが高いとは思えない、などといいながら、5人はハイタッチした。

下山時に大スケール展望

　下山し始めると、霧が薄らぐ瞬間があった。始まりかけた紅葉の山と谷。振り返ったら、なだらかな山容が記憶に焼き付いた。11時05～15分避難小屋。再びの休憩後は、雨も風も弱まっていた。私たちが山頂に立った時が悪天候のピークだったのだ。急に悪くなった天気は、回復も驚くほど速かった。7合目では、雑木林の井戸尾根が展望できた。自分が登ってきた道を俯かんするのは壮快だった。14時10分登山口に戻り、帰途についた。高速道路上から巻機山が裾野から山頂まで眺められた。

　帰名後、胃カメラをのみ、再び登山に出掛け、約1カ月後に検査結果を聞きに行った。胃痛の原因はピロリ菌だろうとのことで、薬を飲んだら治まった。医者は「恐らく子供の頃に感染したのでしょう。潜伏菌が暴れるようになったのは、強いストレスがあったのかもしれません。胃はストレスを感じやすい臓器なのです」と説明した。

　後日、大塚から送られた写真を見て噴き出した。巻機山12枚中2枚に、元気な仲間から少し離れたところで胃を押さえて横たわる私がいた。その中の1枚は、下山時の6合目だと覚えていた。休憩地点から割引岳や天狗岩が見え「深田久弥が記していたよね」などと皆の話が弾んでおり、輪の中に入りたいと思いながら、体を起こせず、輪に入れなかった。体調は悪かったけど、記憶はスムーズな登山時よりも鮮明だった。

37
奥白根山
Okushiranesan

2,578m

🌿 山頂から新潟の山々を展望 🌿

　「次は群馬・栃木両県にある日光（奥）白根山など３座」という大塚の計画にもちろん参加を表明した。2013年９月30日19時。浜松市内で大塚、鶴田、初対面の曽根久男と合流。その後、同じく伏見務と合流し、伏見宅で仮眠させて頂き、未明の真っ暗な中、日光に向けて出発した。煌々とまぶしい無人操業のコンビナート群、東北道などを経て目的地に近づくと、雨がやみ、外が明るくなった。いろは坂の紅葉はまだだったが、車中からわずかに赤や黄色い木を見つけるたびに歓声が上がった。

　10月１日９時30分。丸沼高原のロープウェイ山麓駅。山頂駅に着くと、正面に日光白根山が見えた。えぐられたような荒々しい岩をむき出しにしながら、青々した森林のすそ野を左右に均等に伸ばし、山頂には三つのピーク。岩木山以来の『山』の字形の山を見て内心、小躍りした。

　10時20分登山口出発。山を時計の逆回りで進むルートだったので、山が左肩側にある状態が続いた。森林限界を超えると、道は砂れきになり歩きづらかった。ゴロゴロした岩場から稜線に出ると、小さな祠がある南峰で、そのまま少し下って登り返した。

　12時50分〜13時20分日光白根山本峰。狭い山頂には、登山者が次々と来た。天気は回復し、西や北にある浅間、草津白根や明後日に登る武尊、新潟の山々も眺められたが、不思議なことに東側は濃い霧で、間近なはずの男体山や中禅寺湖は見えずじまいだった。３連登予定の初日。弥陀池に寄らず、往路ルートを戻り、14時50分山麓駅に戻った。

36
男体山
Nantaisan

2,486m

🌿 雨で志津峠ルートに変更 🌿

　群馬・栃木遠征２座目は、中禅寺湖畔にすっきりと立つ日光・男体山だった。登山前日に、翌2013年10月２日の天気は雨との予報を聞き、戸惑った。各地にある円すい形の『何とか富士』は、一様に傾斜がきつく、特に最後の肩あたりを登るのは大変である。出発前、美しい男体山もさぞや、と地図をチェックしたら、案の定、山頂は密な等高線で囲まれていた。驚いたのは表登山道で、中禅寺湖畔の二荒山神社から山頂まで真北にほぼ直線で伸びており、標高差は1,200ｍ。気持ちいいほど真っ直ぐなルートから、眼下の中禅寺湖を眺めて気を紛らし、一気に高度を稼ぐ山行を想像した。しかし、本降りの雨の場合、こんな急峻な道は滑る危険大である。北側の志津峠からだと、標高差は700ｍと少なく、距離は長いから傾斜も緩いだろう。新参者の分際で、ルート変更について尋ねるのはためらわれたが、下山後に武尊山登山を控え、無理をしたくなかった。

　10月２日。民宿『ふくたけ』での朝食後、恐る恐る大塚に志津峠ルートを切り出すと「こういう山は、麓の二荒山神社で入山料を収めてから登るものだろう」とやはり正式のルートで登りたそうだった。裏道というイメージが悪いのかもしれない。しかし、他のメンバーの意見を聞いてくれ、曽根が志津峠ルートを支持、他の二人は「どちらでも」というので変更してもらえることになった。

　7時10分。車で前日来た道を少し戻り、志津峠に向かった。雨はまだ降っていなかったが、黒い雨雲が立ち込め、いつ降ってもおかしくなかった。登山口一帯は工事中で、駐車できず、500ｍほど下った場所にとめ、

そこから車道を歩いた。

　7時50分。志津乗越の登山口を出発した。近くの志津小屋は荒れた感じで、入山者は少ないのか心配したが、薄暗い針葉樹林の登山道は合目表示もあり、手が入っているようで、ホッとした。悪天候の場合、私たちのようにこちらから登る人もいるだろう。8時40〜50分4合目。少し前の大型台風の影響で荒れたのか、ところどころで表土が流され、木の根が露出している箇所が目立つようになった。登るにつれ、木の根と土との間が大きくなって歩きにくく、7合目を過ぎたら、登山道の左半分が谷底に崩落していた箇所も出てきた。

　9時40〜50分8合目。肌寒くなり、雨もパラつき始め、雨具を着込んだ。霧は濃く、自分の足元でもかすかにしか見えないほど。登山道の両側が切れているようであり、不安定な斜面で、万が一の滑落を避けるように地面から靴底が離れないようにすり足で進んだ。9合目に着くと、勾配は緩くなり、それから平らな広場に至った。

　10時25分。見上げるほどの大岩があり、その岩を、大人の背丈をはるかに超えた銀色に輝く神剣が刺していた。二荒山神社の御神体である霊峰・男体山の山頂だった。雨は本降りになり、神社奥宮の軒下をお借りして10時55分まで雨宿りをした。南側にある麓の二荒山神社からの登山道を見にいくと、石の階段で、やはり真っ直ぐであり、勾配はストンと落ちるようだった。冷たい雨の中、急登と格闘しないで済んで良かった。霧は依然として濃く、中禅寺湖は最後まで見えずしまいだった。

　11時45〜55分5合目で小休憩。志津避難小屋近くの二荒山神社志津宮に寄り、12時45分に車に戻った。

　下山後、この日の宿泊地・みなかみ町の『民宿吉野家』に向かった。道中は、夏の百山会遠征ルートと重なっていた。マイカー利用の今回は、運転手の負担大だが、運賃やタクシー代などのコスト、乗り継ぎ時間のロスなどは大幅に抑えられた。宿も民宿利用で割安だった。これからはケースバイケースで、マイカーや民宿を取り入れようと考えた。吉野家ではアユの塩焼きや山菜料理、特大シイタケステーキ、さらにはマイタケの天ぷらなどの御馳走を振る舞われ、舌鼓を打った。

39
武尊山
Hotakayama

2,158m

🌿 修験の名残の『行者ころげ』 🌿

　群馬・栃木遠征の３座目は武尊山だった。北ア・穂高岳は山に登らなくても知る人は多いのに対し、上州『ほたかやま』は、山好きでも知らない人がいるなど知名度は低い。しかし、４本の登山ルートは、いずれも鎖場や岩場が含まれるなど変化に富んでいると言われており、今遠征の最後で最大の正念場、と自分に言い聞かせていた。

　2013年10月3日4時。星を見ながら民宿を出て車で裏見ノ滝駐車場へ。ヘッドランプをつけ、5時30分裏見ノ滝登山口出発。武尊神社前の林道を歩いていると、夜が明けた。6時40分林道終点。剣ケ峰山と手小屋沢避難小屋への分岐であり、左折して手小屋沢峠に向かった。

　それまでの平らな林道がいきなり広葉樹林の中の本格的な急登に変わった。小さなジグザグの登りなのに、先を歩く人は、靴底裏しか見えない。下ばかり見ていたら、地面の落葉の多さやさまざまな色や形から木の種類が豊富な山だと分かった。『不動明王』と名付けられた大岩には、大小のお札が張られていた。日本武尊の東征伝説があり、修験者らの山岳宗教で栄えたという話を連想した。台風の影響で崩落し、急ごしらえで設けられた数カ所のう回路を経て、7時40分手小屋沢避難小屋峠の尾根に飛び出した。名前由来の小屋は、建て替え時に移転し、名前だけ峠に残った。

　登山道をほぼ直角に右折すると、両側が切れ落ちた稜線歩きになった。それまでは、ただ力任せで登ってきたが、一転してバランスや注意力が必要になった。左側の谷の中に避難小屋が見えた。水は確保しやすいだろうけれど、急斜面下では、上り下りが大変そうだ。天気は崩れ始め、いつ降っ

ても不思議ではなくなってきた。皆は雨の話を避けるように、黙々と歩いていたが、ついに大粒の雨がほおにポツリと当たった。残念だけど、やっぱり―。状況を冷静に受け止め、雨具をすばやく着込んで、ザックにカバーをかけていたら、本降りになった。かなり激しい降りで、あっという間に道はぬかるみ、ところどころに水たまりまでできた。

ユニークな岩場は計4カ所

　修験の名残で『行者ころげ』という恐ろしい名前で呼ばれてる大岩を積み上げたような場所が現れた。一枚岩風だったり、真ん中にクラックがあるなどユニークな形の岩場は合計4カ所。浮き石はすべて落下済みで安定感があり、幅はさほど広くはないけれど、珍しいほど高さがあり、危険な個所にははしごや鎖が設けられていた。この鎖などについて、深田久弥は「修行の山は…岩山で、難所を通過することが修行になっている。物々しい鎖や鉄梯子は参拝者に畏怖の念を起させる道具立て」と書いている。昔から整備されていたようだ。

　岩場が終わると、傾斜が緩やかなハイマツ帯になり、それを登り切ると、武尊山最高点・沖武尊だった。9時45分〜10時15分。雨とはいえ、山頂には単独男性がいて遠くを見ていた。挨拶を交わさなかったが、心の中で「この天気なのにお互い、よく登ってきましたね」とねぎらった。方位盤には谷川連峰などの山名が記されていたが、何も見えなかった。当初は剣ケ峰山を周回して下る計画だったが、雨で断念し、往路を戻った。

　下りは、岩が濡れて滑りやすく慎重を期したが、登山者がおらず、急かされるような気分にならずに済み、13時15分に駐車場に戻った。早めに下山できたので、案内表示にある裏見の滝に出向いた。その晩は、大塚らがひいきにしている新潟県湯沢の民宿『弥八』で3山の登頂成功を祝した。翌日は、浜松への移動日の予定だったが、タフなメンバーは「前回登れなかったから再挑戦しよう」と谷川岳に登ることになった。4座連日登頂とは―。3座のつもりでいた私は4日朝、JR越後湯沢駅で皆に別れを告げ、帰名の途についた。

38
皇海山
Sukaisan

2,144m

🌿 登山口送迎サービスを利用 🌿

　足尾銅山跡の西奥にそびえる皇海山は、テント持参で山中２泊しなければ到達できない難関だと思っていた。しかし、2012年のトムラウシツアーの同室女性に、皇海橋登山口から往復５時間と教えられた。「問題は登山口に至る林道。雨で崩壊しやすく、私は以前、道路が閉鎖され入山できなかった。10月にもう一度トライするけど、一緒に行く？」。誘って頂いたが、予定があった。帰宅後、新しいガイドブックなどを読むと、皇海橋から日帰り往復が一般的になり、以前登られた銀山平―庚申山―鋸山―山頂のロングルートは利用者が少ないようだ。もっとも、皇海橋に至る林道23kmは「未舗装の凸凹で落石が多く、幅狭なので対向車とすれ違いにくい。台風などによる損壊で時々、利用できなくなる。鋭角の石が散乱しておりスピードを出すと、パンクする恐れも」との記述もあった。

　2013年夏の北岳で、大塚が百名山に挑戦中と聞いた時、皇海山のアプローチを尋ねた。「宿泊予定のペンションに送迎を頼むつもり」と聞き、帰宅後、群馬県武尊高原の『ペンションてんとう虫』に、個人でも送迎を頼めるかどうか電話をした。返事は、「パソコンを見て下さい。質問もメールでお願い」とのことで、HPを開くと、皇海山をはじめ、武尊や至仏などの往復送迎プランと空きの有無を示す予定日カレンダーなどが掲載されていた。あれば便利だと望んでいたサービスだった。とはいえ、カレンダーをチェックすると、最終日までほぼ満杯で、空きは唯一10月10日、それも一人分だけだった。メールで「まだ間に合いますか？」と問い合わせると、OKの返事で、即、申し込んだ。１泊３食付きプラス個室の料金は、

金額面では割高そうだが、駅や登山口へ往復してもらえるのだから、むしろ割安に思われた。私が知らないだけで、百名山の送迎サポートのビジネス、結構、普及しているのかもしれない。

10月9日。新幹線を乗り継いで上毛高原駅で下車。16時10分にお迎えのマイクロバスに乗った。すでに千葉県行徳市の登山グループ9人が沼田駅で乗車しており、バスを運転するペンションの奥さんは、到着までの約1時間で、翌日の予定を説明した。「明日、皇海山に登るのは今、車内にいる総勢10人です。5時半朝食、6時半ペンション出発、8時ころ登山口到着で、各自で登下山します。帰りの集合時間は14〜15時ころで、全員が揃い次第、日帰り温泉に寄り、17時ころ最寄駅にお送りします」

10日。5時に起きると、風邪をひいたようで、体がだるく熱っぽかった。撤退の判断は登山中に、と考えたが、こんな時に長いドライブで車酔いをするのではないか、と心配になった。バスを運転するご主人に「たまに車酔いをするのだけど」と告げると「大丈夫ですよ。ただ、最前列は、景色を見て酔う人もおり避けたほうがいい。20人乗りだから、二人掛けシートに一人で座れます」と言われ、前から2列目に座った。

栗原川を遥か下に見て、カーブの多い、1時間半のワイルドな悪路ドライブで皇海橋に着いたのは8時。酔わずに済んだ、登れそうだ、とホッとしていたら、グループの人が「皇海山の山頂が見える」と歓声を上げていた。登山口で、登る予定の山のてっぺんが眺められる山は意外に数少なく、貴重だ。狭い上空を仰ぐと、黄色味を帯びた台形の山頂も手が届きそうなほど近くに見えた。空気は澄んでおり、空が青く、久しぶりに雨の心配せずに済みそうだった。

運転手とバスは客の下山待ち

ご主人は平ケ岳と同じく、客の下山までバスと一緒に待機しているという。「走れば、それだけパンクのリスクがありますし、すぐに戻る時間になります。あのタクシーも、お客さんの下山待ちです」。公道なので駐車場には数台のマイカーがあり、隅にジャンボタクシーがとまっていた。

8時15分登山口出発。グループの後に付こうか、先に行こうか、順番

に迷ったが、早く登って下山しても駐車場で待たなければならず、付かず離れず、後ろを歩こうとした。すると、グループの最後にいたリーダーらしき男性が、自分の前を歩くよう勧めてくれた。「いいです」と断ったものの、私が遅くなり、9人を待たせても申し訳ないかも、とグループの一員のように後ろから2番目に付いた。

初めのうち整備されていた登山道はだんだん狭まり、そこに草が被さってきた。視線を上げると、赤や黄色の美しい木々が点在しており、前方から「うわー、きれい」との声。私も連れがいれば、大騒ぎしたいような見事な紅葉だった。不動沢のコルに近づくと、登山道が消えてしまい、各自がそれぞれ木の根をつかんで登った。沢登りをしていて、沢を詰め終わって稜線に出るまで、こうした根っこを頼りにしていたなあ、と若いころの記憶が蘇った。コルからは尾根通しの道で、楽になるかと思ったが、斜度があってきつかった。

10時54分～11時35分皇海山。霧が出てきたため、登山時に山頂が見えた登山口は見えず、遠くの山々も霞んでいた。平らな広い山頂には多くの登山者がくつろいでいた。昼食の包みを広げると、おにぎりだけでなく、煮卵やウサギリンゴ、干し柿まで入っていた。

帰路は、不動沢のコル下が痛々しく感じられた。人が通ると、急ぎすぎて土が落ちてしまうためだ。わずかながらでも日々、確実に削られているので、多分毎年、姿が変わっているだろう。13時55分登山口に戻った。

SKY橋から仰いだ山頂と青空

バスに乗ると、Uターンして戻るのではなく、来た時と同じ東向きのままで進んだ。森林技術総合研究所を通過し、日帰り温泉『しゃくなげの湯』に立ち寄った。それからグループは沼田駅、私は上毛高原駅まで送ってもらった。起床時には風邪を危ぶんだが、大事に至らず、皇海山に登頂できた。それにしてもアルファベットで書けば、空を意味するSKY山。何と素敵な山名なのだろう。SKY橋から仰ぎ見た小さな青空と山頂を思い出しながら、16時53分発『Maxとき』に乗車した。

79
鳳凰山
Houuozan

2,841m

🌿 いつ戻るかだけ考えていた 🌿

　空木岳からの帰路、鳳凰山に『チームステージ』で登る話がまとまった。最高峰・観音岳とオベリスクが有名な地蔵岳、さらに薬師岳の３山の総称で、鳳凰三山とも呼ばれる。３人の都合のいい日は2013年10月12、13の土日２日間。薬師小屋に予約電話をすると、14日が『体育の日』の３連休のため満室だったが、その下にある南御室小屋に空きがあった。御座石鉱泉からの往復計画は、夜叉神峠へ下山と軌道修正？　直子に伝えると「当初計画のまま、御座石鉱泉で前泊。鳳凰山登頂後に南御室小屋泊、翌日は再び薬師、観音岳を経て御座石に下山」という。宿泊目的で南御室まで下り、翌日登り返すのは非効率のようだが、のり子も「行けるならルートは構わず」と賛成。薬師岳－南御室小屋間往復約２時間増なら許容範囲かもと思え、南御室小屋泊でまとまった。

　10月11日。皇海山から前日戻った私は風邪気味で、風邪薬を持参した。前泊の御座石鉱泉に着くと、客は我々だけで、翌日も空いていることが分かった。それでここで二人を待っていようと思い「体調が悪い」と切り出したが、「せっかく来たのだから」と言われ、お茶を運んできたおかみさんも「紅葉が最高なのに登らないのはもったいない。最も近い鳳凰小屋で泊まればいい。親戚だから電話してあげる。途中でダメと思ったらここに戻ってきてもいい」。話しているうちに鳳凰小屋まで行こうという気になり、13日14時に駐車場集合として別行動を認めてもらった。

　12日４時30分。二人の出発時に起床、６時20分に鉱泉を出た。寒くも暑くもない登山日和。すぐに若い夫婦に追い抜かれたが、後続者はなく、

巨大な堰堤の建設現場の上を回ると「バサッ」「パラパラ」…。聞いたことがない重くて大きい音に身構えたところ、ドングリの落下音と分かった。帰路では聞こえず、二人も聞いていないとのことだった。

　急な登山道は背の高い木々で視界が遮られ、行けども、行けども、目の前は同じような景色だった。この傾斜だと下山も大変だから、撤退するなら早いうちに―。いつの間にか、戻るタイミングばかりを探っていた。9時35分、高度計は2,100mを示したが、展望は開けないまま。燕頭山2,104mに近いはずなのに、と不思議に思ったら、出発時の高度計調整し忘れに気付いた。こんなことではもっと大きなミスがあるかもしれない。ここで休んで引き返そう。観念して休み、行動食を食べていたら下山者があった。体裁が悪く「きつい登りですね」と挨拶すると「すぐ燕頭山です。景色が見えるので元気が出ますよ。甲斐駒も見えました」と言った。

　励ましの言葉に力が湧き、引き返すなら甲斐駒を見てから、と再び登り始め、10時直前に燕頭山に着いた。本当に近かった。さらに甲斐駒の白い峰と点在する真っ赤な木々のぜいたくな秋山を見たら、引き返す気持ちは失せてしまった。先行の二人は、白い尖塔のようなオベリスクに取り付いているかもしれない。

　11時40分鳳凰小屋着。受付で「御座石の紹介で」と話したが、予約はなくても、当日でも断らない方針と説明された。部屋は隣の建物と言われ、入室すると、暗くて湿っぽい。風邪は横ばい状態だったが、ここでずっと休んでいた方が体調がかえって悪くなりそうで、まだ午前中でもあり、観音岳に出かけたい気持ちになった。

　12時10分。受付で「観音岳に」と伝え、小屋を出た。風が強くなり、登りなのに体が冷え、夏帽子を毛糸帽子に替えた。薬師・観音岳と地蔵山への三叉路には、息苦しいほどの風が吹いていた。すれ違う登山者がぐんと増えたが、一様に雨具など多分全衣類を着込んでいる様子で、「寒い」と震えている人も。稜線で突風が吹き荒れ続けたら消耗するだろう。私の方が心配されている立場なのに二人を案じかけた。

　まもなく南アの雄大なパノラマが視界に入った。北岳と日が当たって輝く北岳山荘、垂直に落ちているような大樺沢―。向こうから鳳凰三山を

眺めたのは、わずか2カ月余前の7月末なのに、あれから多くの登山を重ねており、遠い昔のようであった。

13時50分観音岳山頂。南アの人気コースで、遅い時間でもないのに人はいなかった。鳳凰山最高峰に登頂したのだから戻ればいいのに、ここまできたのだから、と薬師岳にも足を延ばした。登山道を下り、その日の最終目的の山に到達するのは、不思議な体験だった。14時20分薬師岳登頂。登山者が二人いて、ピラミッド風の木組み前で写真を撮っていた。

鳳凰小屋への登り返しは、朝の急斜面に比べれば、楽だった。強風は収まり、16時10分鳳凰小屋に戻った。この日の宿泊者は、到着時から30人増えて200人。布団一組を若い女性と共有だった。夕食は、具がタマネギのカレーライスで、後に、定員のある南御室小屋はおいしい夕食に、一人一組の布団だったと聞いた。

青空に伸びるオベリスク

10月13日6時40分、三つめの鳳凰三山・地蔵岳に向かった。足の踏ん張りが必要な砂道に手こずり、7時40分〜8時10分オベリスク前広場。想像よりも大きいオベリスクは、気持ちいいほど青空に向かい、まっすぐに伸びていた。少し登ってみたかったが、満身創痍の身なのに、と慎んだ。

8時20〜40分地蔵岳。御岳や乗鞍、八ツ、槍、仙丈、甲斐駒、間ノなど遮るものがない三百六十度のパノラマが広がった。北岳中腹の白根御池小屋と草むしりルートもくっきり。あの緑の壁に一人で挑んでいたと振り返ったり、今後の課題・南ア最深部に気を引き締めたり―。時間の経つのを忘れて大きな地図を広げ、山を確認していたら、隣にいた人が「霧ケ峰山頂のレーダードームが見えますよ」と望遠鏡を差し出してくれた。

鳳凰小屋に戻った時、南御室小屋からきたのり子と直子がベンチにいることに気付き、舞い上がった。少しでも早ければ、逆に遅ければ、再会できなかった。それから一緒に急坂を下り、長かった1日半の話をし、14時、提出計画書通りに御座石鉱泉に戻った。

68
金峰山
Kinpusan

2,599m

迫力あった五丈岩

　中央自動車道を使えば、簡単に登れる金峰山と瑞牆山。山友は一様に登頂済みで「もう一度どう？」と誘っても、誰も首を縦に振らない。山の魅力は、何の変哲もないのに何度も登りたくなったり、逆に「堪能したけどもう十分」と言いたくなったり、簡単には言い表せない。巨石、奇峰で有名な両山は面白そうだけれど、もう十分な山なのだろうか。想像をたくましくしながら2013年秋に単独行を決めた。両山の中間地点・富士見平小屋泊なら、正味二日で帰ってこられる。予約の電話をすると、文化の日前後は混むが、11月1日なら空いているとのことで申し込んだ。

　11月1日。午前3時に家を出、4時前に名古屋ICから高速に乗った。料金は深夜早朝割引で半額になり、早起きは三文の徳だった。飯田を過ぎると夜が明け、車窓はピンクの朝もやに包まれ、心が弾んだ。ザックに念のためのアイゼンを忍ばせたけど、今回は必要なさそうだ。

　7時半、瑞牆山荘前駐車場。空きスペースはわずかしかなく、登山者が次々と登山口に向かっていた。8時に出発。白樺などの広葉樹林の緩斜面はフカフカして足に優しく、オレンジ色や黄色などの黄葉に静けさを感じた。稜線に出ると、瑞牆山の白いユニークな岩峰が目の前に現れた。

　富士見平には数張りのテントが張られ、奥には窓際にゼラニウムを置いた富士見平小屋があった。小屋前で休憩し、登山者を見ていたら、瑞牆山を目指す人ばかりだった。金峰山は、林道が整備されており大弛峠から日帰りピストン可能、といわれており、このルートを使う人は少ないのかもしれない。

気を引き締め、金峰山への道標に従い進んだ。大きすぎて全貌がすぐには理解できなかった大日岩を通過し、小川山との分岐を越すと、踏み跡が少なくなり、黒い針葉樹の森の傾斜は急になった。千代の吹上からは一転して岩の稜線で、明るくなった。まもなく、金峰山頂が望めたが、大小の岩は隙間が多く、足が入ってしまいそうで、ペースは落ちた。地図に『山梨県側危険』と記されていた右側が切れ落ちた難所は無風だったので、何事もなく通過できたが、風があれば、慎重にならざるをえない嫌な感じがするところだった。金峰山山荘への分岐を過ぎた時、多くの元気な若い男女が下りてきた。あたりは日活の青春映画の一コマのような雰囲気で、それに団体も加わり、人が急に多くなった。角ばった大岩を不自然に四角く積み上げたように見える五丈岩は、写真で見るよりも何倍もの迫力があった。

　12時50分〜13時25分金峰山。歩行時間4時間50分は、ほぼコースタイム通りだった。単独行だと、はやいペースになりがちだが、人がいる場所で一人ゆっくり休んでいられない性格によるもので、人にほとんど会わなかったので、ゆっくり歩いては気ままに休む、本来のマイペースで登っていた。雲が出てきており、八ツは見えなかったが、翌日登る瑞牆やこの日通ってきた稜線は眺められた。下山は心残りがないように千代の吹上で休み、16時20分富士見平小屋に着いた。

　宿泊者は、新潟のご夫婦、東京の単独女性、私の3組4人で、おしゃべりをしていたら、小屋のご主人がその輪に入ってきた。地元出身で、学生時代に登山に熱中していたことを見込まれ、会社員生活を定年で終えた時、小屋の運営を頼まれたのだという。翌日、金峰山に登る予定の3人に「どうでしたか？」と尋ねられた私が「大変なところもあるけれど、変化に富んだ魅力的な山」と答えたら、金峰が好きでたまらなそうで「そうです、ここの岩場や岩稜は日本有数。厳冬期に登れるなら、国内のどこでも通用しますよ」と力説した。

　夕食は、奥さんの手作り鹿肉ソーセージ、鶏肉のマーマレード焼きのこだわりのメニューだった。6人はランプを囲んで食事をいただき、話はさらに弾んだ。素敵な山小屋の一夜だった。

69
瑞牆山
Mizugakiyama

2,230m

人が押し寄せる岩峰の山

　富士見平小屋に宿泊する私以外の3人は瑞牆山に登頂していたので、山の様子を聞いた。ルートは分かりやすく、急な岩場には、はしごやロープなどが設置されているけれど、入山者が多すぎて行列ができ、時間がとられたという。小屋のご主人は「初心者向きといわれますが、たまに滑落死亡事故や道迷いがあり、注意が要ります」と言いながら、私にこうアドバイスした。「明日は3連休初日で、入山者は特に多いでしょう。5時の朝食を終えたら出発するといい。6時までは誰も登ってきません。小屋泊り者の特権です」

　2013年11月2日5時50分。小屋を出ると、明るく、前日は見えなかった富士山が見えた。雪が茜色に染まった赤富士、さすが、富士（を）見平（たい）だ。天鳥川沿いの登山道を一度、川まで下りて渡り、登り返していたら、追い抜いていく人がいた。ええっ、もう！　びっくりして足早の背中に向かい「早いですね、瑞牆ピストン？」と聞くと、男性は少し振り返り「瑞牆のあと金峰に登り、明日は甲武信です。3連休ですから」と競争しているかのように去っていった。

　川を渡り、大きな丸い岩がパカッと真っ二つに割れた形の『桃岩』が現れた。全山花崗岩という瑞牆山の、序章にあたる巨岩の登場。ワクワクしながら岩を触ると、思った通りの御在所岳の花崗岩と同じ、摩擦が効いて登りやすそうな感触だった。いいなあ。ぼんやり眺めていたら、背後をまた猛スピードの人が通過していった。もう邪魔しないよう挨拶はしなかった。山中泊の特権で山を独占できる時間に喜んだけれど、のんびりし

ていたら、ほんのわずかだった。

　桃岩からは立派なはしごが現れ、急な道はジグザグ折れ曲がるようになった。ロープも備えられていたが、こうした所で順番待ちになるのだろう。渋滞で先に進めないのは、辛抱が要る。のんびりと自分のペースで歩けるありがたさを思っていたら、また数人に追い抜かれ、山頂下の岩場では下山者がいて驚き、顔を見たら、今日、金峰にも登るといっていた朝一番の登山者だった。この時間なら金峰山も大丈夫かと「速かったね」とこりずに声をかけたら、今度は立ち止まり、ニコニコうなずいていた。

ニョキっと重なり合う奇石

　7時50分〜8時30分瑞牆山。大岩の広い山頂には数人がおり、さらにひっきりなしで登山者がきた。雲のない真っ青な空。富士山や八ツ、金峰山などいろいろな山頂のほか、近くには面白い形の奇石がニョキニョキと立ち、重なり合う不思議な光景も眺められた。瑞牆山は見る角度により印象が異なるといわれるようだが、確かに天に向かって伸びる同じ岩峰ながら、前日、富士見平手前で見た凛々しい姿とは違うし、金峰山頂からの印象とも違った。温かいコーヒーを飲み、行動食を食べていたら、若い女性に「写真を撮りましょうか」と声をかけられた。お願いして、私もシャッターを押してあげ、話をしたら名古屋からの単独行とか。前日、平日割引がない時間は恵那まで一般道を走り、夕方瑞牆山荘に着き、泊まったという。私も「昨日は深夜早朝割引で」と笑い合った。

　下山中にも登山者は続いたが、渋滞にはならず、10時〜同40分富士見平小屋。前夜、イグチという美味しいキノコが豊作だったと聞き、そのうどんを頂いた。富士見平の水でのどを潤し、黄緑やダイダイ、黄色、オレンジなど様々な色の点描画のような里宮平の林を下りた。

　11時10分駐車場に戻った。岩峰が重なり合う景観など魅力満載の瑞牆山は、アプローチが容易すぎ、人であふれていた。山友の登山時も、人数オーバーの感があり、もう十分だったのかも、とふと思った。

65
両神山
Ryoukamisan

1,723m

🌿 登山道オーナーの同行登山 🌿

　初めて両神山を見たのは2012年の雲取山への単独登山中。ギザギザした稜線に、次も一人であの最高点に立ちたい、と魅かれた。帰名後に調べると、西武秩父駅から両神山登山口へのバスが確認できたが、同時に、山中での死亡事故例や毎年数件の事故報告例があり、熱が冷めた。深田久弥も「左右がブッ切れたギザギザの頂稜、峨峨たる山稜」と形容している。古くからの信仰の山、奥秩父の名山であると同時に"秩父の怪峰"との異名があるリスクが高そうな山に単独では行く気にはならない。クラツーの登山ツアーを探すと、埼玉県の山なので、名古屋からだと1泊2日になるが、東京発だと日帰りと分かった。また子供宅に泊まらせてもらうことにして、2013年秋のツアーに申し込んだ。ルートは、個人所有の山に持ち主が切り開いた白井差ルートの往復。登山口は、標高670mの一般的な日向大谷よりも200m高い白井差になり、難所もなく、登山時間は往復約4時間30分という。

　11月9日7時30分集合場所の新宿に出向いた。添乗員と山岳ガイドがおり、参加者は21人。現地では、ルート開拓者も部分的に同行するという説明を受けた。添乗員は「このルートは山頂直下の一般道との合流点までルートを拓いたYの所有で、森林組合などの団体所有ではありません。これだけの登山道の占有例は、他に知りません。定員制で、入山料が要ります。今は紅葉が美しく、連日ツアーが組まれ、私は明日もここに来るんです」と言う。

　10時30分白井差到着。駐車場には数台の乗用車と、別の出発地から

のクラツーのバスがとまっていた。Ｙは「両神山は、全山固いチャート、つまり火打石ですから、転ぶと目から火花が出ますよ」とユーモアいっぱいに私たちを出迎えた。そして歩き始めて橋を渡ると「自分が架け替えた」、続いて現れた滝にも「昇竜の滝と命名した」、さらに真っ赤な大きな落ち葉を拾い「目薬にもなるメグスリノキ」、大きな木を指し示し「木の根はショウガのような形で、ロート根（こん）と言われている。ロート製薬の会社名になった薬になる木」などと説明した。日焼けした顔、チェックのシャツに作業ズボンという気さくないでたちの豊かな資産家はほぼ同世代。話をしながらも、道に落ちた枝を足で両側によけていた。

登山道は、斜面の勾配が急になっても、ジグザグと折り返してつけられていて歩きやすく、山頂直下まではずっと紅葉した広葉樹林だった。12時〜12時30分。ブナ平で昼食タイム。バスの中から稜線が見えていたが、いつの間にか天気は崩れそうだった。

一般道と合流して急な岩場に

再び約１時間登って尾根に出ると、日向大谷からの一般道・清滝ルートと合流。幅広だった道は、１本加わったにもかかわらず、幅狭になった。また、道端には石碑などが現れた。両神山は、信仰の山らしく神社や鳥居、石像、石碑などが多いと言われるが、許可なしでは入れない個人の山には遺構がなかったので、新鮮だった。もっとも、登山道は急で、ごつごつした岩場になり、鎖場まで出現。そこに下山者が次々と来たため、道はふさがり、渋滞が起こった。温室のように穏やかで、静かだった定員制の山は、一気に騒がしくなった。

14時〜14時10分、両神山剣ケ峰。尖った岩山の山頂は狭く、直下に小さな石の社が祭られていた。雲は厚く、ガイドは「こちらに富士山、こちらに八ケ岳が見えるはず」と説明しながら、希望者の写真を撮影した。

下山は往路を戻った。特に急いだわけではなかったが、登山口に戻ったのは、16時05分。帰りの車中で「Ｙさんからプレゼントです」と両神山にカモシカとピンクの桜花をあしらったバッジが配られた。桜の時期も、きっときれいなのだろう。

97
阿蘇山
Asosan

1,592m

ほふくで進んだ稜線

　2014年を迎え、春時点の未踏百名山は30座だった。奥深い高山が多いため、雪が消える7月中旬〜9月下旬に集中して登らなければならない。それでヨーコに夏の恒例山行を前倒しを相談し、6月21日に熊本に入って阿蘇山、2日目に祖母山に登り、予備日の3日目に菊池観光などの2泊3日の計画ができた。出発日が近づくと、天気は崩れ、直前の予報は「21日は大荒れで次第に回復」となった。アシと宿は予約済み、臨機応変で臨もうと話し合った。

　6月21日。熊本空港に下りたら小雨だった。「明日の方が厄介かも」とこの日は予定通りの阿蘇登山とし、レンタカーで阿蘇山インフォメーションセンターへ向かうと、巨大駐車場にとまっているのはわずか数台。しかし、雨具を着ていたら、登山服の男性がタクシーを降り、一人でロープウェイ尾根に行くのが見えた。やはり登る人はいるのだ。身仕度を整え、センター職員に仙酔尾根往復予定と告げると「今日は風が強いので、仙酔尾根は下らないほうがいい」と言われ、計画書は「ロープウェイ尾根下山」に直して提出した。外に出ると、雨は止んでおり、空は驚くほど澄み渡り、山麓の広大な景色や仙酔尾根などを一望できた。ただ、しんと静まりかえって音は全くなく、嵐の前の静けさか、と妙に不安を掻き立てられた。

　12時40分登山口出発。前を男性と白い上着の女性が歩いていたが、途中で姿を見失った。岩だらけの急な尾根道は浮石がなく、赤ペンキで道順が印されていた。青空はいつの間にか消えて暗くなり、霧雨から本降りになった。これは想定内だったが、風は想定以上に強く、無風だったのが、

わずかな間に勢いを増した。土砂降りになった山頂直下で、年配の夫婦に会った。阿蘇山最高峰・高岳を経てきて、ここから下るという。「急な岩場ですし、下山では目印が分かりにくいかもしれません。麓の職員も下山は別ルートで、と言っていました」と話したが、二人はもう決めたことだと強調した。「稜線の風はすさまじく、ここはまだいい。あそこを歩き続ける気がしないから仙酔尾根を下りようと決めたのです」

　稜線は、本当に大変だった。向かい風で、目は開け続けられず、腰をかがめ、飛ばされないようにほふくでソロリソロリと進んだ。霧も一層濃くなった。足元周辺がかろうじて見えるだけで、両側がどれだけ切れ落ちているか分からないのは不気味だったが、幸いにも高岳は近かった。

　14時15分高岳。風はどの程度か、とストックのベルトに手を通して先端が上がる角度を見たら、巻機山登頂時とほぼ同じ35度だった。

　中岳までは、立派なハイキング道で、たまに稜線下を歩く個所があると風がやや収まり、呼吸を整えられた。『阿蘇山の空気にご用心』の注意看板が現れ、強風に次いで有毒ガス攻めか、と思ったら中岳に着いた。霧は薄らいできたが、全方向を見渡せるはずの山頂からは、楽しみだった草千里のパノラマも何もかもが見えなかった。ふと、視界を遮るのは、霧だけでなく噴煙も交じっていることに気付いた。

尾根の名前だけ今に残る

　中岳からは風が弱くなる一方、雨がひどくなった。大きな火口の縁、避難用シェルターを過ぎると、コンクリートで覆われた道になった。廃止になったロープウェイの駅に着くと、しゃれた半円形の大窓から荒れ果てた室内が見えた。運行中止からわずか3年、人の手が入らなければ、あっという間にすさんでしまう。ロープウェイが今に残るのは、尾根の名前だけ、何だか空しかった。軌道下の道を下り、センターが見えた時、雨が突然、ヒョウに変わり、カッパを大きな音でたたいた。天候が急変し続けた一日だったが、無事に下山できて何よりだった。

　16時。駐車場には、車は数台あった。センターから職員が出てきたので、無事下山した旨を伝え、阿蘇山麓の『いこいの村』に向かった。

96
祖母山
Sobosan

1,756m

 山頂で幸福な1時間

　阿蘇から下山した夜は雨がひどく、ヨーコと相談して祖母山登山は予備日に変えた。帰名便は、熊本空港20時5分発で時間的には心配なかったが、2泊目を熊本ICに近い『火の国ハイツ』にしたので、祖母山登山口までは時間がかかってしまう。事前にできることを済ませようとカーナビに登山口の最寄り地点を入力したところ、何度試しても入力できず慌てた。大塚が車で九州の山に行ったという話を思い出し、電話したら彼も同じように苦労したといい「地名入力にして（宮崎県）高千穂町五箇所内の口」と教えられ、入力できた。もしも、山中から電話したなら、電波が入らなかったかも、と思い、胸をなでおろした。

　2014年6月23日朝。前々日に往復した国道を南下。阿蘇山を回り込むように走ると、山の裾野の緩やかさと長さで、大きさが実感できた。内の口から奥に進むと、未舗装道路はぬかるんでいたが、スムーズに北谷登山口に着いた。駐車場には車が1台とまっていた。

　9時30分登山口出発。この日は予備日のため、風穴ルートから三県境へ一周する予定を三県境ルートピストンに変えた。1合目ごとに標識が立ち、手入れが行き届いた登山道はぬかるんでいた。真新しい靴跡二人分があり、すぐ前の人だろうと察したが、最後までお目にかかれなかった。

　展望の良さそうな高台で休もうとしたら、若い男性の先客がいて、私たちが登ってきた道の様子を聞かれた。「別に変わったことはなかったです」と答えたら、熊本県神原から入ってきたとのことで「一般ルートでおなじみの大分県神原と、漢字も、"こうはら"という読み方も同じなのだ

けど、熊本神原のルートは、沢の水があふれ、渡渉に苦労した。他はどうなのか、知りたかった」と話した。

千間平からは傾斜が緩くなり、三県境の国観峠を過ぎ、9合目小屋の案内が現れると、再びきつい登りになった。インターネットには、9合目小屋近くのオオヤマレンゲが開花と紹介されていたが、帰りに寄ることにした。山頂到着前、低木に、群れるように咲くピンクのツツジのような小花を発見、ミヤマキリシマだと思い「残っていた」と喜んだ。

12時5分〜13時5分祖母山。山頂にも見たことのない、やや大ぶりの淡いピンクのツツジが咲いていた。平らな5枚の花弁。「これがミヤマキリシマかな」「どちらかはそうであってほしいね」と話していると、熊本神原ルートの男性がいて「アケボノツツジ、咲いていますね。下のはキリシマツツジ、両方見られましたね」と教えてくれた。深田久弥は山頂で「（阿蘇山や九重など）見える限りの山を数えながら、幸福な一時間を過した」と書いている。私たちは、かろうじて傾山が確認できたくらいだったが、アケボノツツジを飽きるほど眺め、やはり幸福な1時間を過ごした。

9合目小屋に寄ると、人影はないけれど、ラジオから音楽が流れ、入り口が開いた。こたつがある部屋には、笑顔がいかにも“山屋”の人の写真が飾られていた。小屋を大事にしている人たちだろう。「きれいに使ってね」というメッセージが伝わってきた。小屋裏に回り、オオヤマレンゲを探すと、頭上に花がいくつか開いていた。3分咲きくらいだろうか。

ぜいたくな花見山行

15時25分登山口に戻った。車は私たちの1台だけで、靴を履き替え終えたら、相次いで2台が到着した。運転していた女性に「今から？」と聞くと「明日、オオヤマレンゲの花見に行くつもりなの。咲いていたでしょう」と言う。花見か―。返事をしつつ、咲き始めのオオヤマレンゲ、名残のミヤマキリシマとアケボノツツジなど深山に咲くぜいたくな木の花の花見山行だった、と思った。

崩壊した山頂に石を運ぶ

　恒例の百山会の遠征、2014年は11人で大山を目指した。中国地方最高峰だが、その最高峰・剣ケ峰は崩壊がひどく、現在登れる最高地点は弥山1,709m、夏山登山道コースタイムは往復4時間。会員の平均年齢は70歳を超えていたが、それでも倍の登山時間を想定しておけば、希望者は全員、登頂可能と考えた。アプローチは、名古屋からの交通の便が悪く、バス利用の登山ツアーなら1泊2日と知って心が動いた。しかし、我が会員には強行に思われ、前年の至仏山同様、JRとレンタカー、またはマイカー分乗により、現地集合解散の2泊3日とした。

　7月3日。山陰地方に強い雨予報が発された中、高柳多良、平野、ヨーコと私のJR組は、岡山で特急『やくも』に乗り換え、出雲市駅到着後、レンタカーで出雲大社に行き、マイカー組7人と合流した。足立美術館を経て大山ロイヤルホテルに向かう途中、ホテルに近い植田正治写真美術館前でふと振り返ったら、立ち込めていた雲が切れ、富士山型シルエットが目に飛び込んだ。3日間の滞在で1回だけ眺められた美しい大山の姿だった。ホテルは海側の部屋で、山は見えなかったが、何羽ものイワツバメが体をひらりと回転させていた。『大山を　果たてに望む　窓近く　体かはしつつ　いわつばめ飛ぶ』。上皇陛下が前年の2013年、鳥取県での全国植樹祭の折にこのホテルに滞在され、歌会始で詠まれていた。

　7月4日。確実に降りそうな雲行きに「着るのに時間がかかりそうな人は雨具着用で」と指示した。8時にホテル出発、8時40分駐車場。頼んでおいたおにぎりを大山館で受け取り、大山寺橋を渡った。橋のたもと

に大小の石が積み置かれ『大山の頂上を保護する運動』との看板には、崩壊している大山の山頂まで石を運んでほしいと書かれていた。「尾張富士のようだね」と言いながら、何人かがザックに石を詰め込んだ。出発前には皆、余裕があった。

9時10分夏山登山口を出発。蹴上幅が大きく、段差が小さい石段は歩きやすかったが、登山道に入ると、傾斜が増し、会員の足並みが乱れ始めた。5合目先の大神山神社からの道との合流点・行者谷分かれの前で、雨が降り始めた。合流点までは登山者に会わなかったが、過ぎた途端、神社からの登山者に韓国からの登山ツアー一行が加わり、登山道は通勤電車のように混み合った。6合目避難小屋が見えた時、中に入って休みたかったが、人が多すぎ、小屋に近づくことさえできなかった。

登山道は、岩場に変わり、ごろごろした浮き石も現れるようになった。雨足は一層強くなり、他のパーティーでは引き返す人が続出、我がパーティーでも二人が下山をしたいという。榊原章に「僕たちの、登りたい思いも合わせて是非、山頂を踏んできて」と言われ、「一緒に行動して下さいね。絶対に一人にならないで」と念を押し、別れた。8合目が近づくと、尾根通しの登山道には、背の高い木が消え、視界を遮るものはなくなった。天気が良ければ、遠くまで見渡せそうだが、何も見えず、逆に風が出てきて身に染みた。また二人から下山の申し出があった。風雨の状況下では、この時、全員で引き返す判断がベストだったのだろう。しかし、一方には山頂に行きたい人もいた。「離れ離れにならないで、必ず二人で行動して下さいね」と繰り返し伝え、別れた。

霧の中で宙を舞う感じ

山頂が近づき、勾配は緩く、歩きやすくなった。やっかいな個所は、わずかな区間だけだった。視界は悪いままだったが、足元には、ダイセンキャラボクの保護用の木道が現れた。地面よりもかなり高い位置に設けられた個所もあり、霧の中、宙を舞う感じで歩いた。頂上避難小屋の前で、登頂を終えた細川、加藤克美、小形ら3人とすれ違い、私たちは登頂後、小屋で小休止してから下山する旨を伝えた。

13時58分弥山。山田、平野、ヨーコ、私の計4人は、濃い霧の中にぼんやりと浮かぶ『大山』と書かれた石碑前で写真を撮った。それから荷上げた石を下ろし、避難小屋に入った。私たちと入れ替わりに人が出て行き、二人が入ってきた。若い男性は体調を崩したらしく、一言も発せず伏せてしまい、年配の男性は「以前は、もっとダイセンキャラボクがあった」と雄弁に話しかけてきた。

同一行動をとれず反省

雨は小降りにならなかった。下山は、いつもならコースタイムよりも早いかほぼ同じなのに、この日は、先行の3人も含め、全員が微妙に時間がかかった。最終下山組が登山口に戻ったのは18時近く。全員が、持参のヘッドランプを使わずに済んだとはいえ、日没寸前だった。

それにしても、2・5倍の時間を費やすとは—。普段の山行でも、急な土砂降りを何度も経験しているけれど、名古屋近郊の低山と、日本海から風が吹き付ける高山とは、スケールが違う。幸いにも風は強風にならなかったが、急に冷たい風が吹き荒れる事態に変わっていたら、トムラウシのような遭難にも、と背筋が凍った。天気は崩れる予想だったから、出発を数時間早めるか、参加者が同一行動をとれないと判明した時点で、全員撤退を判断しなければならなかった。このところ、既登の山もあってか、下山は、三々五々に分かれているが、本格的な登山では、グループは絶対に分かれてはならない—。リーダーとしての反省点が次々と浮かんだ。

その晩。泣きたい気分だったが、皆は一様に元気になっており、逆に気遣ってもらい、困惑顔を続けるわけにはいかなかった。わずか4人で発足した1996年から18年。雪の鈴鹿・藤原岳でフクジュソウを見たり、中国と北朝鮮国境・虎山長城や韓国の江華島・摩尼山に登ったり、会での充実した山の時間があった。皆に喜ばれることがうれしくて、ボランティアのつもりでリーダーを務め続けているが、会員が増えた今、客観的に状況を見定める目を持たなければならない。責任を痛感しながら、百山会では今後、絶対に無理をしないと心に誓った。

5

大雪山
Taisetsusan

2,291m

霧と寒さで金縛りに

　北海道最高峰・大雪山旭岳は 2008 年の改訂で 1 m高くなったが、それでも標高 2,291 m。観光客がロープウェイを使い、往復 4 時間で登頂している、とも聞く。しかし、日ごろは無茶をしていると思われている私でも、大雪に一人で登ろうなんて思ったことがない。1980 年代、旭岳近くで『SOS』と枯れ木で組んだ文字が上空から発見されたニュースがあった。救助ヘリが出て遭難者を助けたが、SOS 文字を作った人ではなかったことから他にも遭難者―と騒がれた。この SOS 写真を見た時、何とまあ周囲に大きくて似た山が多い山域であることか、と思った。「北海道の山には人が入っておらず、踏み跡を当てにしてはならない」などとのコメントもあり、大雪で道を外したら一巻の終わり、山域を知る人と入山しなければ、と肝に銘じた。

　そんな昔のニュースを思い出しながら、2014 年春、各社のパンフを見ていたら、東京のクラッーに 7 月 12 日出発『大雪山・十勝岳 1 泊 2 日』ツアーがあった。これに参加し、自力でもう 1 座登ろう、と考え、電話で「旭川空港で集合、離団を認めてもらえますか？」と尋ねた。「団体航空運賃を適用しますので料金はほとんど戻りませんが、それで良いなら」と言われ、申し込んだ。

　7 月初め、これまでにない大規模な台風 8 号が発生し、空のダイヤは乱れに乱れ、10 日まで一部運休が続いた。私は 11 日、名古屋―旭川便で旭川に入り、レンタカーで旭山動物園や三浦綾子記念文学館など観光をしていた。

7月12日。東京からの22人と合流、バスで旭岳に向かった。"大荒れ一過"といかず、天気はぐずぐずし、雨が降りそうだった。11時15分。大雪山旭岳ロープウェイに乗り、姿見駅で30分の自由行動となった。

11時45分。添乗員・入沢直之から行程説明を聞き、姿見駅を出発。どんより空、ひんやり空気、濃い灰色の霧。足元にはメアカンキンバイやマルバシモツケ、エゾコザクラなど北国の花が咲き誇っていた。姿見の池はかろうじて見えたが、真正面にあるはずの旭岳は見えずじまい。ゴロゴロした石の登山道が始まると、長い裾野は次第に急になり左は地獄谷で、霧の切れ間に深い谷が垣間見えたが、全容は分からなかった。

13時30〜34分8合目。暗くなった途端に、雨は大きな雨粒になり、少し間をおいて音を立てて降ってきた。入沢は全員に雨具の上下を着るよう指示した。幸い、豪雨であっても風はなく、横を見ると、満開のキバナシャクナゲの大群落があり、周りにも高山植物が咲いていた。雨にも負けず、無愛想なガレ場の花々は、健気だった。

圧倒された金庫岩の造形

9合目を過ぎたら、ニセ金庫岩、続いて金庫岩が現れた。どちらも銀行にある特大金庫のような正立方体の岩で、自然の造形に圧倒された。SOS文字事件は、金庫岩とニセ金庫岩を間違えて起こった、という説もあったが、偶然、近くに似た形の大岩が二つ存在するとは不思議なものだ。

14時15〜30分旭岳。風はないのに気温が下がって「寒い」と震える人がおり、そばの人は「気温は6度」と言っていた。濃霧で5m先も見えず、初めての登頂で広さの見当もつかない私は寒さもあって金縛りにあったように一歩も動かなかった。

下山は一度も休まず、15時40分姿見の池に着いた。雨は次第にやさしい降りになり、展望台を周遊して下山することになった。霧が薄くなり、切れる瞬間も訪れ、花畑や二つの池の景色を堪能した。16時15分ロープウェイ駅。花の美しいベストシーズンであり、天気が良ければなお良かったのに、と心残りで、可能ならいつか晴れた日にまた、と思わずにいられなかった。

7
十勝岳
Tokachidake

2,077m

月の砂漠から活火山へ

　旭岳登頂の翌日は、十勝連峰最高峰・十勝岳に登った。雨は旭岳下山後、小やみになったが、『白銀観光ホテル』では夜中に大きな雨音がしていた。中止でなければ、雨でも登るつもりでいたら、明け方に上がった。

　2014年7月13日5時。ホテルに着替えが入ったスーツケースを預け、バスに乗った。参加者22人は、旭岳には全員が登頂したが、ずぶ濡れになった疲労を回復できなかったのか、この日は待機希望が多く、6人が不参加だった。バスですぐそばの望岳台に行くと、駐車場にはすでに数台のバスがとまっていた。一帯は、標高930mとはいえ、森林限界を越えていて、高い木々など視界を遮るものはなく、曇天でも、正面に十勝岳とその稜線、左手に恰好のいい美瑛岳と美瑛富士、右手に富良野岳が見えた。いずれの山も、見上げるというよりも、遥か彼方に視線を移した感じで眺められ、さすが広大な北海道だった。

　5時25分登山口を出発。石がゴロゴロした、なだらかな道が続いた。6時35〜45分十勝岳避難小屋。休憩を終えて左折すると、いきなり岩壁が現れ、そこから案の定、急なガレ場で歩きにくくなった。登山道は、すり鉢状の外観から名付けられたという、すり鉢火口の縁を通った。地図には、安政火口や大正火口、昭和火口など噴火時の元号から名付けられたものも記されていた。活火山の十勝は、前年の2011年（平成23年）に登山規制されたが、噴火や火砕流は生じておらず、平成火口はない。もしもできていたら、こんな風には登っていられなかっただろう。

　8時55分〜9時5分。入沢が前夜、ルート説明時に『月の砂漠』と表

現していた細かい砂地がうねるように続く場所で休憩した。乾燥した砂地には、植物の仲間は一切生じておらず、言いえて妙な表現だった。時々青空が見え、北海道の山中とは思えなかった。その後も緩やかな傾斜の月の砂漠を歩き（**写真**）、最後にごつごつした大岩が登場。ゴジラの背中のような岩の塊が連続する奥に十勝岳があった。

　9時20～35分十勝岳。大雪山系や美瑛岳がかすかに見えた。山頂の表示板近くの岩場には、神奈川県の山岳会らしい約十人のパーティーがおり、真ん中で『百名山達成おめでとう』という垂れ幕を持った男性を祝福していた。百名山達成の瞬間に居合わせたのは、幌尻岳に続き2回目。前回はツアーだったので、達成した本人は遠慮がちで、緊張した面持ちだったが、今回は立ち会う仲間も本人もニコニコ顔で、何度もポーズを取るなど余裕があった。達成できるなら、やはり気の合う仲間に囲まれ、喜びを増幅させたい。この秋、磐梯山で踏破予定の大塚の山行には、万難を排して立ち会わなければ、と心に誓った。

　下山は、10時30～35分月の砂漠終点、11時30～35分避難小屋で、12時30分に望岳台に戻った。下るに従い、天気は回復し、暑くなった。ツアーが1日遅い日程ならば、旭岳は晴れだったけれど、1日早ければ催行されていなかったから、大吉でも凶でもなく小吉だ。

　来たときは広く感じた望岳台の駐車場は、あふれるように車が増えていた。バスでホテルに戻り、温泉で汗を流してから再乗車。新千歳空港に到着後、東京行きの一行と別れて近くのビジネスホテルに入った。山行日前日まで天気でハラハラしたけれど、二日間の登下山、移動とも時間通りで、ツアーはありがたい、とあらためて思った。翌日からは自分でペースを作るわけだが、両日と同じようなペースでこなそう、山で元気をもらったから大丈夫―。コインランドリーで洗濯をしながら考えた。

後方羊蹄山
Shiribeshiyama

1,898m

🌿 優しげ山腹とギザギザ火口 🌿

　バランスのいい円すい形から『蝦夷富士』とも呼ばれる後方羊蹄山。後方は『しりべし』と読み、学校では羊蹄山（ようていざん）と習った覚えがある。ウィキペディアを見たら「1920 年発行の地形図に後方羊蹄山と記載されていたが、難読なので、地元・倶知安町が羊蹄山への変更を求め、1966 年の地形図から羊蹄山に書き換えられた」とあった。ほぼ円形の裾野の東西南北に登山口があり、4 カ所のいずれの登山口からも緩やかに登り、最後の急登で火口の縁に出て回り込み、山頂に至る、と同じ行程で、コースタイムもほぼ同じものの、8 〜 9 時間とちょっと長めである。なので計画を立てる時、比羅夫口からの倶知安コース往復は簡単に決めたが、荒天に備えて予備日が必要との思いから山麓で前後泊とし、羊蹄山を別方角から眺めようと、1 泊目は北西の『ニセコいこいの村』、2 泊目は真南の『真狩ユースホステル』を予約した。

　2014 年 7 月 14 日朝、新千歳でレンタカーを借り、苔の洞門、美笛の滝などを観光しながらニセコに向かった。上向きの天気が続く予報で、結果的に予備日は不要で、往復ともぜいたくに時間を過ごした。昼すぎ、チェックインを済ませ、比羅夫口の確認に出かけたら、客待ちのタクシーがとまっていた。タクシーを使えば、登下山口を変えて縦走も可能なのだ。帰り道、半月湖畔に立ち寄ると、外国人親子 3 人がいて、挨拶を交わし、どこからと聞いたら「英国出身だけど、職場は香港」という。登山？　と尋ねたら「目的は、フレッシュな空気。ここに 1 週間滞在します」との優雅な答えで、私は「登山のために名古屋から来た」と話したけれど、6

日間で3座と付け加えたら、慌てすぎと呆れられたに違いない。

　7月15日4時10分。比羅夫口駐車場には7台の車があった。4時25分登山口出発。5時20〜30分2合目。無風で蒸し暑い曇天。虫が多く、ネットを被った。6時05〜15分4合目。横にシマリス、遥か下には町が見え、風が出て、さわやかになった。7時15〜25分6合目。心地良かった風が強くなり、つんのめりそうな瞬間も。すり足で、身をかがめて進んでいると、夫婦が下山してきた。「避難小屋で泊まったけれど、風が強いので下ります」と話す80歳と73歳。「一緒に下りましょう」と言ってもらったが「行けるところまで頑張ってみます」と別れた。

曇り、強風、一時雨、のち快晴

　8合目を通過すると、雨がぱらつき、それからやんだ。思い返せば、この日の天気は、曇り、時々強風、一時雨で、その後、晴れ、雲一つない快晴、とめまぐるしく変わっていた。低い木が増え、下を見ていたら、強く頭を打った。低木がなくなると、あちこちで花が満開だった。羊蹄山避難小屋分岐から父釜という火口の縁に出た。

　9時35〜55分後方羊蹄山。途中で追い越された宮崎県の夫婦を含め、5人が休んでいた。時々霧が出たけれど、山頂一帯は一望できた。それまで凸凹が少なく優しい山腹を歩いて来たけれど、山頂は大きな火口で、ギザギザした大岩に囲まれていた。

　下山は、来た方向と同じ向きで進み、火口を一周して下りた。下るに従い、天気が良くなった。急ぎ過ぎた、と気付いた時はすでに遅く、13時35分に登山口に戻っていた。名古屋出発時には、3座に連登できるか、ちょっと心配だったが、山歩きに弾みがついたようだった。近くに登れそうな山があれば、本気で登山を考えていたかもしれない。

　湧水で有名な京極のふきだし公園に寄るなど山をほぼ一周してから、真狩YHに入った。宿泊者は少なく、部屋の大きな窓を開けると、雲一つない青空の下に、美しい山の形が見えた。夕方出かけた『まっかり温泉』でも美しい山容を眺めた。後方羊蹄ざんまいの一日だった。

18
蔵王山
Zaouzan

1,841m

🌿 木の棒頼りの核心部歩き 🌿

　大塚と伏見が 2014 年 7 月下旬、北東北 11 座登山に出かけた。「鳥海は 8 月 3 日」と聞き、現地で同行したいと頼むと、OK とのことで、8 月 2 日に蔵王に登り、鳥海山麓で合流するつもりで、宿やレンタカーの手配を始めた。すると 7 月 31 日に「2 日に鳥海でもいい？」との連絡があり「登れるなら解約手続きは問題ありません」と了解メールを送った。その日の午後、「明日 8 月 1 日は鳥海山への移動日。登頂済みだけど、蔵王経由でも移動ができるので、一人で登るなら、JR 駅で合流し、刈田岳登山口まで行こうか。こちらは登らないけど、下山まで待機している」とのメールが届いた。願ってもない申し出に「お願い」と伝えた。

　8 月 1 日。朝一番の新幹線を乗り継ぎ、10 時 45 分白石蔵王駅で合流。車中で 7 月 28 日に登ったという二人の山行話を聞いた。宮城・山形両県境の蔵王山は、修行の場としての山々の総称で、最高峰は熊野岳。「登山口から熊野岳へは傾斜が少なく往復 1 時間半くらい。危険な個所なく、木の棒の目印があるので楽に往復できる」とのこと。しかし、エコーラインを経て正午に刈田岳駐車場に着くと、霧が濃く、瞬間的に目前の景色が見えなくなった。起伏がない山での濃霧はリスクが高い。大塚は心配して「もう一度登ってあげる」と言ってくれた。車を出ると、風があり、体感温度は思った以上に低かった。子供やお年寄りは、タオルケットなどを羽織っていた。8 月上旬、車に乗っているだけで、標高 1,740 m の駐車場まで来てしまうのでは、寒いとは想像しにくいかもしれない。

　12 時 15 分。3 人は厚着の上にカッパを着込み、登山口を出た。蔵王

のシンボルである御釜の縁では、多くの観光客が下を覗き、霧がなくなるのを心待ちにしていた。御釜を囲む道を左に進み、熊野岳と刈田岳をつなぐ核心部・馬ノ背に入ると、火山らしく草木のない裸地で、起伏は少なかった。そこに背丈よりも高い、細い柱状の棒が等間隔で遠くまで立ち並ぶのが見え隠れした。話に聞いていた目印で、普段は何の変哲もないだろうけれど、濃霧のこの日には、頼りがいがあった。

　熊野岳避難小屋の分岐で、まっすぐだった道を左折した。急に目印がなくなり、霧も濃くて「どっち?」と聞いたら「こっち」との声が返ってきた。目印、同行者ともにありがさを感じた。

　12時50分〜13時熊野岳。溶岩に覆われた広い山頂で、何も見えなかった。隣の熊野神社には、登山者が数人休んでいた。蔵王ロープウェイ蔵王高原駅からの縦走者もいるようだ。独身時代に蔵王へスキーに来たことがあった。ロープウェイ駅に着いてからスキーを担ぎ、樹氷の森を抜けて小高い丘まで登ってから滑り降りたが、ここまで来ていたのだろうか。

御釜の湖面に三角波

　帰路は、避難小屋の近くで、単独の若い女性と話をした。岐阜県出身と分かり、名古屋勤務経験もある大塚も加わり、中部地方の話で盛り上がった。霧は次第に薄くなり、馬ノ背に戻ると、御釜が全容を現していた。薄緑色の水をたたえ、神秘的な雰囲気で、入山規制のない時代に登った草津白根山の湯釜と同じ色だった。霧に代わって風が吹き始め、それがどんどん強くなり、湖面に不気味な白い三角波が立つようになった。

　13時40分駐車場。往復1時間25分とコースタイム通りで歩けたのは、4日前に登った二人に伴登してもらえたからだ。晴天の蔵王ならいつでも単独登山は可能と考えていたので、もしも一人で登ってこの濃霧だったら、恐らく撤退していた。しかし約2カ月後、蔵王は火山性の地震を繰り返し、山頂近くがわずかに膨張。それから火山の兆候があり、入山が規制された。今では規制解除になったが、しばらくの間、重ね重ねのラッキーを思っていた。

15
鳥海山
Choukaizan

2,236m

🌿 花畑と雪渓、おまけに岩くぐり 🌿

　鳥海山の登山口数カ所には、それぞれ宿泊施設があるが、2014年8月2日土曜日の直前は全て満室。2日に有名な山形県酒田市の花火大会が重なったためで、やや遠い遊佐町・鶴屋旅館泊になった。

　2日4時少し前。目覚ましのセット時間を間違え、廊下の足音に飛び起きた。4時出発の車中では、ミスを重ねないように、と思い、朝食をほおばった。天気は晴れそうな予感だ。5時前に象潟口とも呼ばれる鉾立の駐車場に着くと、大きな駐車場はやはり全国各地からの車で埋め尽くされていた。いつも感心するが、登山者の朝はめちゃ早い。

　5時。標高1,150mの登山口を出発した。緯度が高く、背の高い木はなく、勾配は緩やかだった。6時～6時10分賽ノ河原。高原のような解放感があり、多くの登山者がくつろいでいた。残雪の傍らに、雪解け水の豊かな小川が流れ、岸にはシナノキンバイなどが咲いていた。蒸すような暑さが始まっており、川越えの冷たい風が心地良かった。

　6時40分御浜小屋通過。チョウカイアザミをはじめ、ハクサンシャジンやハクサンフウロなどで花畑は満開。同行の二人は花には興味を示さなかったが、御浜からの稜線ではしきりに右下を観察し、残念そうに「鳥の海、見えないなあ」。山名の由来のひとつともいわれる小さな湖の鳥海湖は、帰路でも見られず、私も心が残った。7時30分七五三掛通過。雪渓のある千蛇谷に向かって一気に下った。7時55分～8時千蛇谷。濃い灰色の大小の岩を抱えながら、大きな雪渓が残っていたが、解けて緩んでいたので、アイゼンは出さなかった。雪渓脇の雪と石のミックス帯を選んで歩き、

谷から再び尾根に向かって登ると、ガレ場が現れた。少し前の、のどかな高原とは違って歩きにくかったが、さりとて単調な登り続きでは飽きていたかもしれない。

　鳥海山の最高峰・新山を背にした要塞のような囲いの大物忌神社は、隣に山小屋があった。登山道は岩場になり、手と足を使って登った。なだらかな高原から始まり、季節の花々、雪渓、岩場—。変化に富んだ山の極めつけは、ユニークな岩の造形だった。人の背丈以上の、細長く平らな岩が斜めに重なりあい、通せんぼしているようだった。腰をかがめ、頭を低くし、一方でうきうきしながら、くぐり抜けた。

　巻き道をよじ登り、大岩を乗っ越したところが山頂の直下で、人が到着順に並んでいた。山頂は狭いらしく、下山者が来たら次の人が登る暗黙の了解があるようで、後ろの人は、前の人のシャッターを押すことも繰り返されていた。待つ暇を持て余す身には、撮影も気が紛れそうだ。

　9時25分。新山に立ち、全方向をグルリと眺めた。霧で遠くは見えなかった。霧は晴れそうだったが、行列を考えれば、待つわけにはいかず、すぐに下山した。初めて鳥海山を見たのは、北海道からの飛行機の中からで、雲一つない晴天の日。手が届きそうな広い山を何人もの登山者が伸びやかに歩いていた。なんと楽しそうな山なのだろうと思ったが、山頂は溶岩ドームともいわれる岩山であり、想定外の狭さだった。

　下山は、往路を戻った。霧が薄らぎつつあり、下を見通せた千蛇谷では、雪渓を尻制動で滑り下りた。最後の最後まで弾む気持ちだった。下るにつれて天気は良くなり、登山口近くでは遥か遠くに、登ってきた鳥海山頂を仰ぎ見ることができた。13時20分登山口。鉾立山荘の温泉に寄ると「今日初めてのお客」と言われた。

　大塚・伏見はこの日、上山温泉泊で、翌日浜松に帰るという。私は新潟、高崎を経て長野の実家に戻る予定で、JR酒田駅まで送ってもらうと、車窓から広々とした田園の奥に鳥海が優雅に立っていた。「ちょっとだけとまって」。そう頼み、裾野から山頂まで優美な鳥海山の全景を脳裏に焼き付けた。

19
飯豊山
lidesan
2,105m

🌿 田中陽希と僅差のすれ違い 🌿

　新潟・山形・福島の３県境の飯豊山は、８カ所の登山口のどこからも遠く、山中泊が必要である。体力があるうちにと、2013年にクラツーのツアーを申し込んだが、催行中止になり、14年の心づもりも、年初の催行計画はなし。大塚に話したらその年の８月に計画というので参加を申し出た。

　夏になると、大塚から詳細な計画が届いた。８月22日に福島県弥平四郎登山口から入山、本山避難小屋と切合小屋にそれぞれ素泊まりし、飯豊連峰の主峰・飯豊本山と最高峰・大日岳（2,128m）に登頂。共同装備の夕食材料となべ、コンロは大塚が準備、個人装備は朝・昼食やシュラフ、マットなど。メンバーは大塚、初対面の鈴木光子、田中久美子と私の計４人—とあった。

　８月21日 JR恵那駅で浜松から来た大塚車に乗り、磐越など５自動車道を経て16時すぎに弥平四郎集落『大坂屋』に入った。宿泊者は、東京などの男女３人、年配夫婦ら３人、そして我々４人の合計３組10人である。天候異変が１週間続き、東北地方上空には低気圧が居座っていた。道中「雨なら大日には向かわず下山」と話し合っていた。その晩は無風で、異様に蒸し暑かったが、エアコンはなく、私は眠れなかった。

　22日。４時半登山口到着、５時15分出発。祓川山荘までは気持ちのいいブナ林だが、登山道はそれ以降、斜度を増し、しんどさも比例した。風がそよともせず、湿度、高温プラス寝不足で、体調の悪い私は体が欲しがるままに水を大量に飲んだ。ネットに「登山口から山頂まで直線8㎞、歩行距離13㎞、標高差約1425ｍ、累計標高差約2100ｍ」と記載されて

いた通り、長い長い登りだった。

　8時40分〜9時。3度目の休憩場所近くで白いエゾシオガマや白いナデシコ、弟切草、ツルリンドウなどが咲き誇っていた。ずっと気持ちに余裕がなく、道端の花に初めて気が付いた。9時20分松平峠通過。稜線に出ると、曇天ながら本山とそこに至るまでの山々や登山道が一望できた。普段なら明るい尾根に躍り出たり、目的の頂きを見ると、ルンルンするのだが、まだあんなに、と力が抜けた。9時35〜45分疣岩山。気温が下がってきたようで、汗が噴き出なくなった。

　10時35〜45分川入からの登山道との合流点の三国小屋。客はいなかったが、管理人は「今、NHK"グレートトラバース"の収録で百名山踏破中の田中陽希が通りました」と話した。水は3L持参していたが、ミカン水を1本購入した。種蒔山を越すと傾斜が緩み、日本庭園風の景色も現れ、歩くのが苦にならなくなった。ところどころにある雪渓は次第に大きくなり、時に道をふさぎ、ガイドブックの『雪田』表現にうなずいた。リンドウや車輪状の綿毛になったチングルマが咲き、赤トンボが飛ぶ先には、白い花満開のチングルマの花畑があり、秋と夏が混在していた。

　12時32分〜13時10分切合小屋。約30人のツアー客がおり、中の一人が「惜しかったね、田中陽希が5分前くらいに大日杉登山口に下りていった」と話しかけてきた。しかし、放映開始から見てきており、その頃から彼の挑戦を静かに応援したい気持ちであり、同じ日に同じ山にいたと知っただけで十分だった。水場の蛇口からは水がとうとうと流れていて2L補給した。朝から飲んだ水分量は、ミカン水を含め2L半。呆れるほど飲んだ計算だが、体調は上向いていた。水で元気になったかも、水が豊富な山はありがたい、と思った。

　13時50分〜14時。休憩地点の植物群は、メバリノギランやマツムシソウ。花の山は、数が多いだけでなく、場所によって種類も異なっていた。青空が広がったところで、カメラを持った男性3人組が下ってきた。もしや。「NHKさん？」と声をかけたら頷いたので「飯豊はいつですか？」。不躾な質問に嫌な顔をせず、往路で撮れなかった花や景色の映像取材中と説明し「放送は11月22日。その前にそれまでの再放送もあります」。教

えてもらったお礼に「いつも見ており、録画もしています。番組ファンの友人にもPRしときます」と言ったら笑っていた。14時15分1,775m鞍部通過。天気が崩れ、雷がゴロゴロと鳴り始めた。御秘所近くには本山避難小屋の管理人がいて「雷雨が来るよ、急いで」と言われ、私たちはピッチを上げた。

15時20分小屋に到着。一呼吸置いたら、パラパラパラと屋根をたたく雨音。管理人の声かけのおかげで、濡れずに済んだ。小屋内には7人がいて、彼を待っていた。「宿泊者が揃ったら場所を割り振る」と言って出ていったとのこと。管理人は戻ると、入り口近くにビニールシートを広げるように指示し、濡れた複数のザックを置いた。間もなく大坂屋で一緒だった男女3人が濡れネズミになって到着。一段落して「宿泊者は14人、2階を使わず1階だけで泊まれる」と各グループに場所を振り分けた。カレーライスを作り、食べようとした時「バタン」と音がして、人がまた入ってきた。大坂屋の年配夫婦らで「明日天気が悪いと登れないので、予定を変えて登ってきた」と言う。

山頂直下にイイデリンドウ

夕食後、管理人が「雨が上がったよ」と呼び掛けた。外に出ると、眼前に本山、彼方に大日、大嵓尾根などが見え、急に晴れあがった朝日岳を思い出した。山頂へのなだらかな道端には固有種・イイデリンドウが咲いていた。17時40〜55分飯豊本山。山頂の飯豊山神社に登頂を感謝し、手を合わせた。一帯は暗くなり始めていたが、御西や大日へのアップダウンを繰り返す登山道が確認できた。夜、トイレに行ったら、麓の喜多方や郡山の街の光が瞬いていた。

23日。雨で計画を変え、下山することになった。飯豊は十分歩いて未練はありません、という感じで、内心ホッとした。6時40分。小屋を出て前日の道を戻った。8時切合小屋、9時45分三国小屋、14時に弥平四郎駐車場に到着。雨はいつの間にか上がっていた。難関の一つと想定していたロングルートの飯豊山に登れ、残る難関の百名山踏破も可能だろう、といよいよ思えるようになった。

47

鹿島槍岳
Kashimayarigatake

2,889m

水墨画の赤岩尾根

　特急『しなの』に乗ると、実家のある長野駅に着く前に、犀川鉄橋から鹿島槍岳を見ることができる。車窓からでも個性的な双耳峰は凛々しく、山の色は全身真っ白とか紺色、時には天辺だけ白などと季節により異なる。同じように木曽福島駅到着の直前、一瞬眺められる御岳とともに、中央線での帰省の楽しみである。鹿島槍にはそんな思い入れから親しみを感じ、いつでも登れるような気がして、何度かの誘いも断っていた。しかし、百名山踏破を目的にしてからも未踏のままだった。帰省時に単独で往復しよう、と計画を立て始めたら、長野でなく、名古屋出発でも、午前中に信濃大町駅に到着できることが分かった。

　そこで2014年9月2日に名古屋発の基本計画を立てた。1日目に朝一番のJRを乗り継いで信濃大町駅から登山口に入り、赤岩尾根ルートを登って冷池山荘で宿泊。2日目に鹿島槍南峰と北峰（2,842m）を往復し、柏原新道から扇沢バス停に下山し、信濃大町駅から帰名。3日目は予備日―である。ただ、五竜岳も未踏で、いずれ登らなければならないことから、もしも天気が良かったら、2日目に鹿島槍から五竜へ縦走して五竜小屋泊、3日目に遠見尾根を下山―という縦走案も考え、2種類の計画書をプリントアウトしてザックに詰め込んだ。

　2014年9月2日10時20分。信濃大町駅からタクシーで大谷原に向かった。「昨日の雨、回復して良かったね」という話好きの運転手さんから「帰りもタクシーを呼ぶなら、電波が弱いから上の方で予約を入れたほうがいいよ」とアドバイスをもらった。別荘地を抜け、大谷沢に着くと、駐車場

の車は地元ナンバーの軽トラック風の数台だけだった。

　11時。蝉しぐれの中、大冷沢沿いの幅の広い林道を歩き始めた。晴天の晩夏の日差しは強く、汗がすぐ噴き出した。約1時間で西俣出合に到着。白っぽい石が目立つ広い河原で、前や左右とも、つまり背中側以外の三方は、高い山に囲まれ、空は狭かった。えん堤の前に峯村組と書かれたプレハブの建物があった。誰もいないので、前に置かれたベンチをお借りして休憩した。

赤トンボを見て武者震い

　えん堤下のトンネルをくぐり、対岸の赤岩尾根登山口に向かった。トンネルの出口には、赤トンボが飛んでいた。戦国時代の武将は、前にしか進まないトンボを"勝ち虫"と呼び、縁起物にしたらしいが、登山出発時に見ても、縁起がいいのだろうか。雨なら後戻りもやぶさかでないけれど、できれば五竜まで前進したいものだ、と武者震いをした。

　12時20分登山口出発。木々の多い道は暗かったが、体感温度も低くなった。斜度はきつく、それがずっと続いた。もくもくと登っていると、「ザザッ」と音がして、身構えたところを超スピードの下山者が駆けて行った。「熊でなくて良かった」とホッとしたり、「心配していたら山に登れない」などと開き直ったり、しばらくああでもない、こうでもない、と言葉遊びをしていた。登山道は危険そうな箇所に鎖やはしごなども備えられていたが、手つかずの箇所や土が削られて太い木の根がうねっているような斜面も多かった。

　13時。急斜面に座りやすそうな木の根を見つけて腰を下ろした。真下に大冷沢とえん堤が見えた。再び「ザザッ」という音が響いたが、今度の下山者は足を止め、挨拶してきた。近くの住民という男性で、鹿島槍に詳しく「赤岩尾根は直登に近い急坂なので、冬場に利用されることが多く、夏はめったに登られない。登山者に会うとは珍しい」と話した（確かに、この日すれ違ったのは二人だけだった）。そこで「大谷原からどう帰るのですか、電話は電波が入りにくいようですし」と尋ねると、駐車場に車があるとのことで、電話は上の小屋からでないと通じにくい、と言っていた。

　14時40〜50分。高千穂平は、このルートで初めての平らな岩場だった。先はまだ長そうだが、それだからこそ、ゆっくりしようと休んだ。

　休憩後、白い霧が立ち込めるようになり、辺りは見えづらくなった。登山道は再び狭くて急なザラザラした砂交じりだ。それでも霧が切れる瞬間があり、振り返ったら、登ってきた赤岩尾根の全貌が目に飛び込んできた。思い描いていた以上に急なやせ尾根で、凸凹が多く、水墨画のようだった。すごい斜面を登ってきた、ここを登ったのだから天気が良ければ、明日不帰キレットも大丈夫だろう。いつの間にか、楽天的で前向きになっていた。

　16時15分乗越に出ると、登山道は、幅広でなだらかになった。太陽が白く見える中、緩やかなカーブに沿って歩いていると、おしゃれな若者が行き交っていた。ここでも霧が切れる瞬間があり、翌日登る格好のいい鹿島君の南峰と北峰、その間の吊り尾根が見えた。

北ア真っただ中にいる幸せ

　16時30分冷池山荘に到着した。翌日の予定を尋ねられ「五竜に行きたいけど、天気次第」と言うと、応対の女性は「返事は明日でいいけれど、赤岩尾根から来たなら大丈夫ですよ」と背中を押してくれた。部屋に入ると、4人部屋に女性3人で、全員が単独行。翌日の予定について若い女性は五竜に登って五竜山荘で泊まり、翌々日に唐松から八方池、JR白馬駅へと下りて帰京の予定で「バスの切符も購入済みなんです」と言い、もう一人は扇沢に下山するとのこと。私は「雨でなければ五竜に登り、遠見尾根から下ります」と話した。部屋からは種池山荘や立山が、少し離れた展望室からは剱までが望め、どこを見ても山が見える北アの真っただ中にいる幸せ感にほのぼのとした。

　9月3日。4時半に起き、すぐに外の天気を確認した。うれしいことに、まずまずの天気だった。五竜登頂を果たそう。心に強い決意を秘めつつ、天気がいいので、隣の山にも登るという山行は、時間に制約されない自由な身だからできるぜいたくだと、恵まれた定年退職後の環境に感謝した。

　若い女性は5時前に小屋を出発した。私は行動食を持っていたが、朝

食を頼んでおり、5時からとのことで、部屋でくつろいでいた。小屋泊の登山者は多かったが、食堂は空いていた。鹿島槍でご来光を仰いでから朝食らしい。受付で「五竜小屋に向かうことにしました」と告げた。

　5時45分。小屋を出発すると、満足そうな様子の下山者とすれ違った。6時55分〜7時5分布引山直下。白いトウヤクリンドウを、写真撮影者が囲んでいた。

期待と不安で不帰キレットに

　7時55分鹿島槍岳南峰。尖っていると想像していた山頂は、意外にも明るく平らだった。朝の太陽は高くなっていたが、まだ何人かが景色を眺めるなどして残っており「晴れなら日本海も見えるのに」と残念そうな声が聞こえた。勇ましそうな赤岩尾根の全景を見たかった私も、尾根の一部しか見えず、惜しかった。とはいえ、最重要課題はこれから。難所として名高い鹿島槍ー五竜間にある不帰キレットに向かう。天気が良い以上、登らない理由はない、と自身に言い聞かせながら、期待と不安が入り混ざってドキドキしていた。

鹿島槍岳南峰（中央）と北峰（右）

46
五竜岳
Goryuudake
2,814m

🌿 手強さはキレット以上のG5 🌿

　2014年9月3日8時10分、鹿島槍南峰から北峰へと吊り尾根に踏み出した。登山道はそれまでよりも踏み跡が少なく、岩交じりだった。遮るものがないまま、下まで切れ落ちている様が、否が応でも目に飛び込んだ。半端でない高度感だが、視界は良く、要所には印がつけられていて迷う心配はなかった。

　五竜と北峰の分岐に着いた時、躊躇せず五竜に向かった。縦走に変更した以上、五竜岳に急ぎたかった。分岐を下降中、同室の女性に再会した。40Lくらいの大きなザックで慎重に歩いており「キレット小屋で待っているね」と声を掛けた。

　不帰キレットは急な断崖だが、はしごなどがあり、岩は乾き、浮石などもなかった。往来が多ければ、不安定な真ん中で待機もありかもしれないが、この日は人が少なく、思った以上にスムーズに通過できた。小屋は、遥か下の鞍部に下る時に姿を現した。こんなに狭い所によくまあ建てたもの、と感心するほど切り立った場所にあった。

　9時50分〜10時15分キレット小屋。前夜の宿泊者らしい人が席を広く陣取っていたが、空いた席を見つけることができた。腰を下ろすと、前の若い男性が「早かったですね」と話しかけてきた。冷池山荘泊で、朝食時に食堂で私を見たという。目的が同じ五竜岳の"同志"に心強くなり「もう一人来ますよ」と伝えると「赤いザックの女性でしょう、苦労していましたよね。今日、五竜へ向かうのは多分、3人だけですよ」と言った。私は「彼女にここで待つと伝えたので、お先にどうぞ」と告げ、昼食を食べた。

目の前には、格好のいい劒岳が大きく見えた。縦走にして良かった、大正解―。至福という言葉が脳裏に浮かんだ。まもなく同室だった女性が来た。"同志"がいて先行したことを伝えると、挨拶したとのことで驚かなかった。これから一緒に歩こうと考えていたが「私は歩くのが遅いので、先に行って下さい」と言われ、また一人で歩き始めた。

劒を道連れに稜線歩き

稜線の道は、小さなアップダウンの繰り返しだった。五竜に向かうのは3人と教えられたが、五竜からやってくる人も少なく、すれ違ったのは5、6人で、この日も静かな山行だった。劒が大きく左側に見え、ずっと続いて私の道連れになった。前方に五竜も見えたが、口ノ沢のコルあたりから白い霧が出て、視界が悪くなった。霧が霧雨になり、仕方なくカッパを着たら、本降りになってしまった。

北尾根の頭を越えて岩場が始まり、岩の感触から五竜南斜面に取り付いていることが分かった。一帯の景色は見えず、かろうじて眼前の岩とその周りだけが見えた。五感で確かめるように進み、G6からがっしりしたG5越えをした時、ルートでない方に進んだらしくヒヤリとした。こんなはずはないと気付いて戻り、事なきを得たが、ロッククライミング経験があるので落ち着いていられた、と思った。雨と霧の条件下のG5は手強い。そういえば金沢時代、横井らと僧ケ岳山頂から五竜を見たら、西面は、真っ黒でずんぐりした、外国映画で見るような巨大な岩山だったっけ。

五竜岳・五竜山荘分岐から五竜山頂に向かい、14時10分に登頂。ここでも、ほとんど何も見えなかったが、五竜山荘からピストンの人がおり、シャッターを押してもらった。朝、晴れていたおかげで鹿島―五竜単独縦走ができた、鹿島南峰がこの霧だったら縦走はしなかった、と約10時間前の天気にラッキーを思った。

15時10分五竜山荘。小屋前のベンチには、カッパを着て、下山者を眺めている人がおり、中に"同志"の男性の姿があった。「こんな天気なので、もっと遅れるだろうと思っていましたが、頑張りましたね」とねぎらってもらった。私も宿泊手続きを終え、ベンチに行った。

9月4日5時起床。3日間で最高の天気になり、美しく輝くご来光を仰いだ。出発しようと玄関を出たら、偶然にも相次いで "同志" 二人に会った。6時。初めて3人一緒に歩き、6時15分遠見尾根分岐に着いた。私は遠見尾根に、二人は唐松岳に向かう予定で、彼女はひと休みして行くという。そこで3人は別れを告げた。

　遠見尾根も急で、ここの登山も大変だろうと思った。上方を仰ぐと、真っ青な空に、五竜と五竜山荘が鮮明に見え（**写真**）、鹿島槍北峰も眺められた。西遠見池でも一帯の全貌を、飽きることなく眺めていたら、五竜山荘で同室だった女性が挨拶しながら下りて行った。5時に小屋を出て、五竜に登頂してきたというから早い。8時大遠見山。水を飲んでいたら、男性が来て「ここは、単独行の女性が多いなあ。10分ごとにすれ違っていて、貴女で3人目だ」と笑っていた。中遠見山では、これで見納め、とパノラマ写真のような雲と山の連なりを脳裏に焼き付けた。えんじ色のイワショウブを見かけ、白馬五竜高山植物園を通過、9時50分アルプス平駅に到着。ドキドキして臨んだ縦走は、何事もなく、無事に終わった。

　テレキャビンでは温かいおしぼりサービスがあり、感激して手をふいたら、案の定、タオルは真っ黒になり、恐縮しながら返した。とおみ駅には、10時少し前に着いた。JR神城駅まで歩くと約20分だから急がなければ10時13分発の松本行きには間に合わない。次発に乗るつもりで、途中にある『十郎の湯』に立ち寄り、汗を流してから駅に向かった。12時34分。列車に乗って驚いた。車内には、唐松まで縦走した "同志" の男性がいたからだ。扇沢に車をとめたので、信濃大町駅で下車してバスに乗り換えるのだという。速攻登山というのだろうか、スピードに驚いた。

57
笠ケ岳
Kasagatake
2,898m

🌿 槍の肩にスーパームーン 🌿

　『チームステージ』の2014年山行は笠ケ岳で、私は晴天なら登頂後、二人と別れ、黒部五郎岳に向かうつもりでいた。9月8日未明、直子車で新穂高温泉口に向かった。前年秋、直子は喫茶店『ステージ』を開店しており、車中では「休日も仕込みで、満足に休んでいない」とこぼしていた。タフで、弱音を吐いたことがなかったので、すぐには理解できなかった。

　9月8日7時。新穂高温泉登山口出発。コースタイムは笠ケ岳山荘まで8時間10分、さらに山頂まで15分だが、時間通りには歩けない、と聞いていた。鎌田川上流の左俣谷の流れ沿いに進み、8時20〜30分笠新道への分岐。ジグザグ急登が始まり、肩で息をしながら高度を稼いだ。蒸し暑い晴天日。登山道からは東側が広く望め、西穂高岳や山腹の西穂ロープウェイ、槍ケ岳は穂先まで確認でき、登るほどに景色の迫力は増した。真ん中を歩く直子は次第にペースが落ち「休む？」と聞くと首を振るが、時々一人で立ち止まった。11時40分〜12時10分大休憩。各自は機会を見つけては食べ物を口にしていたが、ここで昼食にした。

　シモツケソウが咲く場所を通ったら、キイチゴも熟していた。再びの急坂に、若い男性が勢いよく駆け下りて来た。まばゆいほどの晴天なのに、頭にヘッドランプを付け、映画『八つ墓村』の一コマのよう。思わず「どうしたのですか？」と尋ねたら「笠に日帰りピストンしようとして想定以上に時間がかかり、山頂に登らず笠ケ岳山荘で引き返しました。だけど、笠新道分岐前に日没しそうで、暗くなったら点灯できるように準備しています」。笠の日帰り往復計画や、山頂まで往復25分なのにUターンして

きたことに驚きながらも、決断力や用意周到さに感心した。

　尾根を越えたらコバイケイソウの黄葉に彩られたカールとその上の稜線、青空が見えた。13時55〜14時10分杓子平。黄葉の斜面は、うねうねして誰かが造形したようで、その先は連続した岩場で、広大な景色が続いた。近そうに見えたが、抜戸岳・笠ケ岳分岐までは時間がかかった。16時30分笠ケ岳山荘から宿泊確認の電話が入った。「稜線に出たところです。一人の疲労がひどいけれど、心配は不要です」と伝えた。

　稜線は、緩やかながら距離が長かった。濃い霧が出たり、消えたりして、時々、笠ケ岳のシルエットの優美さにハッとした。アップダウンを何度も重ね、最後の急坂を詰めたところに立ったら、笠ケ岳山荘と直下のキャンプ場が見えた。日没寸前だったが、登山道には明瞭な踏み跡が残り、黄昏のともしびが灯った山小屋が見える光景は、小屋の人には申し訳ないと思うが、悪くはなかった。ヘッドランプを付けたが、銀色の明るい空には、白銀のまん丸の月が輝いていた。旧暦8月15日の十五夜のこの日の月は、月が地球に接近して通常よりも大きく見えるスーパームーンの日でもあり、大きな月の下は、濃い灰色の山並みが連なり（**写真**）、見覚えのある大槍、小槍、大キレット、奥穂、西穂などのシルエットが際立っていた。60年余の人生で初めての幻想的な中秋の名月だった。18時50分笠ケ岳山荘。部屋は小さいながら3人だけ。夕食を食べ終わると、直子はバタリと倒れ、眠り込んだ。

　9月9日5時前。直子はケロリとした顔で「おはよう」。十分に寝たら元に戻っていた。朝食を終え、5時30分小屋を出て、ガレ場を登り、5時50分笠ケ岳に登頂した。快晴で、立山や剱、乗鞍、御岳など三百六十度のパノラマが眺められた。はるか遠くに黒部五郎も見えた。三俣蓮華や双六のように重なりあってはおらず、足元からすっくと立ち上がった格好のいい独立峰。これから一人であの麓まで目指すのだ、と身を引き締めた。

黒部五郎岳
Kurobegoroudake

2,840m

🌿 巨大カール底から仰いだ山頂 🌿

　2014年9月9日6時30分。のり子、直子と笠ケ岳山荘を出発した。前日、繰り返し濃い霧に覆われていた稜線は、さわやかに晴れ渡り、私たちは足取り軽く、おしゃべりしながら歩いた。7時45分〜8時15分。抜戸・笠ケ岳分岐で二人と別れ、黒部五郎への単独行が始まった。大ノマ乗越を経て弓折乗越に着くと、鏡平からの登山者がおり、静かだった山が一転して華やいだ夏山になった。

　双六小屋は、随分手前から見えた。その後、従業員が屋根に布団を干し、暫くたつと、慌ただしく取り込む様子が見えた。雨？　と思った途端、濃い霧が流れ、肌寒くなった。12時30分〜13時15分双六小屋。寒いと思いながら行動食を取り出したが、奥のベンチで牛丼を食べている人に気付き、真似して注文したら、温かさに元気をもらえた。

　13時35分。霧で視界が悪い中、三俣蓮華岳への三叉路を真ん中に進んだ。地図には道が3本描かれており、右道が最短のようだったが、念のために双六小屋で確認していた。「真ん中から左に進み、分岐を右に行きます。"山頂へ"ではありません」とのことで、聞いておいて良かった。ここでもすれ違う登山者はいなかったが、数羽のライチョウが現れた。数十年前に双六山中で出会ったライチョウ親子の子孫なのかもしれない。イワヒバリやホシガラスも見たが、霧だと鳥がよく出現するのだろうか。

　15時40〜50分三俣蓮華岳。疲れ切った様子の年配男性二人が握手を交わし合い「これで小屋に着ける」と大げさに喜んでいた。その晩の夕食時、隣にいた人が「双六岳下に残った雪渓には、昼もアイゼンが必要」と

話すのを聞き、二人は雪渓と格闘してきたのだ、と思い出した。

　霧が切れ、時々、笠が見え、動物生態系カメラ前を過ぎると、この日一番の急な下降路に入った。木々が生い茂って谷底は見えなかったが、不気味さはなく、靴底の遥か下に、緑の草原と赤い三角屋根の家が見えた。黒部五郎小舎だ、かわいい—。足を伸ばせば、踏んでしまいそうに見えるたたずまいに、「谷間の森かげの愛らしい教会—」と口ずさんでいた。

　17時20分黒部五郎小舎に着いた。笠ケ岳往復を含め11時間50分、この日もよく歩いた。当初は天候や体調が良ければ、黒五の後は水晶にも、と欲張り計画も頭の片隅にあった。しかし、黒五で十分、と満ち足りた気分だった。受付で翌日の予定を聞かれ、「黒五に往復して双六小屋泊、明後日は新穂高温泉に戻ってバスとJRで帰宅」と告げた。

　小屋は混んでおらず、部屋は、ほぼ同世代のT枝と二人だった。金沢近郊在住と聞き、休みのたびに登っていた北陸の山を懐かしく思い出し、話し込んだ。T枝は単独行で、薬師沢から水晶を回り、翌日は太郎平小屋泊で、その翌日は折立に下りるという。「水晶で足を痛めた兵庫の男性と同じ行程と分かり、二人でゆっくり来たの。明日も太郎小屋まで一緒」。私は「太郎兵衛平から南は歩いたことがないけど、双六から新穂高へ下りる予定」と話した。すると、T枝は「ゆっくりでいいなら、折立から金沢駅まで送りますよ」と誘ってくれた。西銀座ともいわれるルートは魅力的だけど甘えていいのか、と戸惑っていると「車に乗るのは一人でも二人でも同じだし、駅は通り道。遠慮しなくていいのよ」。もっと山の話をしたいこともあり、受付にルート変更を伝えた。

笠から1日で来たとは

　9月10日快晴。遥かな山並みの端に、笠ケ岳があった。あそこから1日でここまで歩いて来たとは、信じられないほど遠かった。6時、T枝、兵庫の男性と3人で小屋を出た。7時〜同15分黒部五郎カールの全容を望める場所で休憩。万年雪なのか、ところどころに残雪があり、休憩した場所周辺には、咲き終わったいろいろな種類の花がらがあった。シーズン中はさぞ見事な花畑だろう。カールは深部に入ると、どんどん大きくなり、

人間は小さくなっていった。巨大カールの底に立つと、ここから黒五の山頂を仰ぎ見るのは、長年の夢だった気がした。雷岩を経て、8時5分カールの縁から立ち上がった急坂に取り付いた。ジグザグ道で一気に高度が稼げた。稜線に躍り出ると、初めて北側の景色が見え、同時に強風を受けた。

8時54分黒五の肩に着き、ザックをデポして山頂へ向かった。9時10〜30分黒部五郎岳。早朝の山頂は、山麓に泊まった人だけが占有できるが、9時ころから太郎平小屋泊の登山者が来るとか。私たちの到着時は、同じ小屋泊の埼玉県の男性がいただけで、4人で鎖付きの移動可能な山頂標識を掲げた写真を自由に撮り合った。

次は水晶からこちらを

肩から太郎兵衛平側の下降路も、カール縁と同じくらいの急斜面のうえ、ガレていて滑りやすかった。太郎平小屋からのトップには、肩の下ですれ違った。続く男女3人は「愛知の瀬戸から」と自己紹介したので「私も名古屋」と言った。それからは、赤木岳、北の俣岳など、これから越えていく山を正面に見ながら歩いた。右手の黒部川源流、その奥の黒くてギザギザした水晶岳、文字通り赤色の赤牛岳など初めて見る景色もスケールが大きい。T枝に誘ってもらって良かった、とルートを満喫し、次は向こうの水晶からこちらを眺めよう、可能なら来年だと考えた。11時〜同30分中俣乗越。雲が出始め、赤木沢の黒くて深い谷の上を通った。沢登りのメッカで、この夏2回事故があったのでは、と記憶をたどっていた時、沢から上がってきた人がいてホッとした。16時30分太郎平小屋に着いた。しばらくたつと雨が降り始め、夜には土砂降りになった。宿泊者は約40人で、混んではいなかった。

11日。兵庫の男性は薬師岳に向かうといい、朝食後、コーヒーを飲んでお別れした。雨は上がったが、霧は濃い。7時23分小屋を出発。T枝との北陸の山の話は尽きることがなかった。10時30分折立登山口。途中、折立に入れば亀谷温泉という行動予定も似ていることが判明、亀谷温泉に立ち寄り後、金沢駅で降ろしてもらい『しらさぎ』で帰名した。

23
会津駒ケ岳
Aizukomagatake

2,133m

🌿 花がなくてもときめく山容 🌿

　2014年の秋分の日前後の予定だった大塚の"磐梯山百山目計画"最終
予定表が届いた。「現地参加で」と頼んでいた私は21日に駒の小屋が予
約でき、会津駒登頂後、浜松からの一行と合流することになった。

　9月20日。福島県桧枝岐村に向かうため、6時37分発『ひかり』に
乗車。東京メトロ、東武伊勢崎線、日光線鬼怒川線、野岩鉄道を乗り継ぎ、
12時26分尾瀬高原口駅に着いた。12時45分発の会津バスの切符を買
おうとすると、窓口の女性に「お一人ですか？」と聞かれ、うなずくと「人
数がまとまれば、回数券が使えるので待ってて」と言う。連休で客は多い
が、目的地はほとんどが沼山峠や御池。遠慮しようとすると「必ず来ます
から」。確かに出発間際に「桧枝岐まで」という数人の団体が来て1,790
円の運賃を300円ほど安くしてもらえた。頼んだわけでもなく、逆に手
間がかかる親切。団体一行も喜んでいた。合流予定の民宿『おぜぐち』前
には14時に着いた。名古屋駅から7時間半の大移動だった。

　9月21日。民宿のご主人に登山口まで送って頂いた。無風の秋晴れ。
周辺道路は路肩まで車が並び、関東の日帰り圏だと気付いた。7時30分
登山口出発。8時35〜45分中間点といわれる水場。駒の小屋は自炊な
ので、水は3L持参したが、購入可能なので補給しなかった。汗ばむほど
の陽気だったが、汗をかいたのは最初だけで、下山時にも水は残っていた。

　静かな山に奇妙な音が響いた。人の叫び声のようで、耳をそばだてる
うちに、上からどんどん下ってきた。身構えていると、若い男性が「サイ
コー」と発しながらやって来た。声以外は普通の外観で「何っ？」と聞く

と「山が全部見えました。今年は雨ばかりで、今日初めていい写真が撮れました」と感極まって話し「今日は最高」と駆け下りて行った。

　至仏山や燧ケ岳などに続き、正面に美しい草原が見えた。広々としたオレンジ色の傾斜面、三角屋根の駒の小屋、背後の濃緑の針葉樹―。今にもハイジが飛び出してきそうな感じだ。あつらえたようなベンチがあり、腰かけて草原と東にある長い尾根に対峙した。尾根は、会津駒のはずだが、起伏が少なく、山頂の見当がつかなかった。しばらくすると、隣に熟年夫婦が座り、奥さんが「秋もいいわねえ」と話しかけてきた。「私たち、毎年開山日に来ているけど、9月は初めてなの」。私は「名古屋から来てこの景色に感激しています」と相槌を打つと「キンコウカよ。花もいいけど、葉の紅葉は美しいでしょ。有名な尾瀬の草紅葉の主役よ」。ご主人も話好きで「正面が会津駒ケ岳で、山頂は左のこんもりとしたところ。駒の後ろの中門岳は見えていません」。"山の先生だ、ラッキー"と心中で喜んでいたら、二人は「福島から日帰りで、夜までに帰宅するので」と昼食を終えると、そそくさと出発してしまった。

　10時55分駒の小屋着。宿泊手続き後、荷物をデポして会津駒に向かった。11時20～30分会津駒ケ岳。山頂の鳥瞰図には、武尊山や男体山などがあったが、視界は木々に遮られ今一つ。広大な景色浸りだった身には、窮屈感があった。

　中門に至る道はほぼ水平で、丘を巻くように曲りくねっていた。足元の低い谷を隔てて遠くに目をやれば、山々が俯瞰できた。それから高層湿原が出現。点在する池塘の湖面の色は、黄色の木々を映し、時々、空の色の青に変わった。深田久弥が「山の形は見えないが、その尾根の長い山容が私を魅惑した」と書いたのは、この稜線のことだと確信した。花の時季は終わっていたけれど、花はなくても心がときめく山容だった。

　12時20分『中門岳』と大書された木の標識が立つ大きな池（**写真**）に着いた。まばらな針葉樹林の奥はストンと切れ落ち、天空の池という様相。池から高

台に少し登ると、池塘を縫うように木道が一周していた。この日最奥にな
る展望のいいところにザックを下していると「また会ったね」と元気な声。
帰るところという福島のご夫婦が来て、越後三山、平ケ岳、磐梯山—と再
び、山名を教えて下さり、足早に去っていった。山の姿と名前を反復しな
がら覚え、飽きるほど眺めた。それから温かいコーヒーとパウンドケーキ
のお茶時間を楽しみ、寝転んだ。ずっと慌ただしく過ごしており、こんな
にのんびりした山行は久しぶりだった。もしも今の状況を一言で表すなら、
どんな言葉だろうか。愉快、満足、歓喜、幸せ—。ふと、朝、聞いた「最
高」を思い出した。「最高」と一緒に叫ぶ連れがないのが残念だった。

　静かな山に携帯着信音が響き、滝本寛子から「名古屋に戻ったので会
いたい」とのメールが来た。大塚と初めに話が弾んだのは、彼女の浜松転
勤のおかげだった、と不思議な縁を思い「会津駒を満喫中だから」と返した。

仰天した隣の豪華夕食

　14時20分肌寒さを感じ、帰路についた。15時20分駒の小屋。夕方、
小屋前で湯を沸かし、夕食の支度をした。尾西の山菜おこわ、即席みそ汁、
ソーセージとミニトマト、キュウリのサラダ、食後にリンゴ—。地味だけど、
山では普通の自炊献立と思っていたが、コーヒーを飲み、カステラをつま
み、何気なく隣を見たら、フルボトルの紅白ワインとワイングラス、生ハ
ムが並び、若夫婦が協力し合ってパスタにレトルトソースをからませてい
た。奥の単独男性は、袋入りの刻みキャベツを用いたお好み焼き。水場が
ない山小屋で、きちんと食事を作る姿に仰天した。

　22日6時50分駒の小屋を出発。当初は富士見林道からキリンテに下
る予定だったが、中門を満喫したので予定を変更。時間余り承知で往路を
戻った。8時水場、9時10分登山口で、10時前に民宿に戻った。それか
ら村営施設『アルザ尾瀬の郷』の温泉に出向き、朝一番の客になった。施
設前には山栗の実が落ちており、地元の人は拾おうとしない。帰り際、フ
ロントで「栗拾いは禁止ですか」と尋ねると「持ち帰っていいですよ。朝
掃いたので、今日落ちた栗ばかりです」。イガを踏んで実を取り出し、土
産にした。

28
燧岳
Hiuchigatake
2,356m

🌿 正面に至仏、足元に尾瀬ケ原 🌿

　福島県桧枝岐村の『おぜぐち』で待っていると、2014年9月22日夕方、大塚車が着いた。早朝、浜松出発でもやはり時間がかかる。降り立ったメンバーは大塚、曽根、鈴木、鶴田、田中の顔見知り。計6人で23日に燧岳、24日に磐梯山に登頂し、その後、帰宅の計画だった。

　9月23日。5時15分に民宿を出て尾瀬御池駐車場に入ると、早朝にもかかわらず7〜8割が埋まっていた。秋分の日の休日で晴天。登山以外の、尾瀬散策の観光客も多いのだろう。5時50分御池登山口出発。初めは林の中の木道を進んだ。湿地には背丈が高くなった水芭蕉が、ここが尾瀬であることを告げていた。暗い急坂に入ると、木道が消え、歩きにくい泥道になった。尾瀬にある百名山の至仏山は蛇紋岩、燧ケ岳は火山の溶岩流からなるなど共通点が少ないと聞くが、登山道の印象も異なる。

　広沢田代に出たら、視界が開けてきた。平らな湿原が黄色とオレンジ色の草紅葉で輝き、池塘も見えた。「わあぁ」「ええっ」「おおっ」。最初、言葉にできない音を発していたメンバーはまもなく「すごい」「ベストのベスト」と言うようになった。前々日の中門岳で、感動を分かち合う連れがほしかったことを思い出した。一人登山もいいけれど、仲間と登るのは、感動を分かち合えるから素敵だ。大塚は出会いの時から「百名山を達成した時、一人ぼっちでは嫌だ」と言っていた。翌日の完登を控え、計6人での登山は満願成就というところだろう。

　湿原には水平な木道が設けられおり、先に進むと、再び岩が目立つ急斜面で、登り切ると、またまた木道敷きの湿原・熊沢田代に出た。真っ平

らな湿原横断の"楽"と急坂の"苦"の繰り返しだが、苦があっても、その後の美しい景色に十分癒やされていた。

輝くオレンジ色の草紅葉

熊沢田代では、キンコウカが増え、オレンジ色の草紅葉の色は燃えるように輝いていた。目的の燧の頂きも見えた。そんな絶好のロケーションにベンチが設けられていて、7時35分〜8時、朝食。雲一つない青空で、つば広帽子やサングラスなどで日焼け対策をした。大塚パーティーとは雨でも登っており、雨天率が割に高い。雨に取り付かれているかも、と思っていたので、こんな絶好の登山日和が訪れるとは想定外だった。心の中で喜んでいたら、皆似たような感慨を持っていたようで、誰が雨男か雨女か、などの冗談が飛び交った。

湿原が終わると、岩が覆いかぶさるように迫る急坂を登り、9時俎嵓。眼下に尾瀬沼とそれを囲む木々が見え、強い光が木々とその影を際立たせていた。反対側に目を移したら、燧の最高峰・柴安嵓のこんもりとした山容と、一気に下って登り返すこの先のルートが見えた。多くの人がくつろいでおり、座れる場所がなかったので、先を急いだ。

9時25分〜10時柴安嵓。東北の最高峰ともいわれる山頂からは三百六十度のパノラマが眺められた。遠くには富士山や平ケ岳、越後駒、正面には美しい至仏山（**写真**）、足元下には山並みが周囲を縁取りのように囲んだ尾瀬ケ原が広がっていた。尾瀬ケ原は一望しただけで、大きな水瓶になりやすいことが分かり、前日訪れた歴史民俗資料館にさりげなく展示されていた平野長蔵の偉業を思った。自然保護の概念がない大正11年、たった一人で尾瀬ケ原ダム計画に反対し、尾瀬の自然を守ったのだ。一度水底に沈んでしまったものは二度と取り戻すことはできない。ダムができていたら、目の前の景色は眺められなかった。

11時25〜30分。俎嵓で小休憩。尾瀬沼のビューポイントも、帰りは人が少なかった。熊沢田代、広沢田代、御池田代の湿原歩きと急坂下りを繰り返し、12時50分御池駐車場に戻った。

難所の鎖場に挑戦

　西日本の最高峰・石鎚山は、途中まで石鎚山ロープウェイで登れる観光地の一方、信仰の山であり、修験道の修行の場は難所として有名だ。その難所に一抹の不安を感じ、ツアーに申し込もうか、と迷っていたら、また大塚から助け舟の声をかけてもらい、参加した。愛知県岡崎市在住の元同僚などに頼まれ、2日目に石鎚山、3日目に剣山に登頂する2泊3日山行を企画したという。

　初日の2014年10月18日午前9時。名古屋駅西口で、大塚の友人・石渡喜市郎、成田典雄とともに浜松から来た大塚車に乗った。メンバーは曽根、岩崎美千代も加わって計6人。しまなみ海道、今治を経て愛媛県『石鎚ふれあいの里』に向かった。閉校した小学校跡地利用のアウトドア施設で、ロープウェイ乗り場まで20分の好立地にある。普通は旧校舎に泊まるが、テント持参なら利用料は一人1泊200円、入浴料一人100円とのことで、大塚のテント2張りを元運動場に設営して2連泊の予定だった。夕方、加茂川畔の木造小学校の懐かしい面影の施設に着いた。

　10月19日朝。7時40分始発のロープウェイに乗ろうと、山麓下谷駅へ行くと、土曜日とあって観光客が多く、始発には乗れなかった。大塚は「前回の登山時も人が多く、待ちきれずに歩いて登ったら、成就社まで2時間かかった」と言う。皆は、それまで遅ければ歩きでも仕方ない様子だったが、2時間と聞き、口をつぐんだ。幸い、次発に乗車できた。

　山頂成就駅からは参道をそぞろ歩きし、石鎚神社4社のひとつ・成就社に向かった。神体山というだけに、神社の正面からガラス越しに見える

石鎚山は、天狗岳のオーバーハングの岩場が迫力いっぱいで、見る者を圧倒するようだった。

太い鎖に靴がすっぽり

　8時30分登山口を出発。初めは緩やかな下り道で、約20分で鞍部の八丁坂を通過すると、登りになった。しばらくすると、人が集まり、騒然としていた。『試しの鎖場』で、切り立った崖の真ん中の長い岩場に、修行用の長い鎖が2本垂れ下がっていた。鎖は、異様なほど太く、ところどころに靴先がすっぽり入るような大きな輪が付き、奇妙に思えた。「人が多いし、ここはパスして、う回路を行く。鎖場は先に一、二、三と連続している」。大塚の指示で、巻き道を進んだ。鎖場からの道との合流点で、試しの鎖のルートを振り返ると、小さな岩山越えだった。最初の鎖場で行列していては時間が読めないし、頑張りすぎないように、と事情を知っている大塚の配慮が分かった。

　10時夜明け峠通過。成就ルートの中間点といわれ、裾野が黄色い木々の天狗岳北面の絶壁が見事に展望できた。道は険しくなり『一の鎖場』が現れると、今度は全員でこの岩場に取り付いた。大きな鎖の穴は、ほぼ固定されており、意外にも靴先を入れやすく、ルートは短かった。

　岩場に取り付いた時、建築資材の荷揚げヘリコプターの音が聞こえるようになり、少し上でホバリングをしながら荷を降ろしていた。「ブルンブルン」という大きな羽根音は、下方に去って小さくなっても、すぐにまた上に来て絶え間がなかったが、『二の鎖場』下のヘリの荷降ろし場近くでは、トイレを建設していた。土小屋からのルートとの合流ポイントで、登山者が増えてきた。

　10時25分。私たちは、2本の鎖が垂れ下がる『二の鎖場』に取り付いた。一の鎖に比べると、格段に長く、自由に進めることから各自がルートを確認しながら登った。幅広い岩壁には、微妙なオーバーハングがあり、ルートを見定め、鎖に足を掛け、左右2本の鎖を縫うように登ったが、鎖がなければ、難儀をしていた。

　なのに『三の鎖場』になると、懲りずにまた挑戦したくなった。岩壁

はさらに切り立ち、これまでは総じて岩についていた鎖は、真下に垂れ下がって宙ぶらりんの箇所も多かった。良い点は、直登なのでルートを考えなくてもいいことで、真上に行けば良かった。実際に登ると、鎖は二の鎖よりも長く、下から確認できない隠れた難所があったうえ、これまでよりも穴が小さく、靴先に体重を載せてバランスをとらなければならず、難易度は高かった。緊張しながら登り切ると、稜線に出た。山頂はそのすぐ先だった。

　11 時 30 分石鎚山弥山（**写真**）に登頂。そのまま難所としても名高い最高峰・天狗岳に向かうことになった。弥山山頂から少し下りて登り直したが、一本の細い道に天狗岳に向かう人と帰る人が往来し、行列ができていた。12 時天狗岳山頂。近くの弥山から遠くの山まで見渡すことができた。岩稜をわずかに戻ると絶景ポイントがあり、恐る恐る真下をのぞくと、遥か下の森まで何もなく、ひやりとした。

黄葉の山頂で御岳を思う

　弥山に戻り、石鎚頂上社の近くで昼食を食べた。空気の澄んだ気持ちのいい秋晴れの昼どき、青い空の下の天狗岳の垂直な岩壁とすそ野の黄葉。ふと 3 週間前に発生した御岳の噴火を思った。このような秋の山頂に集う人に、何の前触れもなく、噴火が襲いかかったのだ。これから山好きの人が山頂で心からくつろげる日は、果たして戻ってくるのだろうか。

　12 時 30 分下山開始。14 時 30 分成就社、15 時ロープウェイ山麓下谷駅に到着。案じていた修験の山、無事に登れて何よりだった。

93
剣山
Tsurugisan

1,955m

次郎笈から見たい太郎笈

　四国第2の高峰・剣山には石鎚の翌日、2014年10月19日に登った。ふれあいの里から徳島県・剣山登山口まで、いよ西条IC—美馬IC、貞光を経て約3時間かかる。5時半に起床、各テントを撤収し6時出発。途中のSAで大急ぎで朝食をとり、9時に剣山登山口に着いた。日曜日でも早朝は観光の車が少なく、車窓からうだつのある街並みなどの眺めを楽しんだ。しかし、登山口に近い駐車場は満車で入れず、誘導された遠い駐車場で出発の準備をしていたら、そこもすぐ満杯になり、僅差の幸運を喜んだ。

　9時10分剣山登山リフト乗車。一人乗りながら、乗り場には見の越駅、西島駅と駅名が付き、料金も片道1,030円とロープウェイ並み。この日も晴天で、リフト軌道下の登山道がよく見えた。

　9時35分西島駅に到着。大剣道コースを歩き始めた。大剣神社を過ぎると、一部急坂とはいえ、登山道は幅広く登りやすくなった。山頂の肩が近づくと、大きな頂上ヒュッテの建物が見え、前には宿泊者らしい大勢の人がいた。ヒュッテ裏には基礎工事を終えた立派な建物があった。頑丈そうなので、避難小屋かと思ったらトイレとのこと。自然保護のために必要と歓迎しつつ、山中では不自然に立派で、複雑な思いがした。さらに進むと、平らな山頂一帯を周遊する木道が現れた。

　10時20〜40分剣山。木道は、三角点をも保護するように囲んでおり、踏んだり、触ったりはできなかった。数えきれないほどの人の往来があり、木道やむなし、ではあったが—。黄色くなり始めたミヤマクマザサが覆う山の斜面はなだらかで、美しく見ごたえがあった。お隣の次郎笈も、緩斜

面をキラキラした笹が覆い、山頂に至る登山道が見えた。次郎笈は、『太郎笈』との別名を持つ剣山の弟峰である。

　下山は、登山口と山頂を最短で結ぶ尾根道コースを下った。山頂も人があふれんばかりだったが、登山道にも剣山信仰の信者グループを含め、登山者がひっきりなしに続いていた。中腹の西島駅通過後、リフトから眺めた木の中の道を下り、トンネルをくぐった。

　11時40分登山口に戻った。近くには、剣山中に湧く祖谷川源流の名水『御神水』の水場があり、水をいただいた。剣神社にも立ち寄ると、宮尾登美子の小説『天涯の花』の一節「さわやかな月光の花は凛として気高い」に、花の写真が添えられた青い透明ガラスの文学碑があった。花は8月頃、剣山で咲くキレンゲショウマで、見たことがない。ショウマという名前から数多くの小花が紡すい状になって咲く姿を連想したが、黄色の大きな花のようで、一度見たら忘れられないほど個性的な花らしい。

こんもりと美しい笹山

　昼食を、と神社下の食堂に行くと、壁にこんもりとした美しい笹山のポスターが貼られていた。大きさ、なだらかさは、まさに剣山なのだが、山頂には木道が周回していない。食堂の人にどこの山かと尋ねたら、剣山との答えだった。そうか、こんなに美しい山に登ったのだ、と思いつつ「木道ができる前の撮影ですか？」と尋ねると「次郎笈から見ると、こういう景色が見えるのですよ」とのこと。8月のキレンゲショウマとか、次郎笈からの展望とか、帰る段になって、心残りができた感じだった。

　瀬戸大橋を通り、予定通り19時に名古屋に着いた。2014年の百名山山行は17座目の剣山で終了だった。定年退職後の2012年は16座、13年は16座だから、14年が年間最多になった。残りは13座。登山シーズンが限られる手強い山、雪深い山が多いから、来年の今ごろは、踏破が終わっているか、1座か2座で王手という位置にいるだろう。しかし、自然相手の登山だけにどちらも運次第、という気もした。

宮之浦岳
Miyanouradake

1,936m

🌿 風速 30 ｍの宮之浦越え 🌿

　2015 年春時点の未踏百名山は手強い山ばかり。最南端の屋久島・宮之浦岳は、厳冬期を除くと降雪がないものの、淀川登山口から往復で約 12 時間のうえ、雨降りが 1 年に 300 日とか、 1 カ月 35 日などと例えられるように半端でない雨量である。誘われても不安で踏み出せずにいたが、もう待ったなし。お尻に火が付いてツアーを探すと、登山用品メーカー『モンベル』主催の現地集合解散・宮之浦岳縦走ツアー 3 泊 4 日があり、申し込んだ。5 月 8 日。セントレアから福岡空港経由で屋久島空港へ飛び、参加者と顔合わせをした。滋賀県の男女 3 人組を除き、11 人は単独参加で、女性は 12 人。リーダーはガイド・島津康一郎、サブリーダー・佐竹。千尋の滝など観光後、屋久島サウスビレッジに入った。

　5 月 9 日 4 時。マイクロバスで淀川登山口駐車場に入り、車中で朝食。明るくなると、雨粒が落ちてきて、全員がカッパとスパッツを身に付けた。1 週間前の予報は「9 日晴れ、10 日雨」だったが「9 日一時雨、10 日曇り」と前倒しになっていた。

　6 時 20 分。14 人は島津と佐伯に挟まれて淀川登山口を出発した。約 40 分で淀川小屋に着き、「宿泊する新高塚避難小屋まで雨宿りができないから」と長めの休憩をとった。小屋を出ると本降りで、いつしか靴の中に雨が染み込み、指が泳ぐ状態。気温は高めで、寒くないのは有難かった。8 時 52 分〜 9 時 5 分日本最南端の高層湿原・花之江河。木道が張り巡らされ、尾瀬に似ているが、芽吹き前なので一面褐色で、池塘は沼地のようだった。それから急登の岩場になり、真ん中がえぐれた登山道は、雨水が

川のように流れ、まるで沢登りだった。両側の高所の窪みからは、雨がまとまって落ち、何本もの滝が出現、普通では見られない光景に目を見張った。

これが屋久島の雨？

　登山道のにわかに誕生した"川"は、水量を増し、狭い箇所では勢いのある鉄砲水になった。「これが有名な屋久島の雨ですか？」と島津に尋ねると「まだ、それほどひどい雨ではありません」。元漁師の佐伯は「ここは花崗岩の急峻な山なので、雨は地面にしみ込まず、一気に海に流れ込む。花崗岩だから長方体の正長石の結晶を含み、水が澄んでおり、周辺の海は豊かなのです」。確かに足元は泥まみれではなく、ずぶ濡れでもきれいだった。

　登山を断念した数組の下山者とすれ違った。最初の人は「投石岩屋まで行き、諦めました」と無念そう。私たちは「雷が鳴ったら即Uターン」といわれていたが、雷雨にならずに幸いだった。

　雨に強い風が加わり、14人の足並みに乱れが生じた。島津は、バテ気味の二人に自分の直後に付くように、と指示。岩場で前の人が登り終えるのを待つ時間が長くなり、前後が開くと「停止時には足踏みしたり、手を握ったり、植村直己みたいに体を動かして」とアドバイスした。息苦しいほどの風に吹き飛ばされないよう歩幅を小さくし、ヤクシマダケの笹原を上り下りし、王冠形の岩や遭難碑などを素通りした。「ヤクシマシャクナゲ！」という声で横の木々を見たら、濃淡のあるピンクの花。見ごろは少し先の5月下旬だが、雨でつぼむこともなく、皆に元気を与えていた。

　12時5〜11分宮之浦岳。佐竹が後に「風速30ｍの瞬間も」と振り返った激風で、島津は「写真を撮ったらすぐに下山します。今からが今日最大の難所」と声をかけた。下山は前にいた二人を島津らがそれぞれ抱え、私たちはそれに続いた。目が開けられないような風の中、誰もひるまず、足の下に見える前の人の背中を慎重かつ、素早く追った。稜線から離れると風は弱まったが、登山道は真っ直ぐ、ほぼ真下に向かっており、ここでも雨を集めた流れが激流に化していた。あてずっぽうで大丈夫そうな場所に

足を置き、焼野三叉路まで駆け下りた。

　第一展望台を越えた頃、小降りになり、15時30分新高塚避難小屋に到着した。宮之浦越えは我々だけだが、白谷雲水渓からは英国、豪州などの外国人数組を含め、約30人が来ていた。小屋の軒先で靴をひっくり返し、靴下を絞ると、大量の水が流れ出た。入室後、遠くで「財布の紙幣までぐしゃぐしゃ」と悲鳴が上がっていた。雨は夕方にはやみ、夕食は広場で頂いた。担ぎ上げた分担袋の手触りから想像したカレーだったが、コーンスープと野菜サラダが付いた。近くの杉穴にすむヤクジカは人間を恐れることなく、自己紹介などの団らんを眺めていた。

　5月10日。5時に小屋を出た。雨は上がり、私たち以外は出発済みだった。1時間余で風格がある縄文杉に出会えた。早朝の占有状態とはいえ、ぐるりと囲いがあって触れずじまいで、もっと前に来たかったとしみじみ。下山中、ウイルソン株、大王杉、夫婦杉やヒメシャラの大木などを興味深く見たが、原生林オンパレードに途中からは食傷気味だった。

　かつて屋久杉を運び出したトロッコ跡『大株歩道』に着くと、登山者が増えていた。島津はそのガイドらに「大変でしたね」と声をかけられ、その様子から島のトップガイドの一人だと察した。楠川分れから辻峠までは大きな長い登り返しだった。『縄文杉観光』とよく聞くけど、随分なロングコースで、帰りの登り返しはきついだろう、と察した。辻峠には太鼓岩に登る若者がいた。「離れた場所から見られない」と言われる宮之浦岳が眺められるビューポイントとのこと。まともに宮之浦を見ておらず、次があるなら全容を眺めてみたい、と思い、暴風雨に遭っても懲りていない自分に気付いた。15時白谷雲水渓登山口に着き、登山は無事終了した。

　11日。空港でのお別れの13時まで再び島内観光だった。この時のマイクロバス運転手は「島津は一時、日本百名山完登最短記録を持っていた」と話し、私は恵那山ですれ違っていたことを思い出した。と同時に、宮之浦登頂は島津のおかげだ、と思い至った。いつ、どこで引き返しても、参加者の誰もが「仕方ない」と諦めざるをえない暴風雨だった。それでも登りたい皆の気持ちが、百名山記録の挑戦者だから分かり、進んでもらえたのだ。島津ガイドで良かった、いいツアーに参加できた、と思った。

富士山
Fujisan

3,776m

🌿 離団登頂した山梨県側山頂 🌿

　子どもが小学生の夏、母子3人で富士山登山に挑み、2年連続で敗退した。初回は、富士宮登山口からレーダードームが手に取れそうなほど近くに見えたのに、予報通りの台風到来により7合目小屋で引き返した。2回目は夜中から強風になり、8合目小屋から一歩も進めず断念。ともに休暇を替えられない私の都合を最優先した無謀な計画だった。2回の経験により、富士登山計画は、早々と宿や新幹線を手配せず、好天を確認できる1週間前でいいことが分かったが、それは実行できなかった。

　2015年。年内に百名山完登の可能性も見え、日本一の富士山に登らなければ、と追われる気分だった。ぎっしりの山行予定の中、登山が可能なのは7月9日までがベストで、8月末も数日あったが、飛び石で、台風の可能性があった。開山日は、山梨県側7月1日、静岡県側10日で、お鉢巡りができるのは10日から。10日の前に行くと、火口を一周できず、最高峰・剣ケ峰には立てず、山梨県側富士山頂（3,715ｍ）とは61ｍの差で、抵抗感はあった。しかし、昨今は御岳山頂にも立てないのだし、と割り切ることにし、『富士山に毎日出発』とPRするサンシャインツアーの7月1日出発に申し込んだ。

3回目は出発後にUターン

　7月1日。ツアーバスが出発して約1時間後、添乗員が運転手がひそひそ話を始め、それから「スバルラインが強風で閉鎖との情報が入ったので」と浜松SAからUターンすることを告げた。参加者にはリベンジ券

という割引券が配られ、私はすぐに4日出発のツアーに申し込んだ。

　7月4日。参加者は父娘とその友人男性、年配男性、男女カップルと私の計7人。予定は、8合目の白雲荘まで登って宿泊、5日明け方に富士山に登頂し、4時23分のご来光を仰いで下山―だった。14時にバスが富士吉田に着くと、雨が降り始め、指定場所で着替えをし、雨具を重ねた。迎え出た現地ガイドは「今年は開山以来ずっと強風と雨でした。夏山の仕事は今日が初めて」と話した。

　各自が富士山保全協力金を払い、14時58分登山口出発。シェルターのスピーカーからは日本語、英語、中国語の登山時注意点が流れ、実際の登山者も国際的だった。裾野の地面は、雨に濡れて濃い赤茶色になり、そこを淡緑色の植物が覆ってカラフルだった。

　6合目から坂道になり、歩きにくくなった。ガイドはペースを落とし、15分に1回10分の休みを取り「高山病予防のために水を飲んで深呼吸を」と呼びかけた。時々、下山者とすれ違ったが、ガイドによれば、本8合目からの下山道は別にあり、PRが進んでいないとのこと。「明日は、本8合目まで一緒に下りますが、下山道に入ったら各自で下りてもらいます。岩場がない一本道で、迷うことはありません」と言った。

　19時35分、白雲荘に到着。入り口で小屋の人にザックとカッパをふいてもらい、差し出されたビニール袋に入れ、もう一つの袋に登山靴を入れた。それから寝る場所として、娘さん、カップルの二人、私の計4人は、2段に仕切られた上段に案内された。一人に布団一組だった。すぐ夕食で、好物のカレーなのに、なぜか食が進まなかった。頭痛も吐き気もないけれど、高山病の予兆だろうか。

8合目から見下ろした花火大会

　20時ころ。トイレ帰りに父娘の友人とすれ違い「河口湖の花火大会で花火が上がっています」と教えてもらった。外に出て、足の前方下を見たら、真っ黒な湖らしき場所に等間隔で光が点滅した。小さな球形の光が大きくなり、消える直前に次の球形が大きく―の繰り返し。雨がぱらついていたが、麓は晴れなのだろう。初めての高所から見下ろす花火は不思議で、

現実味がなく、はかない夢のようだった。

　7月5日。出発予定時間の1時30分は、雨が本降りだった。添乗員は「登山中止と決めました。下山開始は5時30分にします。それまで休んでいて下さい」と告げた。しかし、小屋前は風がなく、静かな雨の中を登山者の列が続いていた。

もしかして一生登頂できない

　部屋に戻り、布団にもぐったけれど、気が滅入り、眠れなかった。出発したバスが途中で、Uターンした直前を含め、今回で4度目の富士山アタック。私は一体何度、挑戦するのだろう。次回でもその次でも、確実に登れるならいいけれど、3度も中腹まで登りながら、登頂できない私は、もしかして一生登れないのかもしれない―。

　そのうちに、単独で来ればよかった、と後悔し始めた。一人でなら風を伴わないこの程度の雨、登っていたはずだ。ならばツアーを離団して単独で登ればいい、とひらめいた。帰名方法は分からないが、子供と来た時は、新幹線富士川駅から静岡県富士宮口までバスで往復したから、観光協会に富士川駅に行く方法を聞けばいい。時間がかかりそうなら、山麓の宿を紹介してもらおう―。

　5時。集合場所で添乗員を待ち、離団の旨を伝え、離団書に署名した。親しくなった父娘たちと別れを惜しんでいると、ガイドが来てなぜか「申し訳なかった」と述べた。「こちらこそ。団体行動は安全第一ですよね」。恐縮しながら、いろいろな客がいて大変だろうことを察した。

　5時37分白雲荘出発。無風のまま、小降りになった。昨晩、高山病を心配したが、体調もいい。6時18分本8合目通過。その先には、8合5勺があり、8合区間が長いことが分かった。

　8時15～45分山梨県側富士山頂。雨にもかかわらず大にぎわいで『富士山頂上浅間大社奥宮』と書かれた石柱前で記念写真を撮る人の列に並んだ。前の人のシャッターを押してあげ、こちらも押してもらい、久須志神社で手を合わせ、富士山に登頂できたことを感謝した。山頂を一周する道を左に進むと、小高い丘の前にロープが張られ『立ち入り禁止』だった。

開山期間でなければ、禁止ロープをくぐって一周するのだろうが、人が多い中ではさすがに先に進めなかった。奥にはかつての噴火口が切れ落ちる様子が眺められた。

　下山は、本8合目御来光館から下山道に入った。トラクターが道をならしていたこともあり、歩きやすかった。回りの景色はほとんど変わらないこともあり、わき目もふらず、ひたすら下り、11時15分吉田口登山口に戻った。ツアーバス出発は11時なので、皆と顔を合わせずに済んだ。

　登山口横の観光協会で、帰名方法を尋ねると、資料はなく、パソコンで調べてもらえた。ここまで来て帰り方を聞く人は、やっぱりいないのだ。ベストの方法は、バスで河口湖まで行き、そこでバスを乗り換え、新幹線三島駅に出ることだと教えられた。

　ちょうど11時50分発のバスがあり、それに間に合い、12時半に河口湖に到着。約50分待ち、再び三島駅まで1時間40分バスに揺られた。駅では50分待って『こだま』に乗り、17時9分名古屋駅に着いた。待ち時間が長かったが、帰着時刻は、下山後に温泉に立ち寄るツアーの予定とほぼ同じだった。

仕切り直して剣ケ峰に？

　下山から5日後。快晴の塩見岳山頂から、登ったばかりの富士山を気持ちよく眺めた。しかし、平らな山頂の右端に明らかに突起に気付き、体が固まった。剣ケ峰だ、遠くからでも分かるほど高い、あそこが日本一の富士山の山頂、お鉢巡りをしなければならなかったのだ—。曇りだったら気付かなかったのだけど、分かってしまって悩んだ。仕切り直そうか、と弱気になる一方、これは初めから納得していたこと、百名山は、ロープウェーや車を使う登り方や深田時代にはなかった短縮路などアプローチを含め、

すべて自分の考え方の問題であり、こだわっているのは当の本人だけだ、とこれまで考えてきたことを反すうした。迷いながら、物理的に年内の再登山日を設定できないこともあり、富士山は山梨県側で登頂と考えることにした。それで4カ月後、百名山踏破の夢をかなえ、しばらく余韻に浸っていた。

しかし、翌2016年春、登山を考える季節が近づくと、塩見から見た富士山剣ケ峰の姿が脳裏に浮かんでは消えるようになった。気持ちは打ちのめされ、落ち込み続けた。こと富士山については、自分が納得していなかったのだ。結局、自分が納得できれば、と5度目の富士山挑戦を考え、6月末に、3度目のサンシャインツアーに参加申し込みをした。

5回のトライで日本一の山頂

7月11日雨。山梨県側山頂では風が強かった。しかし、この日のガイドは「風はこれ以上強くならない」と判断し、お鉢巡り希望者を募り、約1時間で富士山頂を一周した。剣ケ峰の頂きに立った時（**写真、前ページ**）、ご来光を仰ぐことができた。百名山踏破後、もう一度富士山に登り直しなんて未練がましくて格好悪かった。け

れど、最初に日本一の富士山登山と肝に銘じなかった判断ミスをした以上、こうして登り直さなければ心の問題は解決しなかった。ガイドは天気はさらに良くなったと見て、私たちに下山をせかし、鞍部に着くと「足元の遥か下を見てください」と言った。見れば、真っ黒で美しい三角形が広がっていた。『影富士』（**写真**）とのことで、念願の剣ケ峰登頂の喜びに拍車がかかった。5回もトライした結果、思いもしなかった最高の景色で祝福してもらえた。

82
塩見岳
Shiomidake

3,052m

🌿 アサギマダラ舞う登山口 🌿

　山が大きい南アの百名山10座のうち、2014年までに未踏だった5座には15年7月の1カ月間に、大塚、曽根、鈴木と私の4人同じ顔ぶれで登った。大塚の計画で、塩見岳からスタートした。

　7月10日8時。JR恵那駅で、浜松6時出発の大塚車の3人と合流した。梅雨の最中に三つも台風が発生したため、この日は3週間ぶりの晴天だったが、越路ゲートにとまっていた車は1台。10時30分に林道を歩き始め、約40分で鳥倉登山口に着いた。

　11時20分登山口出発。初めは背の高いカラマツ林で、涼しげな外観だったが、中は蒸し暑く、木々の濃緑色は暑い気持ちに拍車をかけた。もっとも、そこは渡りをする蝶・アサギマダラが舞い、花々が咲き乱れる生物の楽園でもあった。花が好きな鈴木は「あっイチヤクソウ」とか「マルバダケブキの群生地だ」などと喜んでいた。

　12時15〜25分『10分の3』の標識のある場所で休憩。風が出てきて、少し涼しくなった。『10分の6』で昼食中、通りがかりの塩見小屋の工事関係者から声をかけられた。「今日は晴れで良かったね。この3週間は雨続きで、晴れ間は二日間だけだった」。水場を過ぎ、14時10〜20分『10分の8』。標識の数字がなかなか増えていない気がしたのは、暑さにまいっていたかもしれない。塩川ルート分岐を過ぎ『10分の0』が見えた時は、あと30分だとホッとした。

　15時。三伏峠小屋に到着した。すぐ先の三伏峠は日本最高所の峠で、峠から塩見岳までは、この日以上の登りというから厳しそうだ。翌日は、

小屋から山頂に向かい、往路を鳥倉登山口に下りる予定だった。この日、小屋に泊まったのは、私たちと女性二人組、締めて6人で、各自が大広間の思い思いの場所に陣取りして、ゆっくり休んだ。

7月11日4時25分三伏小屋出発。前日以上に快晴の登山日和で、三伏峠や本谷山からの見晴らしは良く、中ア連山や北ア・穂高稜線、槍の穂先などが一望できた。花の群生地やハイマツの尾根を経て工事中の塩見小屋通過。8時10〜20分小屋裏の高台で休憩。塩見岳山頂が近く、富士山が遠くに見えた。ヘリが資材運搬のために往復を繰り返しており、四国の2山で見た光景が重なった。山小屋などは全国各地で建設ラッシュだ。

険しい岩場が始まる天狗岩に着くと、山頂直下の高所なのに、アサギマダラとは異なるチョウが舞い、雷鳥も姿を見せた。塩見小屋の下を見ると、黒い点が動いていて、それが次第に大きくなり、人だと分かった。今朝、鳥倉登山口を出た登山者だろうか、すごいスピードだ。「一気登りだね」と感心しながら、私たちは休みモードを切り換えた。

9時5〜55分塩見岳の主峰・西峰。登頂から約10分後、猛スピードの若者がきた。やはり今朝出発とのことで「後続もいますよ」。そういえばこの日は土曜日。数人が競うような速さで近づいていた。

再来週の縦走ルートを予習

私たちは、隣の東峰に移り、早い昼食後、明るく、澄んだ空気の中の三百六十度の大パノラマ展望を堪能した。南アはくっきり見え、再来週からの縦走ルートを教えられ、目で追い、予習した。初めて見聞きした兎岳と小兎岳は"ウサギ"の愛らしい名前だけでなく、双耳峰のシルエットも魅力的だったが、2山間は随分距離があるようで、今日のような好天に恵まれますように、と願わずにはいられなかった。5日前に登った富士山も鮮明で、剣ケ峰を見た瞬間、誰にも気づかれなかったけれど、心の中で動揺し、頭の中が真っ白になった。

9時55分下山開始。14時05〜25分三伏峠小屋、15時05〜15分水場、16時30〜45分登山口。駐車場に戻ったのは17時25分だった。

2
羅臼岳
Rausudake

1,661m

残雪の雪渓トラバース

　好日山荘名古屋駅前店に勤めていた蟹井れい子は先鋭的なクライマーだが、2014年、『ステージ』のオープニングパーティーで再会したら「最近は近郊の低山にも登っている」とのこと。それから一緒に低山に登るようになった。2015年1月、武奈ケ岳山行時に「夏に北海道の羅臼に登る予定だけど、一緒に行かない？」と誘うと「他の道東の山にも回れれば」との返事。雄阿寒岳や斜里岳清水コースにも行きたかったので、話はトントン拍子に進み、4泊5日の道東3山登山計画ができた。

　7月13日。新千歳空港で乗り替えて女満別空港に飛び、そこでレンタカーを借り、連泊予定の知床岩尾別YHに入った。

　14日4時。YHを出た瞬間、激しい雨音が響いた。少し前なら出発していた、少し後だったら雨が止んでいた、と悔やまれる"最悪のタイミング"で、地面をたたきつける様子から1日順延を決めた。まもなく小降りになり、二人が裸足で、カムイワッカ滝の湯の川を遡行していたら晴れ上がり、知床五湖や知床峠、羅臼町などの観光中は真っ青な空。「明日も是非」と願いながら、雪形が残る知床連山や羅臼岳を見上げていた。

　15日4時10分。登山口の駐車場にはすでに8台がとまっていた。4時30分、身支度を整え、木下小屋前登山口を出発。背の高い森を進み、オホーツク展望台で朝食。6時15〜20分弥三吉水。暗い林に黄色のウコンウツギが華やいで咲いていた。

　仙人坂から足元が悪いジグザグ道になり、登山道をふさぐように残雪まで現れた。そのまま進むと、解けた雪を踏み抜きそうで、前の人が高巻

いた道なき道を、木の枝や根をつかんで力ずくで登った。

　7時25〜40分銀冷水。数組のグループも休んでいたところに男女4人組が下りてきて、リーダーらしき男性は誰彼構わず「すぐ先の雪渓がガチガチに凍っていたので諦めた。滑ったらストックでは止まれないからピッケルとアイゼン必携」と下山しろ、と言わんばかり。隣の年配の夫婦は下山します、と腰を上げた。怖い思いにかられた私は自分の目で納得したいし、気温が上がれば雪氷は解ける、と考えた。一方、れい子は全く意に介しておらず、休憩後、二人とも何も聞かなかったように前進した。

　大沢の出合では、アイゼン装着している人がいた。眼前には、急傾斜の雪渓。面倒なことに向こう側がこちら手前よりもかなり高い位置にあるため、ただ上に向かうのではなく、斜め上へ渡り登らなければならない。これを見て、先の4人組は断念したのだ。幸いにも表面は解けかけ、柔らかくなっていた。れい子はアイゼンを付け、ど真ん中まで行き、垂直真上方向に登っていった。背中からワクワク感が伝わるようだった。私は壺足で進むことにし、前をアイゼンなしで歩く二人組の踏み跡を追った。振り返ると、私の後にも数人が付き、団体行進のようだった。雪渓は、上に行くほど急になったが、約20分で登り終えた。

　8時45〜55分羅臼平。とても広い平坦地だった。濃い霧なら何も見えず、方向が分からなくなりそうな不気味さで、連れがいる安心さに感謝した。「スマホを落としたのですが、見ませんでしたか」と探す青年をはじめ、登山者は多かった。木下小屋の創設者・木下弥三吉のレリーフ前の二人は、それぞれ羅臼岳を撮影に来たアマチュアカメラマンで、ひたすらあたりを覆う薄い霧が切れる瞬間を待っていた。山頂下で「誰も下りてこないし、思い直しました」と銀冷水で下山選択をした夫婦に再会した。

　9時50分〜10時15分羅臼岳。岩だらけの狭い山頂も人でいっぱい。晴れていれば、オホーツク海や知床連山、国後島などが間近に見えるそうだが、何も見えなかった。ここにも8時から待機中のカメラマンがいた。私たちも一段下の岩棚でしばらく待ったが、霧は薄くならず、諦めた。13時45分木下小屋に戻り、車に乗ると、雨が降り始めた。連泊した『ホテル阿寒湖荘』に急いだ。

83
悪沢岳
Warusawadake
3,141m

🌿 目を閉じれば蘇るパノラマ 🌿

　重量感のある南ア最深部の悪沢岳、赤石岳、聖岳、光岳。4座の踏破を2015年の第1目標に掲げてから間もなく、大塚から4座縦走計画を聞いた。自分では悪沢と赤石、聖と光、の2回に分け、山小屋利用で登る算段で、大縦走とは想像もしなかったが、一度高所に登ってしまえば、アップダウンの繰り返しになるので、効率は良いかもしれない。山小屋利用が多くなるが、もとより寝具、食事とも小屋任せと覚悟していた。「最終日は、小屋待機でいるかもしれないけど」と弱々しく参加表明し、それからの近場を含めた全山行は、大縦走のための訓練、とイメージして過ごした。

　2015年7月23日午後。24～29日の縦走のために浜松に出向き、12日前の塩見岳下山後に別れた大塚、曽根、鈴木と、前年に百名山踏破を成し遂げた鶴田と合流、5人パーティーになった。車は畑薙ダムまでしか入れないが、東海フォレストの山小屋利用者ならダムから無料バスで登山口のある椹島まで入れる。24日は千枚小屋泊の私たちは、この日は静岡市営『白樺荘』で前泊、24日に畑薙ダムに向かい、そこで無料バスに乗り換える予定だった。

　数年前に改装した『白樺荘』は、温泉も定評があった。しばらく入浴できないなあ、と漬かっていたら、昔読んだ本の題名が脳裏に浮かんだ。『大いなる山の日々』。60年余の人生で初めての山小屋5連泊は、今後もありえない。そんな一生に一度の山の日々を終え、再びここに立ち寄った時、どんな状態でいるのだろうか―。楽しみよりも不安が勝っていた。

　24日6時。始発バスは8時だが、大塚の「夏山シーズンで増発ありかも」

との長年のカンから“ダメ元”と早めに出た。ダム駐車場に着いて間もなく、臨時便の知らせがあり、6時40分発車。「定時のバスに」と言われた直後のグループに同情しつつ、僅差の滑り込みセーフにホッ。

　7時40分椹島に到着。8時、幸先よく計画より1時間20分早く出発できた。滝見橋手前を曲がった時、大井川源流の音を聞いた。快晴で、空気はクール。五感が入山を喜んでいたが、それからは忍の一字で、急な登山道を43Lザックを背に、下だけを見て登った。休憩は、着るもの調整の8時40分以降、9時40分、10時45分、11時40分と1時間に5分が徹底されていた。ザックを下ろさず、いつでも水を飲めるハイドレーションシステムを初めて用いたが、休憩時間を給水以外に使えて重宝した。12時15〜40分清水平で昼食。蕨談を過ぎたら、谷の向こう側の尾根中腹に千枚小屋が見えた。結構近そうだったが、反対側の尾根にはその先をずっと進んでからUターンだった。

　15時50分千枚小屋。標高1,123mの椹島からひたすら登りばかりで7時間50分。予定の約1時間遅れとはいえ、元気に到着できて何よりだった。小屋からは、大井川源流を隔てて笊ヶ岳、遠くに富士山。夜中に外に出たら降ってきそうな大きな星が見えた。

　7月25日4時20分朝食。5時千枚小屋出発。塩見ではまだ明るかったのに、夜が長くなりつつあり、ヘッドランプをつけた。小屋裏の斜面には、大輪の黄色いオオバヤマブキが咲き乱れ、幻想的だった。ハイマツの稜線を経て、この日最初のピーク・千枚岳には5時50分着。いつしか夜は明け、秀麗という形容詞がぴったりの富士山が見えた。6時50分〜7時、2番目のピーク・丸山岳に登頂。

　7時30〜45分、この日3番目のピーク、かつ今山行の最初の百名山・悪沢岳、別名東岳の頂きに立った。真っ青な空の下。ごつごつした岩が重なる山頂からこれまで登ってきた山々が一座ずつ確認できた。かすかに噴煙を上げた御岳、空木、木曽駒、乗鞍、穂高、槍、蓼科山、八ツ、甲斐駒、仙丈、鳳凰三山、富士山、天城山、恵那山一。見事な三百六十度のパノラマは、目を閉じれば今も脳裏に蘇る。

84
赤石岳
Akaishidake

3,121m

🌿 山容はまさに恐竜の背中 🌿

　悪沢から下って登り直し、2015年7月25日8時50分〜9時10分中岳避難小屋で、この日のもう一つの目的・赤石岳を眺めた。山頂以外を濃い森林が覆うボリュームのある山容はパワーを秘めているようで、長い背中をやや曲げて起き上がる恐竜を想像した。ルートは、大聖寺平まで大きく下り、再び登り返して小赤石岳、またまた下ってから登り直して赤石に登頂―と聞いた。時間は9時で、長い行程は冷静を装っていたが、これが昼すぎだったら悲鳴を上げていたに違いない。

　荒川小屋が谷底に見えた時、とてつもなく大きい花畑を下っていることに気付いた。急傾斜の大斜面に見たことがないほどたくさんのシナノキンバイとハクサンイチゲが満開だった。11時05〜10分大聖寺平。12時25分小赤石岳。"小"といっても"本家"ほど大きくないだけで、結構手強かった。その後、小兎、小聖などに登りながら、小仙丈も含め、南アに"小"の付く山が多いが、小は似つかわしくないと思った。

　13時20〜30分赤石岳。山頂から翌日歩く予定の兎や聖を教えられ、何と豊かな山旅か、と満足したが、この日泊まる百間平が「遠くのピークの向こう側」と聞いてガックリ。馬ノ背からは惰性で歩き、覚えているのは、長く切れ落ちた険しい裏赤沢を見て「ここの雪の壁で、グレートトラバースの田中陽希が"生きていて良かった"とつぶやいたんだ」と大塚が発した一言だけだ。15時50分百間洞山の家に到着。歩行時間10時間50分に、曽根が若者風に「ハンパなかった」とつぶやいた。私はアリナミンをのみ、湿布を張るなど可能な疲れ対策を講じた。

85
聖岳
Hijiridake

3,013m

🌿 イメージ違う台形の山 🌿

　2015年7月26日。6時に百間洞山の家を出て約20分で尾根に出た。この日は8時間40分、南ア主稜線を聖小屋まで歩く予定だった。6時50分～7時50分。日本で55番目の高山・大沢岳との分岐。大塚は「何度も通っているけど未踏なんだ」と寄り道したそうで、何と光子、鶴田もうなずいた。晴天で、前日に比べて余裕があり「いいよ、待っている」と言うと、3人は空身になって駆けて行った。残り組は、曽根が岩影で昼寝。私は谷が見渡せる場所に陣取って地図を広げ眼前の山をチェックしたり、寝そべったり、お菓子を食べるなど思いがけない至福の時を過ごした。

　中盛丸山を経て小兎岳に向かう途中、白山が展望でき「まさか」と感動した。10時05～15分兎岳。山頂の向こうに横長台形のボリュームのある立派な山があった。聖岳とのことで、名古屋方面から見ると、瀟洒な三角錐なのに、随分形が違うことに驚いた。11時08～20分聖岳取り付きで昼食。おにぎりは、2個のうち1個が大好きな天むすで、窮屈だった山小屋の印象は好転した。光岳を正面に見て12時05～10分聖岳直下。『直下』なら休まず登れば、と標識を見て思ったが、山頂まで先が長かった。南アは本当に手強い、と連日反すうしながら、もう3日が過ぎていた。

　13時05～25分聖岳。ずっと人に会わなかったが、聖小屋ピストンの人がたくさんいた。田中陽希デザインTシャツを着た男性に写真を撮ってもらい、礼を述べ「同じTシャツ、塩見でも見たワ」というと「僕も2週間前に登りました」。雑談で私たちの直後に登頂した猛スピードの若者と分かった。山好きでなければ呆れられそうなお互いの山ざんまいぶり。

「またどこかで」と言って別れた。

聖岳から小聖岳まではガレ場の連続だった。それから森林限界、樹林帯に変わり、15時10分薊畑。登山道は広く、最後は木道になった。聖岳には以前、昭和高校同窓会会長・天野俶明や四方すすむと挑戦しかけたが、前泊した聖光小屋で、大丈夫だろうと思っていた台風の名古屋直撃を知り、翌朝、帰名した思い出があった。衛星放送さえなければ登っていたのだろうけど―。歩きながら思い出していた。

15時35分聖平小屋。入り口に「ご自由にどうぞ」とふるまいのみつ豆があり、舌鼓を打った。大部屋の割り振られた一角で荷物整理をしていたら「今日は人数が少なさそうなので、今空いているスペースは自由に使って下さい」とのアナウンス。端にいた私はすぐに反対側の空きスペースにザックを置き、引っ越しし、その晩は熟睡できた。空いていても使わせない小屋があるのにうれしい配慮だった。

7月27日5時頃。食堂の外が明るくなり、生木割山の三角形のシルエットが浮かび上がった。ご来光を仰ぎ、朝食を頂いた。この日は8時出発、正午茶臼小屋着の移動日で、6日間で最も楽な予定だった。

6時聖平小屋を出発した。昼食は、ずっと宿泊した小屋に頼んでいたが、「茶臼小屋で温かい昼食を食べよう」と聖小屋では注文していなかった。それで道中は「お昼、やっぱりラーメンだな」「私はうどんか、そば」「牛丼あるかなあ」。何を注文するかといっただけで盛り上がっていた。

南岳まではほどほどだった傾斜が緩くなった。9時15～20分上河内岳（2,803m）。風と霧が出て、薄いベールに包まれたような視界で前方は見えづらくなったが、不思議なことに、登山道の下方は鮮明で、つま先の下に赤石ダム、さらに畑薙ダムや井川ダムが確認できた。強風に肌寒さを感じた時、茶臼小屋への分岐が現れた。狭い谷を下り、崖の縁に寄り添うように立つ茶臼小屋に、11時15分到着。昼食はラーメンこそなかったが、それぞれの注文ができ、皆大満足だった。残すところあと光岳1座。当初、経験のない長丁場に、迷惑をかけないように、とだけ念じていたが、明日は元気に登り、帰ってこよう。この数日間でとっても前向きになっていた。

86
光岳
Tekaridake
2,592m

🌱 小屋からピストン 13 時間 🍃

　2015 年 7 月 28 日。4 時茶臼小屋出発。茶臼岳山頂に着くと、雨が降り始めた。大縦走の締めくくりでの冷たい雨。初日とか 2 日目ではないので痛手は少ない、本降りでも大丈夫、と言い聞かせたが、間もなく上がった。5 時 40 分～ 6 時 15 分喜望峰。仁田岳分岐でもあり、大塚はまた「往復する？」。光岳を控えて案じたが、明日は下山。今日中に茶臼小屋に戻ればいい。「行ってきて。ここで待っている」と話すと、女性二人も薮の中の道に吸い込まれていった。曽根と私はおしゃべりタイム。約 30 分後、3 人は「良かったヨ」と戻ってきた。

　縦走路は、高低差が少なめで、シダの多い丘の長い道をひたすら前進した。7 時 45 分～ 8 時易老岳。雨がやむと、虫にまとわりつかれた。三吉平を経て 10 時 05 ～ 20 分静高平。水場にはおいしそうな清水があふれていたが、傍らには満開のトリカブトがあり、顔を洗うだけにした。

　10 時 50 分光岳山頂。せっかくだから、と深田久弥が「夕日が当たって海から見て光る岩」と記した光岩を見に行くことになった。池口岳との分岐通過時に、鶴田は「南アを庭のように思っている先輩と池口岳にも登った」と懐かしそうに話した。11 時 15 分光岩。緑に覆われた山中では石灰岩の灰白色が目立つ、高さ約 20 ｍの岩塊。かなりひびが入っており、何かの拍子に割れてしまいそうな点が気にかかった。

　山頂直下の光小屋に立ち寄り、12 時下山開始。14 時易老岳通過。途中、夕立に遭い、再びカッパを着て 17 時 05 分茶臼小屋。日没は先だったが、日に日に早まっていた中で、晩までもヘッドランプ使用にならず、ヤレヤ

レだった。行動時間は、今山行最長の 13 時間 05 分。仁田岳分岐で 30 分休んではいたが、よく歩いた。

夕食の献立は前日と異なったうえ、メインは、山中なのにマグロの刺し身。心づくしの料理を頂き、予定通りに無事に登れたことを祝った。曽根は「万歩計で 4 万 3 千歩」と言い、鈴木は「光は自分の名前（光子）の山。念願の山に登れてうれしさひとしお」と喜んだ。すでに百名山を踏破していた大塚、鶴田を除いて、既登百名山は、鈴木が 92 座、曽根と私が各 91 座だったが、鈴木は赤石に即登だったので、3 人とも偶然、この日 95 座で並んだ。

いいことはもっとあった。その晩、鶴田は、敬愛する "南アが庭" の先輩と偶然、数十年ぶりに再会。大塚は「明日は、井川観光協会の畑薙第一ダム行きバスが運行され、小屋利用者は無料で乗れる。畑薙大吊橋発は 10 時 40 分」と朗報を仕入れてきた。大吊橋から林道歩き 1 時間 30 分が省けるわけだ。

29 日 5 時 40 分茶臼小屋出発。樺段、横窪沢小屋、中ノ段へと下ると、川沿いの道になり、何本もの吊り橋が現れた。金属製の踏板は頑丈そうだが、すき間からは、随分下に急流が見えた。初めは怖ごわだったが、慣れると、主に前方を見て、早く渡れるようになった。休憩時間は初日同様 1 時間に 5 分間。「もう少し休みたい」と言いかけたが、バスに乗れずに 1 時間半も歩くのも避けたく、最後の踏ん張りどころだった。

ウソッコ沢避難小屋から登り返し、ヤレヤレ峠に出ると、大井川の悠々とした流れが見下せた。川までどう下るのか分からないまま、畑薙大吊橋の見える方向に走り続けた。10 時 30 分大井川右岸から 181 ｍの吊り橋を渡り、35 分左岸のバス停に到着。鶴田、鈴木は到着済みで、危機一髪で大塚と曽根もやってきた。定刻のバスに乗り、10 時 55 分畑薙第 1 ダム到着。『白樺荘』で昼食後、温泉に入りながら、この縦走の日々を振り返った。やり残し感がないからか、意外にも淡々として、こみ上げるような感慨はなかった。しかし、いつか山から離れる日を迎えたら―。この縦走の一コマずつを、大いなる山の日々としてきっと懐かしむに違いない。

34
火打山
Hiuchiyama
2,462m

🌿 まるで絵葉書・逆さ火打 🌿

　南ア大縦走後、息つく暇もなく2015年8月3日、またまた大塚、曽根、鈴木らと火打山、翌日は妙高山に登頂した。大塚が、2山は百名山カウントダウンに入った3人の共通未踏峰、と気付き、気遣ってくれたのだ。結局、このメンバーで1カ月に7座登頂になったが、妙高以降3人は、それぞれの詰めに入った。私は10月4日八甲田山で、鈴木は9月に肩の小屋前まで行きながら風雨に遭い、10月9日に再挑戦の北岳で、曽根も同日、水晶岳で、年内の踏破を果たした。

　火打・妙高山行メンバーは4人のほか、飯豊で一緒だった田中ら3人も加わり計7人だった。8月3日に妙高山麓で前泊し、4日は笹ケ峰から火打に登って高谷池ヒュッテ泊。5日は黒沢池まで行って妙高を往復し、富士見平を経て笹ケ峰に戻る計画で、実家に戻っていた私は、民宿『美雪荘』で合流した。

　3日昼、長野市内でナビを入れると、推奨は高速ではなく市北東の国道だった。上越自動車道を使うのがベストと思い、疑心暗鬼だったが、時間に余裕があり、ナビの指示通りに行ったら、わずか1時間30分で目的地に到着した。百名山に"手が届きそう感"があるのは、オートマ車とカーナビの普及、よく整備された道路の恩恵も大だとあらためて思った。

　8月4日。前日の夕方、激しい夕立があったが、雨は残っておらず、天気は上々。7時に笹ケ峰駐車場に着き、7時15分屋根付き登山口ゲート出発。木道の快適な高原散策を経て、8時12〜22分黒沢出合。その後、200mの標高差を12回曲がって一気に登る十二曲がりに入った。おどろ

　おどろしい名前だが、一つ曲がるごとに『12分の2』などと標識があって気が紛れ、9時頃、最後の角を曲がった。稜線に出ると、背後に妙高山の急斜面、遠くには北アらしい山並みが見えた。妙高との分岐点・富士見平あたりからは時々、雪渓が出現した。

　11時05〜40分高谷池ヒュッテ。小屋の前のベンチで昼食を広げた。標高2,110ｍの高層湿原には、若草色の植物帯が広がり、黒味がかった針葉樹と小屋の鋭い三角屋根、背後の青い池塘がアクセントとなっていた。美しい景色に、皮肉交じりではなく、素直に絵葉書のようだと感嘆したのだが、快晴のこの日、何度も絵葉書風の景色に遭遇した。

はかなげに揺れるワタスゲの穂

　宿泊手続き後、再び現れた木道を進んだ。天狗ノ庭には池塘が点在し、水の中に白い綿毛になったワタスゲが群生し、風に吹かれて揺れていた。短い夏の終わりを告げるはかなげな風情。遠くで年配の男性グループの「きれいだなあ」「何か知ってる？」などの会話が流れてきた。植物に興味なさそうな人も心を揺さぶられるのか―。感心していたら田中が「ワタスゲですよ、きれいですね」と声をかけ、一同大喜びだった。夕食時、彼らと挨拶を交わすと、大阪の会社の元同僚7人で、連泊して「明日は妙高」と言っていた。

　木道を進み、大きな池の縁に下りた。火打のビューポイントで、真っ青な空の中に立つなだらかな山容を仰いだ。池の湖面には緑色の火打がひっくり返って映る"逆さ火打"があり、ここも絵葉書だと思った。奥には焼山が連なり、池の周りには、夏を惜しむようにミヤマキンポウゲやハクサンコザクラが咲き乱れていた。こういう絶景に遭遇するから、登山はやめることができないのだ。それからは単調な登り。日差しが強く、汗が噴き出した。アサギマダラを見て、雷鳥広場、雷鳥平を越えた。

　13時30〜40分火打山。往路で景色を十分堪能したので、帰路は休むこともなく、15時30分高谷池ヒュッテに戻った。定員予約制なので、ベストシーズンなのに混雑しておらず、清潔で暖かい布団を一人一組使うことができ、居心地良かった。

🌿 前人の靴底裏しか見えず 🌿

　夏空が広がる 2015 年 8 月 5 日 6 時 15 分。高谷池ヒュッテを出ると、ついに妙高山だ、と感無量になった。

　"みょうこうさん" は、物ごころついた頃から聞いていた山名で、最も親しみを感じる百名山だ。新潟県の旧高田市と旧新井市の父と母の実家に行くたびに、国鉄の車窓から眺めていた。山麓でワラビ採りをしたり、父にスキーを教わったり、夏休みには祖母たちと温泉に長逗留するなど家族の楽しいひとときの場でもあった。十余年前、父が亡くなり、引きこもりがちだった母が、友人に誘われ、タクシーで温泉に出かけ、1 週間逗留して元気を取り戻した、と聞いて驚いたが、行き先が妙高山麓の赤倉温泉と知り納得した。弟は覚えていないと言うが、私には雪降りの日、国鉄田口駅から旅館まで「シャン、シャン」と鈴の音がする馬車に乗った夢のような記憶もある。だから稲垣考二から「この本の表紙絵を描いてあげる」と言われた時、即答で「題材は妙高で」と頼んでいた。

　最初の登り・茶臼山を越えると、高層湿原とドーム型の黒沢池ヒュッテが一望できた。7 時 05 〜 15 分黒沢池。小屋前広場には、妙高ピストンの人がデポした荷物があちこちにあり、私たちも身軽になった。妙高の外輪山・大倉乗越では、山頂が見えるようだが、天気は雲がかかり始め、見えなかったが、道を下ると、長助池など大小の不ぞろいの池塘が見えた。涼しげな濃い緑色の湖面で、近くにはベンチまであり楽園のよう。8 時 20 〜 30 分長助池分岐。上部の雪渓から涼しい風が吹いてきた。

　最後の登りは大変だった。前の人を見上げて目に入るのは、背中では

なく靴底裏で、土踏まずの黄色いラベルも見て取れた。ロープが設置されていたが、火山の名残の大岩がゴロゴロしていて歩きにくく、木の根をつかんで登り切り、少しトラバースしてから、再び登った。

9時55分〜10時30分三角点のある妙高山北峰。ザックをデポして双耳峰の南峰・妙高大神を往復した。水平道だが、岩がかぶさってくるなど変化に富み、白いトウヤクリンドウなどが咲き誇っていた。北峰に戻ってから昼食を広げ、かろうじて見え隠れする赤倉山を眺めた。

登りで苦労した道は下りも大変で、慎重に下りた。登山者は多く、私たち下山者は木につかまって身を確保し、道を譲った。大阪のグループのリーダー格らしい二人が登ってきた。若いころは登山に熱中していたのだろう、元気をもらった気がし「お元気で何よりですね」と言うと「平均年齢75.5歳。後から登ってくる連中に発破をかけて下さいよ」と大きな声で言われた。果たして10年後、こんな急坂を登れるだろうか、でも登れるようでありたい。

11時25〜40分長助池分岐。水は持参の2Lがほぼなくなり、念のための真水のペットボトル1本になっていた。12時35〜50分黒沢池。デポした荷物を詰め直し、水を購入した。下山にかかり、黒沢池周辺を歩いていると、雨がパラパラッ―。空は青く、にわか雨だろうと思ったが、あっという間に暗くなり、本降りになった。雨具を着込み、森林帯に入ると、雷の音。「草原だと心配だけどね」と言ったら、ゴロゴロとの音の後、背後で「ドド〜ン」と大きな雷鳴が鳴り響き、雷がごく近くに落ちた。一同声も出ず、顔を見合わせたが、次の雷鳴はやや遠のいていた。離れてくれた、と肩の力が抜けた。雨足は激しさを増し、少し前は飲み水を心配したのに、肌寒さを感じた。

天気が崩れても、登山者は多かった。富士見平から十二曲がりに入ると、土砂降りで、道は急流の川に変わっていた。登山口に近づくと、小降りになり、15時35分ゲートをくぐった時、雨は上がり、それから雨など降ったことがないような青空で、キツネに騙されたような信じられない気分だった。麓の温泉に入り、それぞれ帰途についた。

52
黒岳
Kurodake

2,986m

🌿 重なるミス後の長〜い一日 🌿

　98座目となった水晶岳とも呼ばれる黒岳。『チームステージ』で登る計画の2015年9月6日に、大型台風予報が出た。空木でも台風に遭ったと思い出しながら二人に電話したら「登山口で判断しよう」という。予報は外れることがある、長野県北部に台風直撃はない、などとの理由だったが、後に、私の年内百名山完登達成を思ってのことと知った。有難い気持ちに感謝しきれないほどだが、一方で、情で出発判断を甘くさせてしまった申し訳なさが脳裏から離れない。妙に小さなミスが重なった山行でもあった。タフなメンバーなので何事もないかのように下山したが、丁寧に振り返りたい。

　9月6日夜、七倉山荘前に着いた。登山口まで車で15分だが、道路は東京電力管理地で、地元のタクシーが6時30分〜18時30分しか入れない。歩けば1時間半なので、タクシー利用と決めて車中で仮眠した。

　7日朝。ラジオは「台風が東海地方を直撃」と伝えたが、長野には触れずじまい。黙って朝食を食べていたら、のり子が「今日を逃すと、年内達成は難しいんだよね、登ろ」という。二人はずっと気遣ってくれていたのだ。「無理したくない」と言ったが、結局、可能なところまで登ることになった。

　7時10分高瀬ダム上の登山口を出発した。霧の濃い曇天。ダム湖の吊り橋に続き、濁沢の木の橋を何気なしに渡った。水勢が強く、地面が深くえぐられていた。なぜこの光景を頭に叩き込んでおかなかったか。この山行の最初で、最大のミスを、今でもほろ苦さとともに思い出す。

　平均斜度27度という日本三大急登のひとつ、ブナ立尾根には梯子があ

り、道標が整備されていた。霧は雨に変わり、その頃から私たちのペースが落ちた。12時40〜55分、ツマトリソウやウメバチソウなどの花畑前で昼食。計画では、この日は野口五郎小屋泊で、翌日、水晶登頂後に烏帽子小屋泊だったが、両小屋とも同じ稜線上にあり、やみそうもない雨に「明日は五郎小屋泊とし、今日は烏帽子小屋に」と計画変更を決めた。

　花畑からすぐ北ア・裏銀座コースの稜線に躍り出た。13時10分烏帽子小屋。受け付け時に「翌日の予約を今日にしたい」と告げると了解し、定時交信で五郎小屋に変更を伝えると言ってもらえた。部屋に入ると、窓から赤茶色の赤牛岳の長い稜線が見えた。雨が上がっていたのだ。この時、素直に「申し訳ないけど五郎小屋に」と言えば良かったのだろうが、誰も言葉にしなかった。長丁場の山行で、初日の13時小屋入りは、もったいなかった。

通信手段は衛星通信だけ

　その晩、稜線一帯は電波が届かないため、唯一の通信手段が衛星通信と知った。ラジオや携帯は使えず、テレビは衛星通信頼りで、視聴時間に制限があり、夕食時の台風情報では、北アの天気は分からなかった。

　8日4時50分。強風の中、烏帽子小屋を出発。コマクサ群生地があり、晴天ならば気持ちのいい稜線だろうと想像した。7時すぎ、雨が降り始め、カッパを着用。9時野口五郎小屋。宿泊手続き後に水晶に向かおうとしたら、直子は停滞しているという。9時30分のり子と二人で出発。野口五郎岳を経て真砂岳ピークを巻き、東沢乗越、水晶小屋を通過。岩稜帯に入ったら雨は霧雨に変わり、時々それが切れ、雲の平が見えた。

　13時10〜15分水晶岳。雨はやんだが、風は強く、黒部源流の音が上がってきた。のり子はポリ袋入りの2枚の大きな紙を取り出し「持ってこれ」。見れば『牧野さん水晶岳登頂おめでとう』『9月8日98座目』と大書されていた。前夜、直子から託されたという。二人の今回の目的は水晶岳ではなく、私の同行だった。そう知って胸がいっぱいになった。

　下山時は、強風で雲が飛び、前年歩いた黒五や北ノ俣から薬師などの稜線、黒部源流などの広大な景色がよく眺められた。14時15〜50分水

晶小屋。小屋番は女性で、お薦めというもち入り力汁を頂くと、体が温まった。食堂には唯一の宿泊者で、双六小屋に行く若い女性がいた。

霧の中で鳴り続けた鐘

水晶小屋を出ると、再び濃い霧で、風の勢いは衰えていなかった。五郎小屋までの2時間30分はのり子と一緒なので不安はなかったが、道中での日没を覚悟した。小屋番は玄関の鐘をたたき「御無事で」と告げた。姿はすぐ霧に隠れたけれど、鐘は長い間、鳴り続けていた。ささやかな出来事だが、今も心に残る。東沢乗越では霧が消え、赤牛岳、水晶岳、水晶小屋―と往路で見えなかった景色が見えた。野口五郎岳は、無造作にケルンが積まれた広い山頂だったが、遠くから見たら、スケールが大きく格好良かった。17時すぎ、ついに暗くなった。岩に書かれた『小屋まで300 m』の文字を見て喜んだが、それから数字が減り方の遅いこと。もどかしさから山の100 mは長いと感じた。17時45分五郎小屋に戻った。

9日朝。ひどい雨と風で、台風は前日ではなく、この日到来と知った。計6人の宿泊者のうち、単独女性は「数日間小屋にお世話になる」、夫婦は「早く竹村新道を下る」という。私たちは、濁り沢橋に注意していたら迷わず竹村新道だったが、知らなかったので往路で通ったブナ立尾根の方が安心、と烏帽子小屋経由で下りることにした。

5時40分五郎小屋出発。風も雨も手強かった。8時15分。烏帽子小屋で一服したら下山に待ったがかかった。「濁沢の橋が流されているかもしれない。迂回路はなく、渡渉では渡れないので、確認できるまで待った方がいい。流れていてもすぐに架かるが、パトロールから何の連絡もない」。初日に注意していたら、と唇をかんだが、そのまま下山していたら、濡れた衣類でビバークか、三大急登の登り返しか、と思うと、命拾いした感もあった。エスケープルートは、烏帽子岳―船窪岳―七倉山荘とのことだが、船窪の先は難所であり、この日は烏帽子小屋泊を決めた。下山予定日だったが、携帯が使えず、衛星電話をお借りして自宅に連絡した。宿泊者は私たちだけだった。吹き荒れる風の音を聞き、持て余した時間は、小屋の所蔵本を読んでいた。地元の情報冊子から、船窪ルートではほぼ毎年、重大

事故が発生していること、駐車場の車は放置期間が長いと捜索が検討される、など一帯の遭難絡みの知識を得た。

　10日。天気は回復したが、5時出発の準備中、小屋の人から再び「待った」。濁沢の橋の状況確認は、定点カメラ映像が入らず、現地に出向いた人もおらず、時間がかかりそうという。私たちはこの日のうちには帰るつもりでいたので、待ってブナ立か、船窪岳越えか、竹村新道か、の選択を迫られた。いつもならこのメンバーだと船窪ルートと思いながら、ミスの重なりに言葉をのみ、確実な竹村新道とした。

　4時50分。烏帽子小屋を出発し、3日連続の裏銀座コースを進んだ。8時20〜40分五郎小屋。烏帽子小屋からの衛星電話が入っていて、小屋の人たちにねぎらわれ、同時に、濁沢橋が確認できたことを告げられた。私たちは途中、早く架橋されるだろうと話していたが、迷わず竹村新道を下るつもりだった。11時〜同20分南真砂岳。最高の青空が広がり、大きなV字谷のガレ場や鷲羽岳、ポツンと立つ水晶小屋が眺められた。登山者が現れ、後続者も数組あった。湯俣岳への登り返し時、直子が足を痛めてしまった。コースタイムでは、湯俣山荘に下りると、高瀬ダムまで約3時間、ダムから駐車場まで1時間余りの歩きだが、ダムからはタクシーが使え、その方が楽そうに思えたが、直子は「予約しなくてもいい。ダムから歩けるので大丈夫」と話したことから、急がず、自分たちのペースで歩くことにした。

誘蛾灯の光に「着いたっ！」

　高瀬湖沿いの道は、平坦で歩きやすかった。ただ、日が落ちると、新月だったのか真っ暗で、左の湖際を通るにはヘッドランプの薄明かりだけでは心もとなく、近寄らないよう気遣った。高瀬ダムからは舗装道路でさらに歩きやすくなった。暗闇の中、遠くに一筋の光が見えた時は「着いたっ！」と舞い上がった。近づくと、煌々と光っていたのは誘蛾灯で、虫が不気味に集まっていた。通行止めの柵を越え、七倉山荘前に出た。無事に下山できた安堵感と無理をさせてしまった申し訳なさがこみ上げてきた。4時50分から歩き続けた長〜い1日だった。

魚沼駒ケ岳
Uonumakomagatake
2,003m

🌿 染め分けた美しい紅葉を堪能 🌿

　枝折峠から往復約9時間という奥深い越後駒ケ岳（魚沼駒ケ岳）。近く
に数回出向いたが、土地勘もなく、現地で別れて単独行には踏み切れなかっ
た。ツアーは、平ケ岳、あるいは巻機山と組み合わせた2山登頂ばかりだっ
た。なので、いろいろな山仲間に「エチコマ行くなら声をかけて」と頼ん
でいたところ、横井に「2015年のシルバーウィークに」と最初に名乗り
上げてもらい、一緒に登った。

　9月20日。前泊の六日町温泉に東海道、上越各新幹線と在来線を乗り
継いで出向いた。横井、仙崎、藤田、松岡、亀田、中田ら金沢からの6
人は苗場山に登ってからやってきた。

　9月21日3時すぎ。「枝折峠の駐車場の狭さもさることながら、大型
連休の入山者で道路が心配」という横井のカンで宿を早めに出た。峠への
道路は狭くてカーブが多く、途中で車酔いしそうだった。峠に近づくと、
徐々に左路肩に縦列駐車が始まっており、これ以上進んでもスペースはな
いかも、という場所で停車した。ヘッドランプで身支度を整えていると、
そばを多くの登山者が歩いて行った。

　5時30分枝折峠出発。99番目の山は、寒くも暑くもない恵まれた登
山日和だった。明るくなってしばらくの登山道脇に、多くのカメラマンが
左側の谷にレンズを向けていた。狙う先を見れば、後ろの山の上から霧が
滝のように流れ落ちていた。奥只見湖で発生した雲海が早朝、山を下る『滝
雲』という珍しい現象で、ここは有名なビューポイントなのだとか。山の
趣味もしんどい時があるけれど、大きな機材をかつぎ、入山する写真愛好

家にも頭が下がる。

　明神峠、道行山などのアップダウンを経て、7時55分小倉山に着いた。秋では花がないと諦めていたが、大ぶりで、桃色の美しい花が咲いていた。オニシオガマとのことで、ヨツバシオガマに似ているようでもあった。百草ノ池を過ぎると、真正面にエチコマの山頂や谷筋、中岳、これから行く道筋などがくっきりと見えた。左横には平ヶ岳。登頂時には平らだと思った山頂は、北から眺めるとややギザギザで、富士山のように裾野が広い大きい独立峰だった。深田久弥の『日本百名山』のおかげで、名古屋からは遠く、なじみのなかったユニークな山に巡り合え、身近になっていた。

　急な岩場を経て、駒の小屋に着くと、広場まで人があふれ、そのまま真上に見える山頂に直行することになった。ルートは、小屋前を直登し、稜線に出たら右折、と目で確認できるほど明瞭だったが、距離が短いだけに、大変な急登だった。

お隣は八海山の岩峰群

　10時45〜55分越後駒ヶ岳。すぐ"お隣"は個性的で鋭い八海山の岩峰群で、遠方の越後平野も一望できた。山頂からの稜線は、八海山側が真っ赤な木の紅葉、東斜面がダイダイ色と黄色の草紅葉で、丁寧に染め分けた、珍しい紅葉光景を堪能できた。登ってきたルートを目で追うと、駒の小屋前から下は、幾重にも重なった山並みだった。枝折峠ははるか向こう、と聞き、よく歩いて来た、と自分を褒めたい気持ちになった。もっとも、登頂者はどんどん増え、長居は禁物と早めに下山した。

　駒の小屋には幸い、人がいなくなっていた。広場の円座スペースに腰をかけ、昼食と雑談を楽しみ、11時50分小屋を出発した。メンバーは、登りは普通のペースだったが、下山にかかると、打って変わって猛スピードになり、離れないようにするため、走るように前の人の背中を追った。

　14時35分枝折峠。先頭の横井と中田は、すでに車を駐車場に移していた。帰路、銀山平の温泉で汗を流し、JR小出駅で金沢に戻る一行と別れ、長野の実家に行った。

157

11
八甲田山
Hakkoudasan

1,585m

やっぱり山は侮れない

　私の最後の百名山は八甲田山だった。大塚から「楽に登れる山がいい」と指摘され、その時点で唯一残っていたロープウェーで登れる山だ。クマ出没被害が相次いだ2012年秋、単独行で登ろうとしたら悪天候のうえ、酸ケ湯登山口の『熊に注意』の看板を見て引き返し、しばらく悔やんでいた。しかし、百名山目として考え、百山会会員に声をかけたら、2泊3日の計画に高柳、平野、小形、ヨーコの4人に参加してもらえることになった。登ってなくて良かったのだ、と思った。

　2015年10月3日。当初は好天の予報だったのに青森空港に着くと、強風でロープウェー運休と分かった。予報は「4日強風、5日午後から晴れ」。3日に登山、5日の夕方便で帰名の予定で、4日と5日は予備日だったが、登山日を4日に変え、3日は十和田市で開かれた『B1グランプリ』イベントに参加して過ごした。

　10月4日9時30分。八甲田ロープウェーは強風で運休しそうだったが、風が弱くなって徐行運行したところで乗れた。山頂公園駅に着くと、紅葉見物を待ちきれずにやってきた多くの人が駅舎の中で寒さをしのいでいた。係員はこの日の見通しについて「天候は分からないが、風がさらにひどくなれば運休」と説明、来たばかりなのに折り返しロープウェーに乗る人もいた。提出した計画書では、山頂公園駅から八甲田連峰最高峰・大岳の往復とした。しかし、山頂公園駅からは下山道がなく、大岳から戻った時に運休だと、少し戻って下山しなければならない。5人とも往復チケットを購入済みだったが、下山はここに戻らず、酸ケ湯に下りるのがベスト

のようだった。そこで予定変更を相談したところ、高柳と平野は駅近くを周回し、ロープウェーで下り、酸ケ湯で合流したいという。強すぎる風の中「一緒に山頂に」と無理は言えず、小形とヨーコの計3人で向かうことにした。

　10時25分。駅の外に出ると、体感温度は0度以下と思えた。散策路の途中で二人と別れ、木道の登山道を進み続けた。雲のような濃い霧が不意に切れる瞬間があり、空が真っ青に見え、毛無岱の高層湿原が足元下にパッと広がっては消えた。不意打ちは次第にひんぱんになり、黄色くなり始めた広大な湿原が見え隠れし、そのたびに3人で「二人も来ればよかったのに」と繰り返した。汗が出始め、真冬用の上着を脱いだ。行く方向を見ると、山名由来の甲形の大岳は雲の中とはいえ、赤倉岳と真っ直ぐな直登登山路が見え、吉兆に思えた。

　観光ルートから分かれると、道幅は急に狭くなり、勾配も急になった。このころから風は再び強くなり、空の灰色の濃さが増した。かつての噴火口外輪の赤倉岳の肩を経て、11時45分赤倉岳通過。稜線歩きになり、頬に当たる風は痛いほどで、井戸岳が現れたとき、大粒の雨も降り始めた。カッパを取り出し、少し前にしまった防寒着も着込んだ。

うずくまる軽装の金髪青年

　登山者にずっと会わない中、うずくまって震える仲間を見守る金髪の青年数人が視界に入った。半袖Tシャツに薄いパーカーを羽織り、ジーンズ、小さなザックの軽装。若いから体力があるだろうし、と通り過ぎると、また同じグループらしい軽装の若者が立ち止まっていた。私の世代は、新田次郎の小説『八甲田山死の彷徨』を読み、映画も見て、旧陸軍青森連隊事件や八甲田山の恐ろしさを知っている。けど、日本の山に登りに来た外国の若者にはそうした知識があるのだろうか？　念のために何の目的で、どこから来たのか、と尋ねたところ、米軍三沢基地所属の空軍兵で休暇中とのこと。おせっかいおばさんの心配は御無用だった。

　12時20〜50分大岳ヒュッテで昼食。雨は本降りになり、酸ケ湯からきた団体など知らない同士らしい人の間で話が弾んでいた。大岳に登頂し

てきた人は「風が、考えられないくらい強い」といい、これから登ろうとしていた数人は「残念だけど」と下山した。コースタイムは20分。私たちは行けるところまで行って決断することにした。

小屋を出て樹林帯を抜け、ジグザグと曲がった岩混じりの急坂を登ると、風はこの日一番の強さになった。雨はひょうに変わったが、皆どんどん前へ。足裏がとらえた坂がなだらかになり、顔を上げたら、すでに平坦な場所で、山頂の標識が見えた。

13時10〜15分百座目の大岳山頂を踏んだ。私はザックから『日本百名山完登　於八甲田山』の紙の垂れ幕を取り出した。水晶岳山行時にのり子と直子からもらった垂れ幕を参考に、桜井がカレンダーの裏面を利用して書き、持たせてくれたのだ。幸い、単独男性がきたので、垂れ幕を持った写真を撮ってもらった。冷たい本降りの雨の中、ポーズを取ったり、感慨に浸る気持ちの余裕はなかった。

下山は、仙人岱経由で酸ケ湯に向かった。急なガレ場を過ぎ、鏡池、仙人岱を通過した。強風の中を歩いていたら空木や阿蘇、宮之浦、水晶などの出来事が走馬灯のように浮かんでは消えた。今回は、下界の景色を眺めながら、稜線歩きを堪能する楽しい山行のはずだったが、やっぱり山を侮ってはならなかった。硫黄の臭いが鼻をつくようになり、15時15分酸ケ湯到着。5人が合流し、酸ケ湯の温泉に入ってから『十和田プリンスホテル』に移動した。

こみ上げる清々しさ

その晩は、前夜の前祝いに続き、百名山踏破達成祝賀会をしてもらった。はるばる青森まで時間とお金をかけて来て頂き、寒い目にあわせてしまったのに、連日祝ってもらえることに感謝した。何という果報者だろう。それから、とうとう登り終えた、百名山から解放だという清々しさがこみ上げてきた。登山は楽しみだったけれど、いつの間にかすべて山に登ろうとすることが、小さなストレスになっていたのかもしれない。「バンザーイ」の後、皆の一本締めで、次第に達成感が大きくなった。

2

若い日の山々

62
霧ケ峰
Kirigamine
1,925m

🌿 校外学習で初百名山登頂 🌿

　初めての百名山は、霧ケ峰の車山だった。母校・昭和高校には１年の夏休み時、泳げなければ強制的に海の家で、泳げれば希望で山に登るという校外学習の伝統があり、山行きを選んだら、その目的地だった。事前説明会では「本格的な登山であり気を緩めるな」という心構えと装備の説明を受け、歌集が配られた。「遊びに行くのではない。登山に専念するため、テントではなく奥蓼科の『明治温泉』に泊まる。キャンプファイアーや飯ごう炊飯もない」。期待外れだったが、誰も参加を取り消さなかった。

　夏休み直後の登山日は晴天で、大型バスで霧ケ峰山麓に到着後に車山山頂を目指した。山中は、高校生が騒いでいても静かだった。関心がなかったからか、ニッコウキスゲを見た覚えはない。割と早く山頂に着き、登山、登山と脅かされたけど、まだ歩ける、たいしたことない、と思った。多くの山の歌を覚えた記憶があるから、歌いながら歩いていたのだろうか。

　２日目は天狗岳登頂日だった。朝早く、明治温泉を出発し、黒百合平に向かった。地図を見れば距離があるから、バスで途中の渋の湯まで入ったかもしれない。八方台は聞き覚えのある地名で、大きいシダを見たような気がするけど、帰りに通ったのだろうか。何せ半世紀前のこと、この本作りを手伝ってもらった園部俊美も四方も登山学習組だったのに、覚えていないという。

　鮮明なのは、黒百合平の空気の冷たさだ。いつの間にか霧が立ち込め、それがときどき切れ、幻想的な雰囲気にのみ込まれた。エアコンが普及していない時代、涼しい山上は別天地だった。清涼飲料水が黒百合ヒュッテ

にあり、値段が高くて驚いた。「瓶を返さなければならないし、人が担ぎ上げるのだから仕方ないさ」と誰かが言っていた。天狗岳に向かう道は急で岩ばかりだった。一歩登ってはあえいで休み、いつしか遅れたグループの一員だった。しかし、同じような仲間がいることに安心し、先生に励まされ、ギブアップしないで済んだ。

東天狗岳（2,640 m）の山頂は、四方が急な崖に囲まれ、ここにも幻想的な霧が流れていた。苦労した分だけ、登頂の喜びは大きく、これが霧ケ峰だ、これが登山だ、と充実感に浸った。天狗岳は山の分類では北八ツなのに、長い間、霧ケ峰の一部だと思い続けていた。隣にはこんもりした西天狗岳（2,646 m）がすぐ近くに見えた。2山間には鞍部があり、先生から「往復約30分」と聞いた男子数人は駆け下りて行った。下って登り直し、戻りも登り返さなければならないのに—。正気の沙汰とは思えなかったが、昼食の間に男子が戻ってきた。すごい、と素直に感心した。

下山は遅れることはなく、皆と揃って下りられた。山の歌にあるような薪割りや飯炊きをしたわけではないけれど、一緒に登った友人と苦労を分かちあえた気がした。登山道から、はるか下に霧で見え隠れする黒百合ヒュッテを見た時も、登頂時と同じくらいに心が動いた。

その夏、私は本の世界でだが、井上靖の小説『氷壁』などを読み漁り、登山に目覚めた。振り返れば、感受性の豊かな高校1年時に、読書や映画鑑賞などと同じように登山と関わりを持ち始めたのだ。そうした経緯が今の私を形成しているのだろう。母校では今、夏休みの校外学習はないそうだ。登山は、先生方には大変なご苦労だったと思うが、いい経験をさせてもらえた、と年を重ねてから気付いた。

霧ケ峰には20年近く前、ニッコウキスゲの最盛期に訪れた。咲き乱れる花は見応えあったが、あまりの人と車の多さに呆れた。昨夏のほぼ同時期に訪れたら、以前の喧噪はなく、全山を埋め尽していたニッコウキスゲがあまり見当たらなかった。カモシカの食害被害なのだとか。霧ケ峰は、登るたびにイメージが異なっている。そう思う一方、心の霧ケ峰は山頂一帯に文字通り、霧が流れていた天狗岳、とあらためて半世紀前を思い出している。

🌿 夫と登った唯一の百名山 🌿

　山に理解はあっても登らない夫だが、夫婦で一緒に登頂した百名山が一座だけある。長野の里帰り時に、寄り道をした美ケ原で、リンドウが満開の高原を散策して最高峰の山頂・王が頭を踏んだのである。名前の通りの美しい高原に身を置いて松本平を経た遠くの山々を眺めている夫の姿に私は満足した。山の魅力が少しは理解できただろう。美ケ原は山ではなく、高原じゃないか、と長年思っていたが、車で楽に登れてしまう割に、広大な火山大地のスケール感が堪能でき、やっぱり日本百名山だ、と思った。

　もっとも、王が頭には20歳代前半の夏、中学時代の友人・鷹見千鶴子と伊藤（桜井）るり子の3人で訪れていた。私には2番目の日本百名山である。登山の前日、国鉄夜行列車で松本駅まで行った。朱里エイコの『北国行きで』のヒット後で、夜行列車に乗ったことがないという二人は、夜行に興味津々だったが、あまり眠れなかったと話していた。

　バスに乗り継いで美ケ原に入り、高原を歩き、山頂近くの旅館で宿泊。翌日、王が頭などに登ったりして名古屋に帰った。天狗の露地、王が鼻、王が頭、美しの塔、牛伏山―。地名を覚えていながら、どう周回したかの記憶はない。旅館や広大な美ケ原の中、どこにいても中学時代の思い出話から目の前の景色まですべてが楽しく「あはは」「うふふ」と笑い合っていた。

　印象深いのは、なりきりモデルごっこだ。当時は、女性誌『non-no』や『アンアン』が創刊されて間もなくで、おしゃれをして旅行する"アンノン族"という言葉もあった。私たちは雑誌を見て、何を着ていくかで盛り上がっ

た。レース襟のオレンジ色の綿ブラウスにバンダナを巻き、白い綿パンのいでたちは、明らかに雑誌の影響だった。目的地も、京都と同じような観光地感覚で美ケ原を選び、荷物は、リュックサックではなく、それもまた当時流行していた籐製の籠バッグに詰め込んでいた。

　だから、というわけではないが、鷹見が散策中に「non-no のモデルポーズで、写真を撮ってあげる。先輩との旅行した時に撮ったのだけど、面白かった」と提案した時、桜井も私も一度は断ったけれど、割とあっさり説得されてしまった。「最初は照れくさいし、不自然なポーズと思われるけど、出来上がりは絶対に不自然ではないから―。ここは旅行先だし、誰も見てない。遊びの延長だよ」。二人とも面白がりの一面を持っていた。

　鷹見は、にわか写真家になり「うつ伏せになって両肘に顔を乗せ、上を見て」とか「右手を斜め上の空を指さして」などと素人モデルに指示を出した。「恥ずかしがらないで堂々とこっちを見て」「もっと笑って」。パチリパチリとシャッターが押されると、おかしくて笑いころげ、次第に大胆になっていった。

　帰名後、写真をもらうと、緑がきれいな場所ということもあり、それなりの絵になっていた。しかし、40 年以上も前であり、家族にも友人にも見せていない。桜井も内緒にしているという。『インスタ映え』とか『自撮り』などの流行語がある今なら、おおっぴらにできたのだろう。『なりきりモデル』という言葉もある。

　鷹見は結婚後、夫の仕事の関係で米国やドイツなどに移り住んだ。桜井と一緒にシカゴまで出産祝いを届けにも行った。しかし、それから数年後に突然、音信不通になってしまった。桜井は山に登らないけれど、私の趣味には理解を示し「八甲田山で満願成就の見込み」と話したら、カレンダーの裏面を使って『百名山完登』などと書いてくれた。書き上げた紙を渡された時「注文がある」と言われ「何？」と尋ねたら「山頂では、両手を大きく広げたポーズで」というので噴き出してしまった。色あせた小さな写真を見たり、まれに二人で旅行の話をする時に、楽しかった美ケ原散策のひとときが蘇るのである。

55
穂高岳
Hodakadake
3,190m

🍃 徳本峠越えの無茶を経て 🍃

　穂高連峰最高峰・奥穂高岳には小野寺悦子と３度目のトライで登った。ネットなどで情報を得やすい今なら、初挑戦登頂の確率は高いだろう。当時でもガイドブックがあった。二人とも本好き、旅行好きにもかかわらず、装備や注意点には無頓着で準備をもせず、回り道をした。

　１度目は南山短大２年の夏。上高地小梨平のテント村に泊まった時に「ここから奥穂に登れるヨ」と聞いた。『氷壁』の舞台の穂高岳。素人には登れないと二人とも思っていたので、翌日、行けるところまで、と奥穂に向かい始めた。しかし、その途中、本多勝一が『山を考える』で、綿下着だと低体温症の危険性があると警告していたことを思い出し、不十分な装備が心配で横尾でＵターン。帰途「いつか登ろう」と約束した。

　社会人２年目の夏（だと思う）。小野寺と休暇を合わせ、奥穂登頂計画を立てた。今度はガイドブックを読み、寒さ対策に留意。さらに「やっぱり登山黎明期ルートかなあ」「ウェストンは徳本峠越えだよね」。日ごろ運動もしていないのに、夜行列車で前泊、初日は徳本峠越えで上高地泊、２日目涸沢泊、３日目岳沢泊、４日目帰名、と詰め込んだ計画を立てた。

　徳本峠への道は想像以上に長かったが、新島々で同じ電車から降りた明治学院大生以外には、誰にも出会わず、静かさにウェストンの時代を重ねた。荒れた避難小屋のある徳本峠には15時ころ着いた。梓川流域を下にした高台からは、梓川からそそり立つような奥穂を中心に、形良くまとまった険しい峰々が一望できた。一帯には、やがてうっすらと桃色がかった霧がかかり、穂高連峰の圧倒する雄大さとともに、艶やかさにも感動し

た。峠からの下りも時間がかかり、途中で懐中電灯をつけ、19時すぎに上高地に着いた。宿の人にまで心配をかけ、さすがに自分たちの非力を自覚し、翌日からの全計画を断念し、再度仕切り直しとして帰名した。

その翌年。小野寺との3度目の挑戦は、夜行バスで上高地入りして涸沢小屋泊、奥穂高岳登頂後は岳沢ヒュッテ泊で帰名、と登頂だけを考え、手堅く短期決戦とした。登山の初日、休憩しようとした場所に偶然にも下山中の、同じ会社のヨーコと山田美代子が休んでいた。顔見知りとはいえ、会話は初めてだった。涸沢小屋に着くと「定員超過なので、就寝場所は指示に従うように」と釘を刺された。夕食後、小屋の人が部屋いっぱいに布団を敷き詰め「名前を呼ぶ順に、隣の人と頭と足が交互になるように」と寝る場所を振り分け、全員が横たわると、その上に掛け布団を置いた。布団一組に男女混ぜこぜで2、3人だろうか。小野寺は足しか見えず、寝返りも打ちにくく、消灯後、まんじりとしないでいると、遠くの人がそろそろと出ていった。トイレに行ったのだろうが、戻ってこなかった。部屋の外は寒かろう、と同情した。

2日目。岩場をさほど緊張せずに通過でき、奥穂高岳山頂に立った。3度目の正直で「やっと登れた」と喜びあった。岳沢ヒュッテでは宿泊手続き中「昨年は来られず、ご心配をおかけしました」と詫びると、奥さんが予約金を送ったことを覚えていて「普通は返さないのだけど」と言いながら、料金を割り引いて下さった。登頂のご褒美のようでうれしかった。

穂高から帰ると、小野寺は東京に転居し、一緒に旅行はしにくくなった。一方、ヨーコと美代子とは山の話で意気投合し、一緒に登るようになり、山岳会にも入ることにした。それから穂高連峰には幾度となく通った。初雪が根雪になった北穂、ロープウェイ利用ながら厳冬期の西穂岳独標、一般道でない西穂高—奥穂高を縦走したり、奥穂の山頂でブロッケン現象を見たこともある。もしも、最初にあっさり登頂していたら、こんなにも山に執着することがなかったかもしれない。また、ヨーコとあの日、あの場所で出会わなかったら、全く別の人生を歩んでいたのではないか。いろいろ考えていると、穂高岳登頂は、私の人生を開く鍵だったと思い、時々、目に見えない何か大きなものに感謝したい気持ちになる。

氷点下の初テント泊

　夏の上高地で出会ったヨーコと美代子、私の3人が入った山岳会『名古屋アルパインサロン（NAS）』は、鈴鹿連峰中心の山行を行う会員13人の小さな会だった。1966年、私と同年齢の5人が千種台中学時代に猿投山に登ったことから会が誕生し、一般の会員も募集するようになった。当時も、登山ブームで、各地に『3人寄れば山岳会』などとやゆされるほど多くの山岳会があった。NASは勤労者山岳会などの大きな組織に属さず、会運営は定例会の話し合いで決めており、個人山行も認める自由さにひかれた。勤め先には伝統のある社内山岳会があり、先輩ののり子や田中さと子ら魅力的な会員もいたが、休日が仕事の延長になることを危ぶみ、好日山荘名古屋駅前支店に相談して紹介された。定例会をのぞいたら"創立5人衆"には高校の同級生・四方がおり、さらに翌春、私たちの勤め先に入社予定の伊藤邦夫もいて縁があるのか、と思った。

　NASに入会した一方、3人はのり子とさと子に「また山に登りたい」と相談した。夏はとっくに過ぎており、躊躇されたものの、さと子は中央アルプスに入り浸りという山仲間を思い出し、声をかけてくれた。「山を熟知したベテラン。妥協しないので仲間はおらず、一匹狼のように登っているけど、頼まれれば冬でも案内してもらえるはず」

　秋のある日、3人は宮崎守人に紹介された。一回りほど年上の大手メーカー勤務で「皆、スキーが達者と聞いている。雪の山を知り、歩いているわけだから大丈夫」と初心者の冬山なら木曽駒ケ岳がお薦めと語り始めた。「中アの最高峰で、標高は3,000m近くだけど、アプローチは通年稼働の

駒ケ岳ロープウェイが使える。2,600m余の千畳敷駅まで行って2時間ほど歩き、山頂下にテントを設営し、翌朝は20分ほど登って山頂で、ご来光を仰ぐ。大きなテントやなべ、燃料、食料などを準備するが、これから言う個人の冬山装備を揃えてもらいたい。高価だけど、一度買えば一生使えるから、高い買い物ではないはずだ」。本当に冬山に行けるの？と半信半疑で、私たちは確認すると「行きたいんだろう。なら大丈夫」と言われるばかり。その日のうちに、12月中旬の登山予定日が決まった。

　私たちは給料やボーナスが出ると、好日山荘通いをした。ローバーの登山靴とシモンのピッケルをはじめ、アイゼン、シュラフから小物類—。春から山を始めれば、装備は順に整えられたのだが、いきなりの冬山に出費がかさんだ。仕方ない。体力・経験不足はやむを得なくても、手間、暇、お金をかければ済む装備不足はあってはならなかった。

　迎えた山行日は晴天だった。宮崎車で、菅の台まで入り、駐車場で3人に共同装備品が割り振られた。帆布製テント、テントを覆うフライ、グラウンドシート、金属製ポールとペグ、コンロ、燃料のガソリン、なべ、カット済みの食料など。これまで未経験の重さにおののき、宮崎を見れば、個人装備の大型カメラ一式の大箱を背負子で担いでいた。

交代のラッセルで道づくり

　千畳敷駅を出ると、白く尖った峰々がカールを囲む輝く銀世界だった。新雪の斜面は当然ながら道はなく、初めは宮崎がトップを歩いた。しばらくして私たちが慣れると、「交代でラッセル訓練」を指示された。後ろに宮崎が控えていて方角を見誤る心配はなかったが、アイゼンを装着した靴を雪上に大きく上げてから下ろし、踏み固め、前進、という道づくりは、大変なことだった。登るだけでも急な斜面で体力を消耗するのに、新雪は同じように見えても、スカスカしていたり、しまっていたり、と状態は千差万別で、バランスがとりにくく、何度もつんのめった。息切れしてあえぎ、少し進んでは交代を繰り返した。

　浄土乗越まで、コースタイム約50分のところを3倍近くの時間がかかった。途中で休憩し、ザックを担いでから立ち上がろうとしたら、バランス

を崩し、あおむけに倒れた。深い雪の中、ザックを外すことも、起き上がることもできず、手足をバタバタさせ、ひっくり返った亀状態。みんなの手を借りて起こしてもらい「助かった」と言ったら、大笑いされた。初の冬山登山のユーモラスなひとこまだ。

浄土乗越からは稜線になり、中岳を経て木曽駒ケ岳に立った。入山者は他におらず、薄いガスがかかり、辺りは何も見えなかった。それから少し下りたところにテントを設営した。テント内では最初に大量の雪から水を作った。持参した湯を呼び水に雪を入れるのがコツと聞いたが、大きな雪塊でもさほどの量にはならず、時間がかかった。宮崎は、湯ができると、乾燥米のジフィーズを戻し、奥さんに準備してもらったカット野菜とたれに漬けた肉を炒めた。女性3人は食器を出し、でき上がりを待つだけ。それほど宮崎の手際は良く、後かたづけも手を出せなかった。就寝時、シュラフを出してカバーを被せ、さらに足元を空のザックで覆った。

翌朝。濃い霧でご来光は望めそうもなく、霧氷がこびりついて随分重くなったテントを撤収し、早々下山を始めた。微風だったが、雪は降らず、再びラッセルの練習をし、寄り道で宝剣岳直下まで行った。

木曽駒には、ヨーコと私はその冬、NASのイグルー造り訓練参加などで合計3回登頂した。年3回、それも冬季だけというのは、この年だけだが、以来、NASで細尾沢の遡行（**写真**）をしたり、宮崎の山仲間・寺沢洋志邦が管理する敬神小屋泊で上松道から登るなど季節やルートを変えて繰り返し通っている。行くと、岩稜帯の厳しさや豊富な高山植物などの発見がある。夜の中岳テント場では、澄んだ大気により怖いほど鮮明にきらめく『天の川』の星数に圧倒され、流れ星が勢いよく落ちるのを避けようと、手を頭上にかざしたこともあった。とはいえ、最も忘れ難いのは、タフなワンマンリーダーの主導で、登った者にしか分からない冬山の厳しさと楽しさを知った木曽駒である。

64
八ケ岳
Yatsugatake

2,899m

 ## 無我夢中の厳冬期岩場

　木曽駒以降も宮崎から山の誘いがあり、私たち3人は喜んで出かけていた。当時は女性の自立を説くウーマンリブ運動が盛んで、共鳴もしていたが、こと山の話になると、男性の宮崎に任せっきりで、計画の立案から車を出してもらい、付いていくだけの自分に忸怩たる思いだった。登山回数が少なく仕方ないと諦めていたが、一方では、いつか自分で企画して登りたいと夢見ていた。

　宮崎は写真を撮るからか厳しい冬山が好きで、初心者では思いもしないような計画を立てた。出会った年と翌年の年末年始の上高地は、越冬支度を4人で分担して入山した。旧釜トンネル出口の一部が蒼氷になった雪崩の塊を、梓川に落ちないようにと恐る恐るアイゼンを効かせて通過したのは、恐いもの知らずであり、体力もあった若さゆえにできたことだ。

　木曽駒登頂後の翌年2月には八ケ岳の主峰・赤岳の登頂計画を知らされ、3人は参加表明をした。美濃戸口から入り赤岳鉱泉泊、翌日は赤岳登頂、帰名─というポピュラーなルートの1泊2日。小屋泊まりで、重いテントなし、と聞き、喜んだ。メンバーは宮崎が心当たりにも声をかけらしいが集まらず、こちらからは会社の同僚女性が加わり、5人パーティーになった。

　初日は、宮崎車で美濃戸口まで行った。晴天で、積雪は膝以下でと少なく、スキー場や木曽駒を想像していたので、歩きやすかった。ダブルヤッケにスパッツ、手にピッケルなどの重装備だが、テントがないので、ザックも軽かった。やはり苦労はしてみるもの。「今日は楽だね」「スキー場よ

りも歩きやすい」などと話していたら「そうだ。山は、吐くくらいの練習を重ね、本番は楽だった、きれいな景色も楽しめた、というのが理想」と宮崎。NAS の 5 人衆も「日ごろの山で楽な練習をしておいて、やっぱり本番の山はきついなんて言う輩は、いつか遭難する。練習は本番以上に厳しくなくちゃあ」が口癖。このころ、登山の基本を「練習は厳しく、本番は楽なくらいでいい」と身を持って覚えた。

　夕方、宿泊する赤岳鉱泉小屋に着いた。真冬の山中なのに、宿泊者は多く、大きな部屋にグループごとの場所が決められた。"厳しい練習"の例えではないが、涸沢小屋の窮屈さを知っているので、人が多いことも最悪ではない、逆に寒さを感じずに済むと思えた。実際、5 人のスペースは、頭が同じ向きで、寝返りを打つことができ、さほど苦ではなかった。

　2 日目。朝食を終え、中山乗越を経て、行者小屋に向かった。雪は膝の下まで増えてきたが、歩く場所は踏み固められて、壺足でも歩けた。行者小屋からはアイゼンを付け、地蔵尾根に入った。それまでとは違った岩山で、大変さを覚悟したが、吹き溜まり以外は雪が少なかった。もっとも、アイゼンの刃が岩に当たって歩きにくく、つまずきの心配をした。

　地蔵尾根の頭の赤岳石室からは、赤岳に向かう稜線になった。雪は吹き飛んでいて積雪は多くなかったが、両側が谷で、わずかながら風が出てきた時は緊張した。無我夢中だった。正面に山頂が見え、直下の岩場に着くと、山頂を踏もうという登山者が行列をなしていた。

　赤岳山頂では順番に写真を撮ってもらい、急いで次のグループに番を譲った。下山は文三郎道から行者小屋に向かい、来た道を戻って美濃戸口に戻った。

　後日、宮崎から写真（**P8、中央**）が送られてきた。入山中は夢中で気付かなかったけれど、すごい冬山だったのだ、と驚いた。同時に、自分の力では登れっこない冬山にお任せで登るだけでいいのか、と疑問が強くなった。山が好きというなら、自分で計画立案し、山行中も判断したい、連れて行ってもらうだけの山行をいつか卒業したい、と思った。できることをしなければ、という自立心に気付いた厳冬期の岩山だった。

🌿 努力してもできない滑落停止 🌿

　東海道新幹線の車窓から眺められる親しみやすい独立峰・伊吹山。初めて登ったのは、NAS の冬山訓練として、だった。

　JR に変わった国鉄、今はもうないバスとロープウェーに乗り継ぎ、まず３合目登山口まで行った。そこで身仕度を整え、膝下の雪道を歩き始め、山頂には昼すぎに着いた。乗車や乗り換えの時間、雪道歩行などすべてに時間がかかっていた。さすがに大きな独立峰であり、低くても雪量は多かった。テント設営、アイゼンを履いての歩行訓練は、すでに木曽駒で厳冬期テント泊を経験していたので、抵抗感はなかった。

　しかし翌日。山頂南面で、凍てついた急斜面での転倒に備え、自分の身をピッケルで支えて急停止する滑落停止訓練には心身ともにくたくたになった。それ以前、八方尾根黒菱平スキー場最上部でバランスを崩し、ゲレンデ末端まで派手に滑り落ちた経験があり、頭も体もそれを覚えていた。なのでザイルで体が確保されているのに、雪の急斜面に飛び込もうとすると本能が『危険な行為は嫌だ、滑り落ちたくない』とジタバタして、あっという間に重い頭が下になり、加速度がついて訓練どころではない、本当の滑落状態になり、真下まで滑り落ちた。

　座学で学んだ▽転んだらまずアイゼンを雪面にかけないよう両足を上げる▽タイミングを見計らってあおむけからうつ伏せに体勢を変える▽ピッケルを雪面に深く刺す―という連続行動も、敏捷性が必要で、私には難易度が高かった。「雪山での滑落は、落ちた瞬間の対応が大事、この時にピッケルで止まるようにできなければ、加速度がつき、制御できない」

といわれ、素早い対応を求められる。しかし、寒さで体がこわばっている
し、慌ててしまい制御はほぼ不可能だった。

　最も悲惨だったのは、壁のような急斜面の登り返しだった。滑落時に
自分の身を確保できないので、毎回、ザイルの長さ約30ｍ分滑り落ち、
その度に「ふうふう」と登った。赤いザイルに繋がれたままなので、曲芸
の猿みたいと思いながら、体力の消耗が著しいので、ますます力が出せず、
停止できない悪循環に陥った。うつ伏せができてピッケルを雪面に刺した
時も、角度が悪いからか、力が入っていないからか、減速できても、すぐ
にきっちりと制止ができなかった。

　講師役の同年の５人衆は「滑落！」との声と同時に、見事に停止し、
下から体力を駆使して登り返す必要もなかった。「きちんと止まれていい
ね、お見事！」とほめても「練習で停止できても、本番で生かせるとは限
らない」と厳しい取り組み姿勢でもあった。それを見て雪が好きでも、私
には冬山登山は向いていないと悟った。

　NASは結婚を機に退会したが、在籍中は、さまざまな山行や経験を重
ねた。定光寺や南山、藤内などの近郊の岩場での岩登り練習。鈴鹿山脈
の無名の沢を見つけ、遡行完了後に国土地理院の５万（のちに２万５千）
分の１の地図に赤鉛筆でルートを書き入れ、地図を真っ赤にすると『鈴
鹿レッド作戦』と称する独自の沢登り。未熟なのに順番に割り振られる当
番リーダー。時に自分の力を過信しそうな時もあるものの、真摯に山に向
き合う５人を見ていて、いつの間にか基本が身に付いており、有難かった。

　退会から数年後、会の活動は休止になったが、ある夏、同窓会のよう
な伊吹山登山の話が持ち上がった。家族同伴OKとのことで、二人の子連
れで出向き、懐かしいメンバーと家族ら15、6人と旧交を温めあいなが
ら山頂を目指した。冬山では登りに時間がかかった伊吹だが、再会の日に
は早く登れた。あらためて眺めると、穏やかだと思っていた伊吹山の南面
は断崖風に切れ落ちていた。小学校低学年を中心にした子供は、子供同士
で仲良くなり、転がったり、寄り道で遊んだりしながら全員が山頂を踏ん
だ。冬山向きでないという自覚を余儀なくされた山だったが、子供と一緒
に山頂を踏んだ初百名山になった。

49
立山
Tateyama
3,015m

🌿 山頂から富士山を眺めた 🌿

　志賀高原にある会社の保養施設の山荘にスキーに出かけると、たまに先輩の坂倉修ファミリーと一緒になった。スキー指導員の資格を持つ坂倉は、登山も趣味で「ヨーコと一緒に登山に軸足を移しつつある」と話したことがあった。ある時坂倉から「雪の立山に興味ある？」と尋ねられた。立山にはGWに滑りに出かけたことがある。今は行われていないが、トロリーバスで大観峰まで行き、そこから大斜面を滑り、黒部平駅からロープウェイで大観峰に戻るダイナミックな企画で、何度でも往復できるという触れ込みだった。しかし、ホームゲレンデが志賀高原というスキーヤーに、シュプールのない、どこでも滑れる大自然の斜面は不気味で、自分でルートを取れず、人の後を1回滑っただけだった。そんな思い出話をしたら、スキーではなく登山だという。『ホテル立山』に勤める友人から「冬季閉館していたホテルの再開の準備に入る。観光客のいない珍しい時期なので泊まりにこないか」と声をかけられたので、ヨーコと3人で雄山と立山最高峰・大汝山に登ろうというわけだ。偶然にも、かつてのGW時の宿泊が同じホテルであり、なだらかな山の姿を思い出した。ヨーコに声をかけ、登ることになった。

　登頂予定日の早朝、坂倉の車で名古屋を出発、途中で先方の車に乗り換え ホテル立山に入り、登山の身支度をした。曇り空で風はなく、気温は苦にならない程度の低さだった。一帯を熟知した友人は、同行可能とのことだったが、以前、同じ時期に立山に登っていた坂倉は「天気が悪ければ下山するから」と申し出を断り、3人で出発した。

まずは一ノ越を目指した。辺り一面、表面が解けかけそうな雪の原で、大きな起伏がなく、夏道は分からなかった。どこを進んでもいい大観峰の大斜面みたいだと思いながらも、険しくない雪の原には目印になりそうなものはなく、ルート判断が重要なことが分かった。もしも、視界が悪ければ、ここは大変怖いところかもしれない。しかし、坂倉は記憶が鮮明なのか、足取りには迷いがなく、二人はそれに続いた。

岩陰のところどころに蒼氷

一ノ越と書かれた指標には、割と早くに着いた。登山者は私たちだけで、少し休んで大汝山に向かった。それまでストレスがかからなかった道が、いきなりガレた山道になり、さらに両側が切れ落ちた箇所も含む岩だらけの稜線歩きになった。アイゼンを持ってはいたが、岩と雪氷のミックスなので履かなかった。高所の稜線は風などもあり、気温が上がらないらしく、岩陰のところどころに蒼氷が見えていた。

稜線歩きに入ってから雄山の祠が見え、それから大汝山に着いた。日本最北端の3,000m峰。曇りではあったが、山頂からは真っ白な美しい富士山が眺められた。ヨーコと私はその頃"晴れ女"で、あちこちの山に登っては、富士山を見ており、当初の感動は薄らいで、ちょっと不謹慎な会話をしてしまった。「今日も美しい富士山が眺められた」「日本一の高さだから、どこの山頂からでも見える」「ありがたいことに見飽きるほどだね」。下山も順調で、早い時間にホテル立山に戻った。

その後、年月が流れ、そのころは思っても見ないほど多くの山の頂きに立った。しかし、ある時、山頂から久しく富士山を見ていないことに気付いた。富士山のビューポイントといわれる山頂からも、見えるのは空一面の雲という状況が多かった。計画を立てたら、曇りや雨でも登ってしまうことも理由なのだが、そういえば、立山山頂で富士山はどこに登っても見えるなんて、大それた言葉を発した、と思い出した。バチが当たったのか、と反省していたら再び、富士山を確認できるようになった。以来、見えたら有難い、と謙虚に喜んでいる。

41
草津白根山
Kusatsusiranesan

2,171m

正攻法はロープウェー利用

　志賀高原にある会社の山荘に頻繁に通ったのは、スキー同好会に入っていた独身時代だ。毎年、1月の野沢温泉の後は、3月に山荘で定例会で、その間のシーズンも気の合う仲間と訪れ、そのうちに3月以降の春スキーにも出かけるようになった。草津白根山は山荘から近く、レストハウス駐車場まで車で30分足らずで、スキーに飽きると、仲間と何度か出向いた。火口壁の急坂を20分ほど駆け上り、湯釜展望台から眼下にあるインパクトの強い緑色の火口湖を眺めたり、南の起伏が少ない探勝歩道に入って最高地点に至ったり。ツアースキーと称して着替え一式を入れたキスリングを背に、横手山・渋峠スキー場から白根山の斜面や振子沢を滑り降りて国鉄長野原駅まで行き、東京経由で帰名したこともある。

　南チロルの会の仲間とも往復約2時間で最高地点に出かけた。この時、誰かが「簡単に登れる百名山」とつぶやき、深田久弥の「絶頂を極めて喝采を叫ぶと言った山ではない」との記述を思い出した。

　しかし、百山会の夏の遠征で、初めて白根火山ロープウェーに乗り、車窓から白根山を見たら圧倒された。それまで全く想像していなかった雄大で立派な斜面。夏季運行リフトに乗り継ぎ、探勝歩道を進むと、カルデラ跡に可憐なコマクサの群生地があった。レストハウスからの合流点の先にあるおなじみの最高地点に立ったら、快晴に恵まれ浅間山や妙義山が一望できた。そこで初めて白根山を満喫するなら序章としてロープウェーの景色を眺め、ワクワクして入山するのが正攻法だと気付いた。

56
常念岳
Jyounendake
2,857m

キスリングにヒヤリ

　NASの夏山合宿で、上高地の横尾から一ノ俣谷に入り、一般道でない一ノ俣谷ルートで常念岳―蝶ケ岳を縦走した。国鉄の夜行で出発、蝶で1泊して2日目に帰名という計画で、NASは当時、予備日の確保を徹底しており、休みが取れない会員がいたため、2日目の計画は、午前1時半起床、3時下山開始、午前8時有明バス停、となった。今なら現地で山行終了にしよう、などと提案しそうだが、早さに驚きつつ、了承した。

　地図に実線ではなく破線で描かれた上級者向きコースには、さほど抵抗感がなかった。その頃、岩登り訓練に積極的に参加、自分なりにハードな練習に耐え、場数を踏んでいるつもりだった。岩登りの指南役・渡辺裕樹の「本番の岩場は、練習ほど微妙ではない。スケール感があり、天気などの条件も変わって、何があってもおかしくないから大変だけど、景色も見られる楽しみもある」との話を聞き、ワクワクしていた。

　8月の土曜日早朝。徳沢や横尾までは登山者が多かったが、一ノ俣谷は私たちだけで、稜線に出るまでは誰にも会わなかった。晴天続きのおかげで、沢沿いの道も乾いて滑らない。七段の滝、一ノ俣の滝などではさわやかな風があり、命の洗濯という気分だった。練習時に言われたように、本番の岩場も割と難なく通過（**写真**）し、ぐんぐんと登っていけた。

　ところが、滝の脇を横へ移動して後ろを振り返ろうとした瞬間、キスリングザックの横に付いている大きなサイドポケットが岩に当たった。体が大きくぐらつき「えっ、私、滑落？」。頭は、こんなにも簡単に落ちるのだ、と観念したが、体は、その場にゆっくりとしゃがみこんだ。幸運な

ことに、足場はしっかりした岩棚だった。体はそれ以上ぐらつかず留まってくれた。ふだんは蛇の尾を見ても大騒ぎするのに、この時だけは声が出なかった。一息つき、これまで登ってきたルートをのぞくと、岩ばかりだった。何（の事故）があってもおかしくない、というのはこのことだ、やっぱり上級者向きコース、まだまだ経験不足、ただただ運が良かった—としみじみ思った。

　常念小屋の発電機の音が聞こえると、稜線に踊り出た。岩場はなくなり、もう岩をよじ登らなくても済む、とホッとした。

　常念岳に登頂し、長めの休憩中、花輪忠和がコマクサに気付いた。『高山植物の女王』と呼ばれる憧れの花で、初めての対面。桃色と白の濃淡の花は、可憐で小さく、教えてもらえなかったら分からなかった。雲が増え、遠くで雷が鳴ると、仲間の髪の毛が総立ちになった。初めは笑っていたが、音がおなかに響く振動を伴って近づくと、嫌な予感がした。西穂高岳登山中に落雷に遭った松本深志高生とほぼ同年代で、事故の記憶はまだ鮮明だった。何もない稜線上で身を低くしていたら、振動は遠のいた。雨も伴っておらずよかったと言いながら、蝶ケ岳に行き、テントを設営した。

　翌日。1時半に起き、朝食後、テントを撤収。3時出発。ヘッドランプ頼りに、山を駆け下り、須砂渡に7時すぎに着いた。始発バスに乗り、名古屋には予定通りに帰った。

　その冬。ボーナスで、サイドポケットのないミレーの赤いアタックザックを買い、愛着のあった黄土色の綿布製キスリングに別れを告げた。以来、いくつも大小ザックを使っているが、どれも大きなサイドポケットは付いていない。しかし、山で振り返る時は、ゆっくりと慎重で、注意深い自分に驚く。体があの時の『ヒヤリ』を覚えているに違いない。

78
仙丈岳
Senjyougatake
3,033m

🌿 休憩後に現れる最適ポイント 🌿

　NAS に入ってから約1年たった9月。土日と祭日に休暇を加えて4連休を取り、テントなど会の装備を借りてヨーコ、美代子と仙丈岳ー甲斐駒ケ岳を縦走した。これ以上ないほどの晴天の美しい秋山縦走で、女性3人で成し遂げた喜び、達成感は大きかった。これで随分自信がつき、その頃から男性リーダーに頼らず、自分たちの力で登りたいと自立の思いに駆られるようになった。もっとも、この山行、黒戸尾根中腹の小屋に泊まって予備日に下山、と計画を変更していた。計画時点で小屋泊にしなければならなかったのに、経験不足もあり、身の丈以上の計画を立ててしまったのだ。乗り切れたのは、怖いもの知らずで、若さゆえのパワーがあったからだろう。若い時代を懐かしく思い出す。

　前夜は、戸台川の河原にテントを張ってビバークした。仕事を終え、18時ころに中央線に乗車。塩尻と岡谷で乗り換えを重ね、飯田線伊那北駅からタクシーで戸台に入った。

　1日目。8時に食事やテントの撤収を終え、出発。計画では、初日は北沢峠まで行き、連泊するテントを設営、2日目は仙丈岳往復、3日目は甲斐駒を経て下山、4日目は予備日を兼ね帰名ーと時間的には余裕を持たせていた。この日も丹渓山荘まで3時間、北沢峠まで2時間半の計5時間半の登りで、慌てなくても良かった。歩き始めてすぐ、紫色の山ブドウを発見。酸味があったが、いい香りなので「デザートに」と摘むことにし、ビニール袋を4分の1くらい満たした。

　山型テント一式、3日間の十分な食料などの共同装備や各自のシュラフ、

マットを持っての歩みはのろかった。50分に10分の休憩を目指したが、1時間歩いても、想定したポイントに到着せず「仕方ない」とあきらめて休憩し、再び歩き始めると、すぐにポイントが出現した。そこで次は「もうそろそろ？」と思いながらも我慢したのに「限界超え」と言い、何もない樹林の脇で休んで再び歩きだすと、やはり―。3度目の休憩は必ず丹渓山荘で、と話していたが、もうダメとザックを降ろし、再び歩き始めたら5分もかからない所にあった。ガックリしながら、山荘前では観念して重ねて休んだ。

　結局、北沢峠に到着したのは15時を回っていた。同じルートの入山者はいなかったが、テント場には数張りのテントがあった。夕食まで散歩をしていたら、紫色の不思議な形の花がたくさん咲いていた。花や茎、根にも猛毒があるというトリカブトだった。夕食は、テント泊初日の定番メニューである焼き肉とジフィーズのご飯で、食後に山ブドウのジュースを飲んだ。摘んだ時はほどほどの酸味だったが、若い実も収穫した結果、すっぱくて食べられず、かといって捨てるのは惜しい、とビニール袋に大量の砂糖を入れてエキスを絞り出し、水で薄めて飲んだら、そのおいしいこと。元気をもらえ、今も「あのブドウジュースおいしかったね」と語り草である。

　2日目。朝食後、仙丈に向かった。約2,100mの北沢峠から標高差1,000m足らずのピストンである。樹林帯から森林限界、草つき、稜線へ、と空身でジグザグ道を登ったが、小仙丈まで時間がかかった。山が大きいうえ、前日と違って遠くの山々まで眺められ、景色がいい地点では休憩する（**写真**）などしていたからだ。

　正午前に仙丈岳に登頂。少し前から霧が出て、近くの山しか見えないのは残念だった。山頂には登山者がおらず、3人で静かな山頂を占有した。下りは、馬の背ヒュッテへの道をとった。16時近くにテントに戻った。

甲斐駒ケ岳
Kaikomagatake

2,967m

🌿 五合目小屋でまつたけご飯 🌿

　仙丈岳から北沢峠のテント場に戻り、翌朝未明出発の予定を確認した。計画では、天気が悪い場合、甲斐駒ピストンで戸台に下山だったが、翌日も晴天予報で、計画書通りに山頂から黒戸尾根を下り、登山口の竹宇駒ケ岳神社でビバーク、最終日の4日目に帰名、とした。その晩の夕食は、シーチキン入りのカレーだった。レトルトはまだ普及しておらず、生ものは2日目以降は避けていたので、缶詰をよく利用していた。山ブドウジュースを飲み、早めに休んだ。

　縦走3日目。真っ暗な中、ヘッドランプを付けてテントを撤収し、出発した。途中、私たちに驚いたオコジョの後ろ姿が見えた。仙水峠から日本庭園、駒津峰へと進むと、次第に明るくなった。どこも高山を満喫できる景色の中、広いスペースを見つけ、景色のいい場所で朝食をとった。

　10時前に甲斐駒ケ岳に着いた。道中でも、山頂でも登山者は私たちだけだった。白く輝くピラミッドのよう、といわれる山頂は思ったよりも広く、岩山ではなく、白い砂地の山だった。前日の仙丈岳が3,000m以上なのに緑の山、一方、3,000mに満たない甲斐駒は白い山というイメージだった。山は登ってみなければ分からないことがあると思った。

下山が登りよりも大変とは―

　下山の大変さも、身をもって知った。それまでずっと、登山といえば下山よりも登りが大変だった。しかし、黒戸尾根は険しく、岩場もあり、そのうえ2,200mと長い道のりで、登りよりも苦労したのは、ここが初

めてだった。この尾根、有名な『日本の三大急登』と一つと知ったのは下山後だいぶ経ってからで、そうだったのか、と合点したのは、ちょっと情けない話だが―。

『9合目』『8合目』と合目表示を数えていたが、その出現にだんだん時間がかかってきた。私たちのペースが遅くなってきたのだ。

「まだ五合目」とがっかり

15時を回った時、『5合目』表示板があった。6合目から随分歩いており、5合目の表示には気付かず、次は4合目だろうと思っていたので、がっかりした。二人も「長いね、この尾根は。5合目表示を見逃したと思っていた」と話し「秋だけど、明るいうちに神社に着けるかな」「天気はいいし、水も食料もたっぷりだから、どこでビバークしてもいいけど」という話に発展した。

その先に五合目小屋があった。小屋の前には、地元山岳会の会員らしい人がおり「ここにテントを張ってもいいですか」とたずねると「今日はまつたけご飯だから小屋で泊まった方がいいよ」との返事だった。どうやらテント設営は、歓迎されないみたいだ。そこで勧められるままに、夕食付きで宿泊申し込みをした。会員はまもなく新聞紙を広げ、びっくりするほど大きいものも含め、大量のマツタケを並べ始めた。まつたけご飯は冗談ではなかったのだ。「記念に」と頼んでマツタケを前に会員らとの写真

を撮ってもらった（**写真、183 ページ**）のだが、帰名後、現像したら、肝心のマツタケが写っておらず、少しがっかりした。

夕食後も、火を囲みながら焼きマツタケを御馳走になった。リーダーのような会員は「全部（小屋の）親父さんが採ってきたもの。マツタケは全部持って行け、と言ってもらえるのだけど、採る場所は絶対に教えてもらえない。こっそり後を付けたこともあるが、絶壁のような場所をすたすた登ってしまい姿を見失った」と話した。親父さんは仙人のような人なのだ。夕食を食べ終えると、よだれを垂らしながら眠り始め、会員らは布団をかけるなど親身に世話を焼いていた。

小屋泊まりは大正解だった

4 日目。明るくなってから五合目小屋を出た。神社までは長く、岩場も続いていた。天気が良く、食料も余っていたけれど、小屋泊まりは大正解だったことに気付いた。前日は「まだ 5 合目」とがっかりするほど疲れていたのだから、計画が甘かったのだ。神社には昼前に到着した。それから当時、話題になっていた山梨県立美術館の『種をまく人』を見てから名古屋に帰った。

山行後から間もなくの 1979 年 11 月、南アルプススーパー林道完成式典があり、80 年からは北沢峠にはバスで行けるようになった。そのニュースを聞いた時、バスで楽をして北沢峠に出かけ、もう一度、黒戸尾根を下ってみたいと思った。しかし、機会を作れなかった。

定年後に調べたところ、ウィキペディアに「1884（明治 17）年に修験者小屋として造られた五合目小屋（2,170 m）は 1999 年、小屋を守っていた古屋義成の亡き後、小屋番不在で、2007 年に解体され更地になった」とあった。五合目小屋がないなら黒戸尾根を歩かなくてもいい。だけど、いつかある日、やはりバスで北沢峠に行ってみたい。なぜだろう？　センチメンタルジャーニー？　そうかもしれない、人に頼らず、ちょっと背伸びして無理をしながら、自分たちの力で頑張った 3 人の山行を懐かしみたいのかもしれない。

76
恵那山
Enasan

2,191m

🍂 間違えずに済んだ行き先 🍂

　晩秋の土日、NAS の定例山行で恵那山に登った。初日は宿泊地までの移動日で、国鉄で出向いた中津川駅でバスに乗り換え、終点の川上集落から地名由来の中津川の脇道を徒歩で遡った。木がうっそうとした道は暗く、秋なので早い日没が迫っていたが、リーダー・酒井祐二は、挑戦３度目で土地勘があり、難なく黒井沢に到着した。すでに関西の地名が書かれた山岳会のテントが張られ、私たちはそこから少し離れた場所にテントを設営した。

　翌日。夜が明ける頃、関西の山岳会は出発を終えていた。「今日中に戻ろうと暗いうちにテントを撤収したわけだ」と話題にしたが、彼らの出発を目撃した会員が出発の段に、酒井の「来た道を直角に曲がって」という指示に驚いていた。山岳会は、来た道をさらにまっすぐ進んでいったのだそうだ。川沿いだけに奥まで踏み跡が続いていたが、確かに地図によれば、登山道は黒井沢出合を左折だった。あさっての方向に行った人たちに同情しつつ、酒井には間違えずに済んだと感謝した。当時は中部地方在住であっても、恵那山はマイナーな山で、情報が少なく、アプローチも大変だった。今の黒井沢には駐車場や簡易トイレが整い、動物除けネットが張り巡らされていて、まっ暗でも登山口や行く方向を間違えることはありえず、隔世の感がある。

　黒井沢沿いのなだらかな道を登り、営林署の小屋前で一服した。少し山道を登り、再び黒井沢支流沿いを進んだ。暗い谷中では、景色を眺められず、沢筋を登り詰めて鞍部に出るまでは、長く感じられた。道が平たん

になると、野熊の池が現れた。可愛い名前の池は、流れ込む川などは見当たらないのに、池から小川が流れ出ていた。

　池からはカラマツ林、さらに背の高い針葉樹帯と景色が変わった。一度は山頂から続く尾根に出たものの、すぐに一段下がった登山道に導かれ、ひたすら前に進んだ。途中、少し前に降ったらしい雪が現れたが、ところどころに残る程度。水たまりも凍っておらず、ラッキーだった。山頂近くの避難小屋に着いた時、霧がかかったり、消えたりした。立ち枯れしたトウヒをはじめ、原生林の木々が遠く近く見え、幻想的な光景に目を見張った。

　山頂は、避難小屋からひと登りで、自然の中に人が作った展望台があり、少しがっかりした。黒井沢からは標高差約 1,000 m、距離約 7km で約 5 時間かかっていた。船を逆さにした形から船伏山ともいわれる、という深田久弥の記述のように、ひっくり返った船の甲板から、上の船底を目指して斜めに延々と歩いてきたのだ。

　下山時、関西パーティーが猛スピードで登ってきた。初めて顔を合わせた一行は年上ばかりで、私たちのように男女 6、7 人。気が付いたのが遅く、焦っているようでもあったが、日暮れまで時間はあった。下山後、酒井は「登頂できて良かった。今回、失敗していたらもう登れないかも、と落ち込みそうで不安だった」と感慨深げだった。登れない山という発想は、この時不可解だったが、百名山に挑戦し始め、誰もがあっさり登るのに何故か自分は登れず、縁がないような不安に駆られることがある、と今になって理解できる。

　恵那山にはその後、数回登った。金沢の横井らとの山行時、れい子と再会したのは、二人とも名古屋にいる山好きだから珍しくはないかもしれない。しかし、新潟県中越沖地震発生日の 2007 年 7 月 16 日、職場の後輩らと広河原登山口を出発しようとしたところ、下山してきた若者がいた。早い下山に驚いて挨拶を交わすと「屋久島から日本百名山を短期間に登る試みをしています」という。彼こそ宮之浦岳登山時のガイドの島津で、その後 48 日間で完登し、目的を達成していた。

53
鷲羽岳
Washibadake

2,924m

🌿 北ア深部３泊で唯一の１座 🌿

　お盆休みにヨーコと二人で富山県折立から秘境・高天原の温泉に向かった。北アの山中で３泊後、岐阜県新穂高温泉に下りたこの山行、雲の平でのんびりする目的を果たせたけれど、長い稜線を歩き、祖父岳、三俣蓮華岳、双六岳と数々のピークを踏んだのに、百名山としては鷲羽岳のみ。アプローチに時間のかかる水晶岳の真下に出向きながら、立ち寄らずに惜しかった、と後で悔やんだけれど、当時は、北アならいつでも登れると考えていた。昔は本当に無欲だった。

　８月12日。仕事を終えて国鉄の夜行に乗車し、13日未明、富山駅で折立行きバスに乗り換えた。その晩は薬師沢でビバーク、翌日からは自炊で小屋泊の予定で、二人のザックはツエルトやホエーブス、食料などの共同装備を詰め込んでパンパンにふくれていた。それぞれの重量は、乗車時の計量により約23kgと差が100ｇもなかった。よく覚えているのは、名古屋出発時に「すごく重い」「いや私の方が」と互いに言い張り「では休憩ごとに交換しよう」と決めていたからだ。計量結果に顔を見合わせたけれど、意地を張り合うようにほぼ１時間に１回の休憩時、取り決め通りにザックを交換していた。この時以来、自分が担げる重量は20kgまで、それ以上だとストレスから喧嘩のタネになるかもしれず避けること、と心の中では思っている。

　折立から太郎平に歩き始めて間もなく、自分の目がおかしくなったのか、と疑うような植物があった。葉も茎も色素が抜けていて透明なギンリョウソウで、初めて見て驚いたが、"お化け草"との別名に納得した。樹林

帯を超え、稜線歩きになっても、山が大きく、歩いても景色はあまり変わらなかった。太郎平には昼前に着き、昼食を食べた。

　薬師沢への下り道は、一転して手が入っておらず、歩きにくかった。登山者は姿を消してしまったが、代わりに渓流釣りの人を見かけるようになった。「釣りをするなら、苦労してこんな山中に入らなくてもいいのに」と思いつつ、多分、彼らも私たちを「歩くだけなら楽な山もあるだろう」と見ていただろう。

　薬師沢到着は16時くらいで、深い谷の中で、暗くなるのは結構早かった。空き地を見つけ、ツエルトのロープを木の枝に結び、シュラフを出し、最初に寝床を作ってから夕食の準備にかかった。当時の山小屋の夕食は、どこもカレーばかりで、私たちは手間ひまかけても自炊がいい、と考え、食材を担ぎ上げていた。それで少しでもザックを軽くしようと、生の野菜サラダなど重い献立から食べることにした。この共同食料は、下山時も少なからず残っていた。今でもなかなか軌道修正できずにいるが、山行時のシャリバテ（空腹のためにバテること）を避けるため、食料を多めに用意する傾向があるのだ。

　14日。朝食を終え、大東新道を下り、高天原峠に向かった。幸いトレースが残っていたものの、暗くて狭い道で、急な岩場も連続した。明るくなってくると、足元の草に虫が飛び交い、容赦なく刺した。当時は高山で虫刺されに遭ったことがなく、防虫剤などは準備していなかった。早くこの一帯から離れよう、とさわやかな青空の下、先を急いだ。高天原峠に出ると、虫はいなくなり「やれやれ」。下ってから再び登り返すと、高天原山荘だった。

　山荘のご主人は女性で、一人で管理しているとのことで、しばらくおしゃべりした。それから奥にある温泉とその奥の夢の平まで出かけた。温泉は、川をせき止めた水たまりのようで、手を入れたら温かった。簡単な覆いがあり、そこを着替え場として、他には誰もいない川に入った。沢の音しか聞こえない山の中の、真夏の太陽の光が降り注ぐ大自然がつくった露天温泉。すぐにまた汗をかくことが分かっていても心地よく、この山行の目的のひとつを果たし、満ち足りた気持ちになった。

再び来た道をアップダウンを繰り返して戻り、高天原峠で南に折れ、雲の平に向かった。虫はおらず、傾斜が緩くなり、雲の平らしい景色になり、コーヒータイムにした。山荘の女主人以外には、誰にも会わず、ここにも人影はない。北アルプスのど真ん中を二人占めした大きな気分で、のんびりと寛いだ。

お盆に山小屋宿泊者は約10人

この日宿泊した雲の平山荘の宿泊者は、私たちを含めて約10人で、お盆休み中と思えないほど静かだった。それに一人一組の布団。四方を山で囲まれているなべの真ん中のような雲ノ平に至るには、どこから入ってもなべの縁の山を越えてこなければならない。帰りも、一山またいでから下山、と来るのも帰るのも大変な場所なので、穴場のような山域だった。

15日。早朝、雲の平山荘を出てギリシャ庭園、日本庭園などしゃれた名前の場所を通過した。祖父岳からは、北ア稜線のアップダウンの繰り返しになり、岩苔乗越、ワリモ岳のピークを踏んだ。この日も快晴で、遠くの山々が美しく眺められた。山頂から、次に登る山を確認し、そこに至ることも爽快だった。

鷲羽岳は『鷲の羽を広げたような』と表現されるように、伸びやかで、大きな山だった。稜線上から眺めていたら、間近に迫ってくるようで、ワクワクしたが、最後は意外にもあっさりと登頂してしまった。稜線上に、数多くのピークを見たが、鷲羽が最もインパクトの強い山頂だった。

その後も三俣蓮華、丸山、双六とピークを踏み続け、双六小屋の手前では、ライチョウ親子を見た。弓折岳を巻き、宿泊する鏡平山荘に着いたのは夕方だった。『逆さ槍』を見る、というのも当初の目的の一つで、鏡池に足を延ばした。池は夕方の空の色を映し、神秘的だったが、残念ながら湖面に映る『逆さ槍』の姿は見られなかった。

16日。新穂高温泉に下り、バスと国鉄を利用して、帰路についた。鏡池の景色以外は、すべて計画通りだった。今風にいうならば"山ガール"二人の楽しい夏休みだった。

白山
Hakusan

2,702m

🌿 遅い出発で途中ビバーク 🌿

　「登山に行くなら、みんなを送ってあげる」。当時は "アッシー君" という言葉がなかったけれど、夫は結婚当時、たまには足代わりになってあげる、と言ってくれた。それで「夏は大きい山に」と話していたヨーコに、車でしか入れない登山口から入山しようと提案し、岐阜県・平瀬登山口から白山に登り、石川県別当出合に下りる計画を立て、のり子にも声をかけた。日にちが決まり「帰りは一人になるけど」と夫に伝えると、快く了解し「白山には高校の部活で登ったので平瀬登山口も知っている」というので驚いた。

　初夏の登山当日。メンバーは我が家に前泊し、未明に夫の車に乗り込んだ。高速道路が普及していない時代。御母衣ダム脇などを経て、大白川ダムにある登山口到着は 10 時近くになり、夏の太陽は高かった。室堂まで約 8km、標高差 1,400m のコースタイムは 5 時間。「休憩抜きで 15 時着だから、途中ビバークもありかもだね」と話しながら出発した。

　初めの平瀬道は、木陰を作る雑木林にあり、歩きやすく、樹間から透明ではないエメラルドグリーンの白水湖の湖面が見えた。しかし、急登でぐんぐんと高度を稼ぐと、強い陽射しを遮る木々が消え、真夏の太陽の直射で疲れ果て、大休憩を取ることになった。ヨーコと私はいつものように、カロリーの高いパウンドケーキやチョコレートを食べようとしたが、食欲がわかない。そんなところにのり子にトマトを 1 個ずつもらった。「重たいのに 3 個も荷揚げして」。感動しながら頂いた瑞々しさ。軽量化したい荷上げでは、食料を、栄養面を損なわずにコンパクトに、できるだけ軽く

しようとパウンドケーキを焼くなど工夫していたが、栄養以上に大事なのは、食べたら元気になれる食べ物だと痛感した。後に登山家・田部井淳子が講演会で「おいしいものは重いもの」と言っていたと聞き、白山のトマトを思い出した。水分の多いものは、荷揚げが大変だが、山では食欲がわき、おいしく食べられるのだ。

　足元には花をつけた植物があった。ハクサンフウロとかハクサンチドリとか、数多い固有種を持つ白山に入ったのに、当時は植物に興味がなく、もったいないことをした。痩せた尾根道を歩くと、ハイマツ帯になった。次第に暗くなり、室堂まで入る予定をビバークに変えた。道が平坦になった場所で「南竜の馬場の分岐あたりかなあ」と言いながら、ハイマツの枝を利用してロープをかけ、テント設営した。環境保全が叫ばれる今なら、どこかからおしかりを受けるだろうが、一昔前は、テントの設営制限は厳しくなかった。テント内で夕食を食べ、早々と休んだ。夜中に幾組かの夜間登山のパーティーが通過するなどで眠りを妨げられた。

　翌朝、朝食やテント撤収を終え、7時に出発した。室堂までは10分もかからなかった。天気のいい週末なので、多くの人が行き来しており、テント撤収を早く終わらせといてよかった。最高峰・御前峰には約1時間で着いた。やはり人がいっぱいで、信仰の山というよりもにぎやかな観光地だった。剣ケ峰や大汝峰などを周回し、砂防新道から別当出合に出て、バスと国鉄を乗り継いで帰名した。

　それから数回、白山に登っても第一印象は変わらなかった。しかし、金沢に住んだら、単に観光の山でないと分かった。地元の山友は春夏秋冬、禅定道も含めて数えきれないほど登っているのに、毎年の山開きに必ず参加して白山を熱っぽく語り、敬慕の気持ちが伝わってくる。さすが『霊峰白山』と思わざるを得ない。また、深田久弥が「仰いで美しいばかりでなく登っても美しい山」と書いている逆のようでもあるが、仰ぐ位置、季節が少し変わると、美しい景色の発見がある。とりわけ若い木々の緑が白山の裾野を彩る初夏、連日、雪形が変わっていく山容にはいつも息をのみ、見るだけで満ち足りると心が高ぶる。

54
槍ケ岳
Yarigatake

3,180m

加藤文太郎に憧れて

　上高地—槍沢、新穂高—槍平、槍穂縦走、表銀座など数多い槍ケ岳登頂コースの中で、ヨーコと私は天井沢経由で水俣乗越から登った。風変わりなルートは、エスケープのためで、当初は北鎌尾根から登頂する予定でいた。NAS入会以来、悪条件下での山行があり、沢登りや岩登りの練習を重ね、二人とも夏なら大抵の山を踏破できると信じていた。それで新田次郎の小説『孤高の人』で加藤文太郎が挑んだ北鎌尾根からの縦走を思い描いた。季節を夏にすれば、日が長くて時間をかけられるし、ビバークしても疲労凍死に至らない、だから自分たちで岩場にルートを見つけ、よじ登ることができるはずだ、と。

　計画では、8月上旬に国鉄の夜行車中で前泊。初日は信濃大町駅から高瀬ダムに入り、千丈沢と天井沢の合流点・千天の出合から天井沢添いに北鎌沢出合まで行きビバーク。2日目は北鎌尾根踏破後、槍ケ岳山頂を経て槍ケ岳山荘泊。3日目下山、4日目予備日。天気予報が雨ならば延期、出発後の2日目が雨なら1日ずつ順延、とした。一般道でない岩稜帯を女二人で大丈夫かという迷いがないわけではなかったが、公表されている記録をそらんじてルートとポイントを頭に叩き込んだ。

　迎えた当日。天気は上々で、高瀬ダムから高瀬湖添いを約3時間歩いて晴嵐荘に着き、この先は一般道ではない、と身を引き締めた。水俣川の岸辺はだんだん足の置き場がなくなり、飛び石を踏んだり、靴底を濡らす覚悟で水際を歩いた。ペンキの印も、残置ロープも、人の気配も、見事なまでになかった。千天の出合の前に、川幅が広めで水かさが多い箇所が現

れた。水量はその年の残雪量次第といわれる。ぶっつけ本番なので比べようがないけれど、水深があった。「靴を頭に、パンツ一丁で渡った」と記載された場所だった。私たちも靴などを脱ぎ、ザイルで確保して一人ずつ、つま先で川底を探りながら渡渉した。水は想像以上に冷たく、水位は膝以上まであって流れも速かった。

　千天の出合を過ぎると、川幅が狭まり、天上沢の暗い谷になった。淵をへつったり、脇道を探したりしていくと、行く手を阻むような、川の両岸が切り立った個所が現れた。左岸は絶壁で近づけず、右岸は下部が川の中に入った岩壁で、ヨーコは右岸の壁の真ん中に窪みを見つけ、斜めに登りかけた。先には、かぶさるような岩場があり、その手がかりを探している時、体が弾かれたように岩から離れた。渡渉時以外はザイル確保をしておらず、彼女の体は、川に落ちてしまった。ほぼ真上からのぞくと、川面に放射状の輪が幾重にも広がっていた。ことの重大さにおののき「大丈夫？」と呼びかけると、一息置いてから「冷た〜い」との声。まずはホッとし、岸辺に下りていくと、自力で上がってきたところだった。落下先が急流ではなく、深い川中だったので、けがはなかった。渡渉時の万一に備えてザックの中身はビニールの覆いで濡れずに済み、最悪を逃れていた。

　前進か、撤退か―。悩ましかったが、ヨーコは唇を青くしながらも、乾いた衣類に着替え、気丈に言った。「明日は予定通りで大丈夫だよ、北鎌を登ろう」。前進となると、もう一度、ルートを探し直さなければならない。ずっと川から離れずに来たが、少し離れたらどうか、と岩場の奥の小山を登り、川筋に下りることにした。

北鎌沢手前でビバーク

　しばらく進むと、ツエルトを張れそうなスペースがあり、予定を変え、そこでビバークした。湯を沸かし、夕食の支度にかかった。定番のジフィーズ米と焼き肉だが、ヨーコは「肉を焼いたら熊が臭いにつられて襲ってこないだろうか」と言い出した。熊の生息地域だけど、それを承知で入ってきているのだし、臭いはもう漂っているのでは。今さらと思いながらナーバスになっているかも、とジフィーズと行動食で我慢した。

2日目も晴天。朝食を済ませ、夜明けとともに出発すると、すぐ近くに小さなケルンが積まれていた。「北鎌沢じゃない？」という私に「昨日はそんなに歩いていないよ」とヨーコ。右の斜面を見上げれば、沢筋のようでもあるが、大量の雨が一気に流れて偶然できた跡のようでもあった。思い返せば、ここで休憩し、偵察すれば、気付くことができた。私たちは前日、緊張していて速いピッチで登っていたのだ。

はやる気持ちで進み過ぎ

　しかし、北鎌沢出合まで入っていたはずの時間も取り戻さなければ、との思いで休む時間を惜しみ、はやる気持ちだった。憧れの北鎌に向かい、やる気満々で奥へ奥へと突き進んでしまった。1時間余り歩き、出合らしい場所は見つからず、左岸の尾根の斜度はだんだん緩くなっていた。鋭角だったV字谷が鈍角になっており、水はいつしか枯れていた。

　おかしいと気付き、そこで初休憩をとった。地図で調べると、初めの沢筋が北鎌沢だったことが分かった。とても大きな間違いをしてしまったのだ。引き返した場合、すでに1時間余登っていたから往復で約2時間のロス、8時頃、出合に戻って出発するなら十分間に合うはずだった。日暮れもまだまだ遅い時期なのだが─。二人とも黙りこくり、滑落に続く2回目のミスに身構えた。結局、今回は敗退と話し合い、そのまま沢を詰め、水俣乗越周辺近くの稜線に出ることを決めた。

　稜線に躍り出たのは約2時間後。前日、タクシーを下りてから人に全く会っておらず、東鎌尾根の登山道に多くの人が往来するのに戸惑い、ヘルメット姿が大げさで恥ずかしくなった。

　槍ケ岳山荘に着き、受け付けを済ませて山頂に向かった。早かったので行列は短く、スピーディに槍の穂先に立てた。三百六十度の展望を眺めながら、北鎌尾根方面を凝視すると、想像通りのギザギザで、特に山頂直下はかなりの高低差があった。もしも、取り付いていたら、今はもっと向こうだろう。想像していたら、登れなかった無念さがこみ上げてきた。

　3日目は槍沢経由で帰名。北鎌踏破は再挑戦せず、夢に終わった。

蓼科山
Tateshinayama

2,531m

🌿 直登登山道は賽の河原風 🌿

　黒い雲がかかる蓼科山に、ヨーコと御清水自然園上の7合目登山口から登った。季節はいつだったか？　記録はなく、二人の記憶もあいまいだ。出産、子育てのブランクがあり、登山を再び始めたのが1990年代の初めだから93、4年だろうか。大変な思いをせず、ミスもなかったので、記憶が薄いのだ。

　山行前夜、登山口駐車場で仮眠した。当日、水が枯れた河原のような登山道を進んだ。途中から山頂まで石ころ道で、石は登るほどに大きくなった。1時間余で将軍平に着き、蓼科山荘前で休んだ。来た道をほぼ直角に右折し、大石を敷き詰めたようになった道を詰めていった。

　山頂は驚いたことにかなり広く、岩が重なり合った台地だった。すっきりと立つ独立峰を見て想像していた山頂ではなかった。展望を楽しみにしていたが、八ツも、富士山も見えなかった。他に登山者はおらず、表示に従って横断して三角点を触り、霧がさらに濃くなったら大変、とそのまま下山。正午前に登山口に戻り、昭和初期に建てられた製紙工場を温泉施設にした『上諏訪温泉片倉館』で汗を流し、帰名した。

　その後、ヨーコと蓼科山を再訪した。賽の河原のような石ころ道や蓼科山荘などは記憶のままで「そうそう」とうなずいていたが、山頂の蓼科ヒュッテに「あったっけ？」とともに驚いた。小屋の人に「いつから営業を？」と尋ねたら、「前からですよ」とけげんな顔をされた。帰路では、以前よりも登山道が荒れていて台風被害を想像した。あっさり登ってしまっても、山は登るたびに気付きがある。

45
白馬岳
Shiroumadake

2,932m

🌿 進化する山に今浦島気分 🌿

　大雪渓や高山植物の宝庫として有名な白馬岳は、登山初級の山といわれ、山好きなら大抵登っているけれど、登り損ねていた。子供が手を離れてきて山を再開し始めた時、近藤と関戸千香から山に誘われ「未踏峰の白馬に憧れている」と話したところ、8月下旬の計画ができた。3人の仕事の都合で、JR中央線の夜行急行を利用し、猿倉から入山して蓮華温泉に下りる1泊2日の縦走である。泊りがけの山行、夜行利用とも青春時代の登山の形だったが、ずいぶん久しぶりだった。若いころは夜行で眠れないことはなかったが、よく眠れなかった。白馬駅からタクシーで猿倉に向かうと、吐き気がし、こらえきれずに停車してもらった。車酔いも以前はなかった。猿倉で朝食を食べながら、こんな体調で登れるのか、と心配した。体力面はともかく、精神面で気弱にはなることも昔はなかった。久しぶりの山小屋泊の北アに随分、緊張していたのだろうか。もっとも、周囲を眺めると、小さな子供や年配者、いかにも初心者という人もおり、同じような不安を抱えているかも、と思えてきた。行けるところまで行ってみて考えよう。食べたら少し気分は上向いた。

　9時猿倉出発。緩やかな林道を経て、1時間半余で大雪渓の末端・白馬尻に到着した。有名な大雪渓は、お盆が過ぎて小雪渓になっており、雪質も水混じりで重たげで、滑っても真下までは到達しなさそうだった。高山植物は8月とあって盛りを過ぎ、勢いがなかった。期待が大きすぎて、抱いていたイメージといろいろ異なっていたが、それでも雪と岩稜帯の景色は美しく、見ているうちに普段の元気に戻っていた。時々心地いい冷た

い風が通り抜けていった。

　葱平、村営白馬岳頂上宿舎を経て、白馬山荘に着いたのは13時頃。写真が好きな近藤によれば、ご来光の写真を撮るには頂上小屋の方がいいのだという。小屋に荷物を置き、夕方まで山頂などで過ごした。

建て替えで300人宿泊可能

　小屋に戻る時、あらためて立派な建物を見た。近藤からは予約時に「建て替えたので今は300人が泊まれます。申し込みが遅く、予約できなかったけど、個室もあるんですよ」と聞き、話だけでも隔世の感があり、浦島太郎の気分だった。それを実際に目の当たりにしたのだから、さらに驚くばかりだった。よくまあ3,000m峰の上に、こんなにも大きい宿泊施設を建てたもの、毎厳冬期を乗り越えて維持を続けているものだ。

　中に入ると、トイレは臭わなかった。布団は清潔感があり、一人で一組使用できた。この2点で、若いころの山小屋イメージが音を立てて崩れる思いだった。夕食も工夫された盛り合わせで、これなら山小屋は敬遠されることはないと確信した。

　翌早朝、関戸と近藤は「ご来光を仰ぐ」と言って出ていったが、睡眠不足の私はパスして寝ていた。二人が戻り、ゆっくりの朝食を食べて小屋を出た。再び白馬山頂に立ち、北方に下った。新潟・長野・富山3県の境になる三国境を経て小蓮華岳に向かっている時、登山道にコマクサが咲いていた。前日の高山植物は今一つだったので大喜びしたが、その先にもう1株、さらには覆いの中に咲き誇る数株が現れた。誰かが保護したのを、みんなが大切に見守ったのだろう。かつては登山道が整備されておらず、皆が高山植物帯の中でも平気で歩き回り、ごみも散乱していた。しかし、自然保護意識の高まりで、山を取り巻く環境はプラス面に様変わりし、登山道以外を歩く人はいなかった。白馬は入山者の多い山だが、目を背けたくなる光景はなかった。

　小蓮華からは稜線を離れ、白馬大池、天狗の庭を経て蓮華温泉に下った。温泉で汗を流し、バスで平岩駅に行き、JRに乗り換えて帰名した。

88
荒島岳
Arashimadake

1,523m

🍃 原生林でブナの音を聞く 🍃

　「荒島岳東の鷲鞍岳で足慣らしをし、翌日、日本百名山・荒島岳に登りませんか」。南チロルの会からこんな登山の誘いがあり、参加の返事をした。会は登山用品店を経営する西野忍が企画したイタリア・ドロミテへのハイキングで知り合った山大好き人間の集まりで、繰り返しドロミテを訪れたり、名古屋近郊のハイキングや冬のスキーにも出かけていた。会長は常滑高校の教壇に立っていたことから"先生"と親しみを込めて呼ばれる都築信雄で、会のために大型免許を取得していた。今は普通免許でマイクロバスの運転ができるが、当時は大型免許が必要だったためで、会山行では、先生が運転するレンタカーのマイクロバスが移動手段になっていた。

　2000年7月22日。名鉄岩倉駅に総勢10人の参加者が集まった。荒島には以前、日帰り登山を目指したが、登山口到着時間が遅くなり、途中から引き返していた。それが少し前に開通した中部縦貫自動車道により、油坂峠越えまでに時間はかからず、昼前に九頭竜湖南の鷲鞍岳登山口に到着。蝉時雨の鷲鞍岳（1,011m）に登下山してから日帰り温泉『平成の湯』に漬かり、勝原スキー場に近い民宿『林湊』に入った。翌日は、標高350mの登山口と山頂のピストンで、登り3時間45分、下り2時間55分というロングコースである。

　7月23日。7時に勝原スキー場に着き、7時30分に登山口を出た。ゲレンデ脇の幅広の登山道は、スキー初心者のう回路かも、と思ったが、傾斜は急だった。体力のある会員は「早く抜けたい」とばかりに速歩したが、長丁場の山では、ペースが崩れるかもしれない。「ゆっくり登ろうよ」

と声をかけ、スローペースを保ちながら登った。

　天気は前の日と同じく上々で、陽射しを遮る高い木などはなく、背中に痛いほどの太陽の光を背負って歩いた。9時30分リフト終点跡に着き、小休止。しばらく歩くと、きつい斜度は相変わらずだが、樹林帯に入り、陽射しが時々、遮られるようになった。

　誰かが「ブナ林だ！」と叫び、別の所から「休憩」との声がかかった。一帯には平らな場所がなく、不安定な斜面にザックを下ろした。顔を上げると、そこはブナの原生林の真ん中で、一抱えできないほどの巨木が至る所にあった。私たちは、太い木の中を通る水の音を聞こうと幹に耳を当てたり、「ひと抱え以上あるワ」と木に手を回したり、「よく生き永らえてきた」と温かい木肌をなでたり―。それまで急坂にあえいでいたのが元気になり、笑い声が響いた。休憩後、数人が「これで充分だから」とにこにこして引き返していった。

山上の建て物にガックリ

　11時ころ、全行程の約3分の2に当たるシャクナゲ平に着いた。別の登山口からの合流点だった。雲があって遠くは見えず、小休止後、新たに数人が下山していった。傾斜は一時、緩くなり、下降もあったが、登り直しになると、相変わらずの急登。前荒島からは、打って変わって緩やかな尾根通しとなった。

　正午前、荒島岳に登頂した。展望がきかないうえ、NTTの古びた建て物があり「大変だったのに、この景色か」とガックリして気が抜けた。建て物は、この年の秋に撤収になり、今はないという。

　山頂で昼食を食べ、それから山を下りた。リフト跡を抜け、登山口まであと一息となった時、途中で下山した会員が私たちを眺めている様子が見えた。志賀高原のジャイアントコースの真下で、滑り下りる人を眺める見物客のようで、ここはスキー場だ、と思い、スキーヤー気分で、スピードを制御しながらジグザグ駆け下りた。ゲレンデは登りではさほど大きいとは思えなかったが、走って強い風を受けていたら、荒島岳の大きさを感じた。14時30分登山口に戻った。

98
霧島山
Kirishimayama

1,700m

🌿 あっけなかった初九州の山 🌿

　陸路よりも時間がセーブできる飛行機の旅はぜいたくだったけれど、金券ショップが登場したころから割安になった。値打ちな航空券利用で、遠方の山に登ってみるのもいいなあ、と思い描いていた時、名古屋空港―鹿児島空港間の往復航空券と鹿児島駅前東急ホテルがセットになった1泊2日のフリー旅行の広告を見た。冬だからか、料金は3万円だ。南チロルの会の会合で「レンタカーを借りて霧島山と開聞岳に登ってみたい」と話すと、横井美代子、下村真理子、野村から同行したいと言われ、初めての九州の山の計画ができた。

　初日。えびの高原に入ると、土曜の昼すぎなのに、レストハウスは休みで、駐車場には車が1台もなかった。いつ降ってもおかしくない黒い空で、結局、この日は高原にも山中にも、人の姿はなかった。

　登山口を出発すると、霧は濃くなり、10m先も見えない状況が続いた。それでも、急な溶岩の坂に設けられた登山道は、幅が広く、頑丈で、安心して歩けた。5合目ではえびの高原が、8合目では大浪池が、見晴らせるはずなのに見えず、場所の想像さえできないのは、残念だった。

　風はやや強くなり、足元がガレ場になって間もなく、目の前に登行を妨げるような火口壁が現れた。そこを右へ、右へとへつり、最後にひと登りしたら、霧島山最高峰・韓国岳で、あっけない感じの登頂だった。奥に火口があり、雄大な景色が眺められるはずだったが、山頂でも何も見えず、山頂標を確かめて下山した。往路復路とも休憩なしで、16時ころ登山口に戻った。

99
開聞岳
Kaimondake

924m

🌿 最初から最後まで右肩に山 🌿

　九州二日目は開聞岳に登った。短大時代の旅行で、小野寺と池田湖畔から開聞岳を仰いで数十年。見るだけで満足していた私が山にのめり込み、あの頂きに立とうと再訪するとは―。自分でも驚く変わりようだ。

　9時45分、2合目登山口の駐車場に入った。開聞岳は、地図の等高線はほぼ均等に丸く、登山道はJの字形で、Jの下半分は等高線に合わせたようならせん状の曲線で描かれている。登山口は、Jの字の書き始めの部分で、10時に出発。樹林帯を南下する登山道は、ほぼ5合目からカーブし始めた。曲がり具合が目立つわけではないが、登山の最初から最後まで山頂はずっと右肩方向にあった。8合目を過ぎたら、真下に白波が縁取る海岸線が見えた。開聞は裾野を海水面にさらしながらも浸食されずに富士山型を保つ独立峰で、高さの割に高度感があった。

　最後は大岩が折り重なった岩場を登り詰めた。正午〜12時30分開聞岳（写真）。富士山山頂はほぼ平らに見えるが、薩摩富士とも呼ばれる開聞山頂は狭く、岩で凸凹していた。池田湖や太平洋は色の変化までも分かったが、桜島や屋久島は見えなかった。下山後、鹿児島空港に直行した。鹿児島県南端の指宿から北端の空港まで距離があり、前日夕方の鹿児島市内の混みようから当初考えていた知覧観光は、残念ながら断念した。

73
天城山
Amagisan

1,406m

🍂シャクナゲのトンネルくぐり🍂

　南チロルの会では天城山・万二郎岳から最高峰の万三郎岳へも登った。先生と結婚後、出産で一時山から遠ざかっていた尚美は、上の子と手をつないで参加。先生も下の子を背負い、20人の参加者全員が両山のピークを踏んだ。

　2001年5月26日。岩倉駅に集合した会員は、マイクロバスで静岡県に向かった。途中で東京の小幡照雄・美代子夫妻と合流し、大室山を歩く計画だったが、バスがパンクして合流時間が遅れ、足慣らしはできなかった。

　27日朝。天城高原ゴルフコースにある登山口を出発した。低い木々に遮られて景色は見えなかったが、久しぶりに再会した会員は、前日に続き、おしゃべりに夢中だった。ほぼコースタイムの1時間で、万次郎山に登頂。何も見えなかったため、そのまま万三郎岳に向かった。

　一度下がって登り返し、勾配がややきつくなった登山道脇にピンクの花の木が現れた。『花の百名山』にも紹介されているアマギシャクナゲで、先生が予想した満開時期が的中し、皆、大喜び。歩くにつれ、木が増え、両側から枝も伸ばし、さほどの樹高ではないのに、登山道の真ん中が大きくえぐれていて花のトンネルになっていた。

　万三郎岳も低い木に遮られ、海も、近くの山も見えなかった。もしも、1カ月前か後だったら、ここがなぜ百名山なのか不思議だっただろう。しかし、シャクナゲのトンネルをくぐり抜けてきた私たちは、なるほど百名山、とうなずくばかりだった。

3
斜里岳
Sharidake
1,547m

🌿 ガイドを雇った初北海道の山 🌿

　初めて登った北海道の山は斜里岳だった。2004年10月、道東に所用があり、北海道まで飛んだのだから、山に近づき、可能なら登ることはできないか、と考えた。しかし、北海道の山は2,000m級で本州の3,000m級に相当し、登山道や標識の整備は本州のように十分でないという。秋は、降雪や熊の出没も懸念され、ハードルが高かった。これまで本格的な登山ツアーに参加したことがなかったが、一度経験してもいいかも、と探したが、オフシーズンであり皆無だった。ならば「ガイドを雇ってみよう」とひらめき、地元の観光協会に問い合わせ、紹介された『知床山考舎』と数回、メールをやり取りし、初めて個人ガイドを正式に依頼した。

　2004年10月13日6時。ガイドの滝沢大徳は、宿泊していた斜里駅前『斜里館』に迎えにきた。予定は三井財閥系農場があったことから地名が残る三井コースの往復で、尾根通しで山頂に至るとのこと。初めて知ったルートだが、一般的な清里コースは川を渡渉する谷通しであり、10月は早朝、沢が凍ることがあるというから避けたのだろう。

　滝沢車は、黄葉が美しい原生林山裾の立派な道路を巻くように走った。三井登山口には『斜里岳登山口』の小さな標識と駐車スペースがあったが、目立つわけでなく、行き止まりでもないので、知らなければ通過してしまいそうだった。

　6時50分登山口出発。林の中はやや暗かったが、ヘッドランプはつけず、ゴロゴロした石の上を歩いた。「尾根出合まで涸れ沢状態の玉石沢を歩きます」。事前に送られていた案内書通りだったが、周囲に踏み跡も目印も

なく、登山道ではない道は歩きにくかった。

　7時18〜25分尾根取り付き。樹林帯の登山道に入ると、歩きやすくなったが、次第に岩交りになり、大小の岩の上には、真新しい緑がかった灰色の物体もあった。案の定、熊の糞とのことで「熊がいるのが普通なのです。驚くと、襲いかかるので、驚かさなければいいのです」。森林限界が近づくと、どんよりした空に青空がのぞいた。振り返ると、登ってきた長い尾根、そして斜里の街並みを含む広大な平野が一望でき、北海道の山を実感した。

　10時。滝沢は「これから岩場が連続します。足場が悪くなるので、アンザイレンします」とゼルプストとザイルを取り出した。確かに先は険しいやせ尾根の岩稜。登れる気もしたが、数十年ぶりにゼルプストを着け、アンザイレンで岩稜を越え、急坂を詰めた。

　10時45分〜11時40分斜里岳。私たちが着いたら、単独行の男性が清里方面に下山した。草木がない殺風景な裸地の山頂は、四方が落ちていて三百六十度のパノラマが楽しめそうなのに、雲が厚くなっていて視界は悪く、楽しみにしていた羅臼岳や阿寒岳は見えなかった。昼食を食べていたら、関西弁の賑やかな会話が聞こえ、男女4人が登ってきた。途中で会わなかったことが不思議らしいので、挨拶を交わした時「帰りも、登ってきた三井コースを下ります」と言ったら納得していた。

　5分の休憩を2回とり、15時に登山口に戻った。滝沢の予定表によれば、450mの三井登山口から標高差1,097m、行動時間7時間50分で、ほぼ予定通りだった。下山後、滝沢は「温泉が好き」という道中の会話を覚えており「日帰り温泉に寄ってから斜里駅前まで送りましょうか」と聞いてもらえたので言葉に甘えた。個人では贅沢かもしれないガイド依頼だったが、シーズン終了間近の斜里岳に、特別なルートから入山し、大船に乗った気持ちで登下山できて有難かった。

　翌日、女満別空港上空から斜里岳を見た。「夏は清里コースがお薦めです。また足を運んで下さい」との滝沢の言葉を思い出しながら、北に長く伸びた裾野は三井尾根なのだろう、と充実感に浸っていた。

4
阿寒岳
Akandake

1,499m

たった一人の轟音の山

　斜里岳登山により、北海道の山も本州と同じという感触をつかんだ。夏なら、ガイドに頼らなくても大丈夫だろう。調べると、雌阿寒岳には観光客もたくさん登っている。連れが見つからなかったが、観光客も多いようだし、と翌2005年夏に計画を立て、8月2日、雌阿寒温泉『景福』に前泊した。前泊は、山の原則は早立ちが基本と考えたからだが、この時ばかりは、早立ちに大きな悔いが残った。

　8月3日5時。景福から歩いて雌阿寒温泉登山口に向かった。前日は雨と強い風だったが、天気はもち直していた。5時10分登山口出発。背の高いエゾマツ林の中、暑くも寒くもない清々しい朝を満喫しながら歩いた。途中から、ガレ場やハイマツ帯が現れ、勾配は険しくなったが、道はジグザグしており、迷いそうな箇所もなかった。5合目を過ぎたところで、10分休んだ。

　7合目を過ぎると、登山道は火山れき混じりになり、8合目ころから、雲が厚くなり、霧と風が出てきた。風向きにより「ゴーッ、ゴーッ」と轟音が聞こえ、火山特有の硫黄臭が感じられた。のんきなことに当時は火山の恐ろしさをよく知らず、ここで初めて活火山だったと確認した。多いだろうと考えていた人の往来はなく、戸惑いつつも、9合目は近く、そこからはトラバースだから、もう一頑張り、と言い聞かせた。

　急な岩場を登り、9合目を通過。火口壁に出て、平たんな登山道を左折すると、霧は一層濃くなった。周囲は真っ白で何も分からない。風の勢いは猛烈に強く、火口がある右側には絶対に近づかないように、吹き飛ばさ

れないように、とかがみながら進んだ。硫黄臭は、強い弱いがあるものの、ずっと鼻をついており、ふと、この火山ガスで倒れたら、誰も登ってこないので、しばらく発見されないかも、と頭の中に嫌な想像がよぎった。と同時に、火山ガスは、強風では滞留しないし、今は霧が濃く、風が強いだけだ、引き返さなくても、登頂後すぐに下山すればいい、と強気に不安を打ち消した。

　突然、白い霧が切れ、一瞬だけ一帯が見渡せた。深く垂直に切れ落ちた断崖。その断崖の、中ほどから力強く噴き出すガス。はるか下に血のような赤みを帯びた水の池―。目に飛び込んだ光景に腰を抜かしそうになった。何っ、これ？　見極める間もなく、辺りは再び霧に覆われ、怖れだけが残った。踵を返そうとした瞬間、再び霧が切れ、小高い丘が望めた。雌阿寒岳だ、すぐそこにあった、ここまで来ちゃった以上、結果は同じじゃないか。自分ながら呆れるのだが、ブルブル震えながらもＵターンはせず、山頂まで駆け上がり、標識を「バン」と叩いて駆け下りた。

　口をぱっくり開けた血の池地獄の様相が、脳裏に浮かんでは消えた。身震いしながら歯を食いしばり走った。9合目を過ぎると、霧は白いままだが、風はやや収まった。ここまで来れば悪魔に火口に引き込まれはしない、とホッとしつつ、山頂から遠ざかりたい一心で休まなかった。心の中で、山は怖い、侮ってはだめだ、無事で良かった、と繰り返していた。

　もう大丈夫、と思えたのは5合目で、ザックを下した。山頂でゆっくりするつもりで、最初の休憩以来、休んでいなかった。そこに年配夫婦がのんびりと登ってきた。初めて会った登山者で、さらに下山中、数組とすれ違った。後から人が来ることが分かっていたら、同じ火口光景でも、あれほど怖くはなかっただろう。長いような、短い間の出来事を振り返った。8時出発だったら、入山者がいて慌てることはなかったのだ。

　帰宅後、携帯をチェックしていたら『雌阿寒岳』『副総理三木武雄』と書かれた岩の前の自撮り写真があった。時間は8月3日7時25分18秒。恐ろしい思いだけで、写真を撮ろうとした記憶はないのだが、万が一の形見にとでも思い"火事場の馬鹿力"が出てシャッターを押したのだろうか。あらためて『日本百名山』を読み直したら、深田久弥は姿の美しい雄阿寒

岳（1,370 m）、高さのある雌阿寒の両山に登るつもりだったが、雌阿寒が入山禁止のため登山を「我慢せねば」とあきらめ、最高地点に立たず、雄阿寒だけに登っている。

最後まで楽しめた雄阿寒

2015 年、れい子と道東の山を巡り、雄阿寒岳に登った。7 月 17 日 4 時 20 分、滝口登山口を出発した。3 合目を越えると、木の根の露出が多い急登続きになり、肌寒かったのが一転して暑くなった。7 時 50 分～8 時、5 合目に到着。雄阿寒は独特の合目表示で、5 合目で標高的には 8 割登頂済みといわれる。実際、それから起伏の少ない稜線になり、エゾリスを見かけ、小山を登り下りした。

8 時 40 分～9 時 30 分雄阿寒岳。雲一つない最高の天気で、真っ青な空の下でのんびりした。足元にはツバメオモトなどが咲き乱れ、全方向が展望できた。ユニークな形の湖沼のペンケトー。パンケトー（**写真**）は、空と森の色を湖面に映していた。この前日、れい子が単独で登った雌阿寒岳も見えた。私も登る予定だったが、急に登りたくなくなり、恐縮しながらドタキャンを認めてもらった。駐車場で待つ間、たった一人で健気に登下山した日を思い出しながら、雌阿寒には縁がない、と確信していた。僅差のすれ違いなどで結局、縁のない男女のように、天気や時期、ささいなタイミングが合わず縁のない山って存在するのだ。いつかある日、また阿寒に来ることがあっても、雌阿寒には登らないだろう。

下山時、次郎湖畔で笛を吹く男性がいた。きれいな響きに聞き入っていたら「音響のいいポイントなんです」とのこと。私たちも「ヤッホー」と言ったら、その声がこだました。最後まで楽しみながら 12 時 40 分に登山口に戻った。帰路、かつて泊まった景福の前をゆっくり通った。営業しておらず、あらためて登山は一期一会、縁そのものだと感慨がこみ上げた。

71
丹沢山
Tanzawasan

1,673m

🌿 東京のきらめく夜景を一望 🌿

　初心者からベテランまでの幅広い層に向いたさまざまなルートがある首都圏の山—。丹沢の名前は若い頃から小説や山のエッセイで知っており、名古屋圏なら鈴鹿連峰か、と想像していた。しかし、鈴鹿山系御在所岳よりも約400ｍ高く、深田久弥は、百名山に丹沢山を入れ、御在所岳を迷った挙げ句、外している。どんな山なのだろうか。登ってみたいと行く方法を調べた。公共交通機関利用だと、時間がかかりすぎることが分かったが、旅行会社で登山ツアーのパンフレットを見つけ、名鉄観光の『丹沢山１泊２日』ツアーに申し込んだ。初めて参加した旅行会社主催の本格的な登山ツアーだった。

　2005年11月18日。晩秋の登山日日和。不安と期待混じりで集合場所の名鉄バスセンターに出向くと、単独参加者が多いことを知った。バスの入り口には座席指定表が張られており、隣は私よりも少し年上の、単独参加の女性だった。いろいろな登山ツアーに参加しており「ツアーだと気が楽でいいわ」と話し、往復の車中では、良かったツアーの話を教えてもらった。

　11時。秦野ビジターセンターに着き、少し先の大倉登山口から出発した。初めは樹林帯で歩きやすかったが、"バカ尾根"と呼ばれる大倉尾根に入ると一転。傾斜が増し、参加者のペースはだんだん遅くなった。急坂には階段や手すりなどが付いており、さらには一部を往路と復路を分けていること、また林の中に入り込んだ道の幅の広さにさすが首都圏の山と感じたが、雨降りの後、登山者がうっかりえぐった山肌は大きな傷痕で残り、痛々

しかった。鈴鹿でも自然破壊が進んでいるが、名古屋圏の10倍以上という首都圏で人気がある山なら、登山者が押し寄せて山が傷つくのは必然ということなのだろうか。稜線に出ると、傾斜が緩くなり、複数の山小屋を通り過ぎた。

15時30分。予定通りの到着時間に塔ノ岳に着いた。初めての登山ツアーで、遅れたりせず、団体行動ができた、とホッとした。広くてなだらかな山頂から周囲を見回していると、添乗員がやってきて「夜も見てください。塔ノ岳山頂からの夜景を紹介したくて山頂の山小屋・尊仏山荘泊の企画をしました」という。

夕食後、小屋の外に出て東の方を眺めた。3方向は暗いのに東は妙に明るく、目を凝らすと、新宿の高層ビル群がきらめいていた。

19日6時30分尊仏山荘出発。整備された尾根道をアップダウンして7時45分〜8時丹沢山。丹沢山もなだらかな山で、山小屋・みやま山荘があった。天気が良い日、山に入れば、どこかの山小屋に泊まれそうなのも丹沢の魅力なのだろう。

登山者が押し寄せる土曜日

下山は、前日の道を引き返したが、土曜日とあって、登山者が次々にやってきて、とりわけ若い人が目立ち圧倒された。山ガールという言葉が流行し始めた頃で、隣席の女性が「名古屋近郊の山は、年配者ばかりなのに、ね。東京の若い人は頼もしい」と言っていたのを覚えている。

正午前に下山を終えた。帰りはバスで小田急電鉄伊勢原駅前の鶴巻温泉『陣屋』に向かうと、昼食と温泉が用意されていた。陣屋は将棋の王位戦が行われるという伝統ある旅館で、個人の山行では絶対にここには寄らないだろう。ツアーの良さを数えると、不便な登山口へ直行するバス、的確なアドバイスをするガイド、公共交通機関利用に比べると時間と費用がカットできる、など。これからはケースバイケースで利用していけばいい。

帰宅すると、長野の母が階段から落ちて肩を骨折したという連絡が入っていた。深田久弥が八ケ岳で書いていた「カタストロフィーが待っていた」という記述が脈絡もなく頭の中で響き、長野へ向かった。

1
利尻岳
Rishiridake

1,721m

🌿1,721mの山頂から0mの海へ🌿

　『日本百名山』で最初に紹介されている利尻岳。日本最北端にあり、海から鋭く立ち上がる姿は凛々しく、岳人の垂涎の山だが、名前を知ったのは、別の理由からだった。NAS時代に鈴鹿に行くと、頻繁に蛇に出くわした。「もう嫌だ、蛇のいない山に登りたい」と叫んでいたら「利尻には蛇も熊もいないヨ」と言われ、興味を持った。ただ、避難小屋はなく、1日で山頂往復は体力面で厳しい。そのうえ、雪解けが遅く、初雪が早い短い登山シーズンなどのハードルの高さがあり、休みやお金もなかった。『夢のまた夢の山』と理解したが、いつか登れたら、と心に秘めた。

　2006年。PCの普及により、山の情報が入手しやすくなっており、たまたま、夢のまた夢の山の登頂記録が目に入った。10時に8合目の長官山に達していれば、登頂は可能なようだ。そんな時、アルパインツアー社の『利尻山3泊4日登山ツアー』参加者募集があり、6月21日から4連休という算段をして申し込んだ。

　5月末、ア社から「定員割れで催行できない、他の日に振り替えられないか」との連絡があった。無理して確保した休みで、変更はできっこない。なので逆に、この休みを生かしたい、とダメ元で「御社が確保した航空券と宿泊予定の民宿、ガイドを、そのまま利用させてもらえませんか？」と尋ねた。うれしいことに「航空券と宿はOK、ガイドは直接交渉を」と言われた。ガイド・古内晴子に電話すると、すでに3日目には予約が入ったけれど、2日目は「ガイド可能」と言う。2日目に賭けてみよう、と予定通り、利尻島に向かうとア社に頼んだ。

　出発前日の6月20日。ア社から「明日は航空会社がストライキに突入」との連絡があった。搭乗予定のANA稚内便は欠航だが、JAL千歳便、千歳発ANA利尻空港便は管理職配置で運航されるので代替手配したとのこと。大変有難かった。

　21日。千歳離陸時に「利尻は濃霧、着陸できない場合は引き返す」とのアナウンスがあった。最後まで大波乱か、と覚悟したが、少しの遅れで、無事に利尻島の土を踏めた。タクシーで3連泊する鴛泊港のペンション『みさき』に入った。まもなく古内が打ち合わせにきてくれたが、開口一番「明日は雨で登れませんので、ガイドをしません。23日は天気が回復の予報で、チャンスです。是非一人で挑戦して下さい。私も山中にいます」と言った。一人で大丈夫かしら、と尋ねると「標識が整い、迷う場所はありません」ときっぱり。さらに示唆に富む登山のよりどころを授けてもらった。「利尻に限らず、登山期間が限られている百名山は、夏の天気のいい日には登山者がとても多く、一人でも大丈夫です」。この言葉は、次第に重みを増し、時々反復し、重宝させてもらっている。

　22日は本降りで、礼文島内をレンタカーで回った。レブンアツモリソウは高山植物培養センターの公開が終わっていたが、周辺で数多く見られた。天気は悪く、翌日の回復は絶望的に思えた。「貴重な花を見たから、今回は登れなくても良しとしよう」と自分に言いきかせた。

　6月23日。雨は霧雨に変わっており、登れるところまで、と『みさき』のご主人に登山口に送ってもらった。道中で興味深い話を聞いた。「たまに、うちの前の海に手を浸している登山者がいます。海岸は海抜0mですから、そこから山頂まで一気に登る決意を固めているのでしょう」。それを聞き、往路は無理としても、登頂できたら復路は海面まで歩こう、と野望を抱いた。この日を逃せば、海抜1,721mの高みから0mの海面まで下る機会は、我が人生でもう二度とないだろう。

　6時。カッパを羽織って出発した。古内の話通り、登山者は多いうえ、針葉樹林の中の道の踏み跡は多く、一人でも迷うことはなさそうだった。登山口を3合目とした合目標識も整っていた。霧雨により湿度は高く、体調はベストといえなかったが、気分は高揚しており、ピッチを上げず、

意識的にゆっくり歩こう、と言い聞かせた。傾斜が増し、5合目すぎに見晴らしポイントらしい場所で休んだ。霧が濃く、目を凝らしても何も見えない。隣にはツアーバッジをつけた二人の女性。励ましと「ここで待っていると伝えて。遅いから迷惑かける」との声が耳に入った。それを聞いて、利尻は大きい山なので、単独行にはそれなりに不安もあったけれど、マイペースで登り、楽しんでいるのだから、結果オーライだった、と思った。

『10時までに長官山』クリア

8時55分〜9時15分長官山。アバウトな計画中、唯一の目標「10時までに長官山に到達。かなわなかったら登頂断念」がクリアでき、まずは一段落だった。昼食を広げ、周りを眺めたら日本最北の高所と思えないほど人が多い。日本初導入の携帯トイレブースも見えた。9合目を過ぎたら、前の団体のガイドが「気を付けて」と声をかけていた。下が切れ落ちたザラ場だったが、皮肉にも霧が濃いため、はっきりと見えず、怖い思いをせずに踏ん張ることができた。戸隠山の蟻の戸渡りでも、初回は霧の中をあっさり進んだのに、晴天時の2度目は下まで見おろせ、足がすくんだが、ここも晴天なら大変だったかもしれない。周囲の岩は風雪が固い芯以外をすべて削ったような尖った形が印象的だった。

10時55分〜11時10分利尻山。やはり多くの人でにぎやかで、それだけに登頂を喜び合う仲間がいない寂しさを感じた。下山は長官山で一度休み、14時10分登山口に戻った。『みさき』から「下山したら電話を」と言われていたが、海まで舗装道路を歩いた。波打ち際で、手を海水に浸し、ぼんやりしていたら、ご主人が私に気付き、海に下りてきて「やりましたね、天気がもってよかった」と一緒に喜んで下さった。

24日朝も霧。心を残して稚内港に渡った。4日間の滞在中、利尻山は、食堂の写真では見たけれど、実際には一度も、稜線の一部さえも見ることができなかった。しかし午後、稚内空港で向きを変えていた飛行機内から大きな雪形のある山が一瞬、見えた。最初で最後の、想像以上に美しい利尻山だった。

59
乗鞍岳
Norikuradake

3,026m

🌿 興味深かった添乗員の話 🌿

　学生時代にバスで標高2,705mの乗鞍岳登山口・畳平まで行き、途中の雪渓などを見たので、「乗鞍には車でいつでも登れる」と軽んじていた。2003年夏、マイカー規制が始まり、畳平には、指定場所でシャトルバスかタクシーなどに乗り換えて入ることになった。さっさと登ればよかった、と悔やんだが、時すでに遅し。車で行ってバスに乗り換えるなら、バスツアーでも、と好印象の丹沢体験から探してみると、クラツーの日帰りツアーがあった。これなら百山会会員も行くかも、と提案したところ、12人が参加し、全員が山頂を踏んだ。

　2006年7月30日。名古屋駅前で、一般募集の参加者と一緒にツアーバスに乗り込んだ。会としては初の登山ツアー参加であり、初の北アの3,000m峰である。もっとも、私は、トイレ休憩なども含めた時間管理はすべて添乗員にお任せで、弁当まで配られ、旅行気分でいた。

　「マイカー規制の前は渋滞続きで、みな車中での長い待ち時間で高度順応ができました。けれど昨今、大渋滞がなくなり、皆さん、一気に畳平まで入れるので高山病にかかる人が増えています」。添乗員は、バス車中で興味深い話を面白く紹介。ゆっくり行動して高度順応する大切さや登山ルートにもふれた。少し前に畳平の売店で熊の出没騒ぎがあったばかりだが、昼前に無事、畳平に到着した。帰りの出発時間が念押しされ、自由行動になった。山頂までのコースタイムは片道1時間半、標高差約300m。日ごろ登っている鈴鹿の山のようだが、3,000m峰で空気は薄いし、何よりもスケールが違う。「弁当は、帰り時間の目途がついてから食べましょう」

と言ってスタートした。

　初めはなだらかな、幅広い砂利道で、正面にコロナ観測所が見えた。無風で、雲が少しあったものの太陽は容赦なく照りつけて暑く、日陰を探そうにも、森林限界を超えているので木がない。消不ケ池や大雪渓を見ながら、第１の目標として肩の小屋口を目指した。肩の小屋口には約30分で到着。先に本格的になる登山道が見えた。全員が登頂するためには時間が読めなさそうな勾配で、少しだけ休んだ。急坂に大きな岩やガレ場が加わったが、歩けば、意外にも単調な登山道だった。

　23の峰がある乗鞍岳の最高峰・剣ケ峰まで１時間20分かかった。山頂には社が建っていた。ガイドは車中で「長野県側は朝日権現社、岐阜県側は鞍ケ嶺大権現」と説明していたが、確かに２社、背中合わせになっていた。それぞれに手を合わせてから周囲の景色を眺めた。遮るものがない三百六十度の展望で、下方に雄大なすそ野が広がり、すぐそばには大きな池の水面が見えた。遠くは鮮明には見渡せなかったが、やはりスケールの大きい北アルプスの景色だった。帰路、ガイドは「シーズン中、何回もない好天」と話していた。

　下山には一部に下山用の道が付けられ、すれ違いの人を避けられた。ただ、砂と小石、岩が多く、石車に乗って滑らないように注意した。平坦地に下りてから、往路で立ち寄らなかった花畑に寄ると、クロユリが群生して咲き誇っていた。予定時間前にバスに戻った。3,000ｍ峰に登ったというのに、さほど遅くはならず名古屋に戻った。帰り際、水野雅夫は「熊に会わず、何ごともなくて良かったですね」と話した。本当に人数が多いと、無事が一番大事だ。それにしても、登山口まで乗り換えなしで行け、いいガイドに当たり、興味深い話をたくさん聞けた。会の山行に今後もツアーを取り入れればいいと思ったが、数人から「時間に追われるようで嫌だ」と言われた。全員で山頂に立ちたくて、慌てさせていた。山に入れば楽しいけれど、時間の制約があるツアーでは、気に入った場所にのんびり居続けるとか、少し先まで足を延ばす、などにも制約がある。万人向きではないかもしれない。

42
四阿山
Azumayasan
2,354m

🌿 21人パーティーのリーダー 🌿

　昨今は、山に若者の姿は多いが、バブル期からしばらくは全く見られなかった。勤め先の社内山岳会にも長い間、一人も新会員が入らず、会長が定年退職した時、何と会員でもない私に「入会して会長になって」と白羽の矢を立ててきた。百山会を立ち上げ、長年、リーダーとしてまとめてきたことで適任と見込まれたようだ。光栄だったが、伝統ある山岳会長の器ではないし、私も約10年で定年になる。固辞したものの、最後に親しいのり子に「現役がいなくなるので、廃部は覚悟している。全てをお任せする」と言われ、断りきれなかった。以来、年に2回、バスをチャーターして、山岳会員以外にも参加を呼びかける登山大会を企画。好評に気をよくして泊りがけ山行も考え、2006年秋、志賀高原の山荘に1泊しての四阿山行を計画した。時間的に下見をする余裕がなく、ぶっつけ本番だったが、長野新幹線で来た東京在勤者も含め21人が参加した。初日は雨だったが、2日目の登山日は一転して秋晴れとなった。

　10月9日7時。バスで志賀高原を出発、上田菅平ICから菅平牧場を目指した。深田久弥が「根子岳と四阿山がなかったら菅平の値打ちはなくなる」と書いた菅平からスタートし、根子岳―四阿山―あずまや温泉・四阿高原ホテルへ縦走する計画で、その日のうちに帰名の予定だった。車窓からは、2山の山頂から裾野までのなだらかな山容が見えた。

　牧場手前で入山料を徴収された。「団体割引はないのかな」と言うと、誰かが「個人客に来てもらいたいんだよ、こういう所は。団体には道を譲ったり、場所を占拠されたり、とのクレームが来ているかもしれず、団体割

増にしたいんじゃないか」と言った。確かに団体には厳しい目が向けられるかもしれない。リーダーとして気を引き締めた。

8時50分菅平牧場登山口出発。黄葉の白樺林が真っ青な空に映えており「きれい」と歓声が上がった。カメラマンの服部は写真を撮るのに熱中した。ガレ場の急登を経て約2時間で根子岳に着いた。白い雪を戴いた穂高連峰や後立山連峰などが見え、山頂での小休止後、四阿山への稜線を下った。こう配があるガレ場の道は、鞍部に近づくと、傾斜が緩くなり、青々した笹が生い茂るようになった。名古屋近郊にありそうな笹原で、藪漕ぎ<ruby>藪漕<rt>やぶこ</rt></ruby>をしていると、鈴鹿にいると錯覚しそうだった。鞍部は根子岳に近かったため、登り返してからの距離が長く感じられた。周りが岩場の急坂を登りきったら平坦な道が少し続いた。

13時10〜30分四阿山。空気が澄んでいて、山頂からは八ツ、富士山、浅間山までが眺められ、北アの峰々の中に、特徴ある三角錐、槍（ケ岳）の穂先を確認できたときは、喝采が起こった。

下山は、往路を少し戻り、左折して菅平高原に向かった。それからもう一度、左折するのだが、分岐が分からず、小四阿を越え、ずい分下がってから、おかしいと地図を広げた時、当初予定していたコースの隣の尾根筋にいることが分かった。2回目の左折地点を越えていたのだ。そのまま下り続けて菅平牧場登山口に出る方策もあったが、バスに予約していないお迎え移動は頼みにくかった。下ってきた坂を登り直して戻るか、尾根を斜めに乗り越えて直接、あずまや高原に向かうか―。幸い、大パーティーながら足並みはそろっており、晴天にも恵まれたことから道なき尾根越えという判断をした。

終わり良ければ全て良し

ホテル到着は16時20分で、予定より約1時間遅れになった。あずまや温泉に入り、帰宅の途に着くと、急に暗くなった。日没まで時間があって幸いだった、終わり良ければ全て良し、と胸をなでおろした。

44
筑波山
Tsukubasan

877m

🌿 面白名前の巨奇岩に小躍り 🌿

　百名山中、最も低い筑波山は、難易度も際立って低い。女体山と男体山（871m）の双耳峰で、女体山にはロープウェイ、男体山にはケーブルカーが敷設されている。登山道も数本整備され、筑波山神社からのコースタイムは片道1時間半で、誰でも容易に登れる。名古屋―東京間は2時間かからず、日帰り登山も可能と思われたが、所用で何度かつくば市に出かけたところ、毎回、バスが渋滞などで遅れた。東京・八重洲口からつくば市まで1時間余のはずが、倍以上の3時間近くかかったこともある。所要時間が計算できないのはリスクになる。しかし2005年、つくばエクスプレスが開業して、東京・秋葉原―つくば間は45分になり、確実に日帰り圏内になった。そこで2006年秋、単独日帰りで登った。

　正午前、つくば市駅前から市内バスに乗り換え、筑波山神社で下車し、境内に入った。観光客は多いが、登山の格好をしている人はおらず、登山口に向かうと、ケーブルカー駅の分岐があった。名古屋からはるばるやって来たのに、8分で山頂直下の御幸ケ原まで行くのは、さすがにもったいない気がして迷わず登山口に進んだ。

生き物のようなケーブルカー

　緩やかな、大きな木々に囲まれた道は気持ちよく歩けた。途中『つくばねの峰より落つる男女川恋ぞつもりて淵となりぬる』という百人一首を説明する看板があり、ここが男女川の源流と紹介されていた。話し相手がいれば、話が弾んだかもしれないと思いながらも、だけど一人で高校の授

217

業を思い出すのも悪くない、とそれを打ち消す思いもあった。機械的な音が聞こえ、段々大きくなった。振り返ると、木々の間に溶け込んだケーブルカーが、まるで生き物がはうように登ってきていて、あっという間に通り抜け、再び静寂が戻った。御幸ケ原に着くと、広場で多くの人がいた。団体客のようで、添乗員の召集の声を背に、そのまま男体山に進んだ。

　男体山山頂はすぐ近くにあり、岩上の祠から周囲を眺めた。ずっと林の中で、天気を気にしていなかったが、雲の厚い日で、視界が悪かった。御幸ケ原に戻ると、わずかな間に誰もいなくなっており、ゆっくり昼食を食べた。女体山への道は、初め緩やか、最後に急で、男体山へのルートと似ていて、視界の悪さも、同じだった。

　下山は白雲橋コースとした。巨岩や風変わりな奇岩、中には頭上に落ちてきそうな岩も現れ、『弁慶七戻り』とか『胎内くぐり』など面白い名前が付けられていた。体をよじったり、すき間をくぐったり、岩場好きとしては小躍りする気持ちで通った。岩場から樹林帯に入ると、変化のない地味な道になり、筑波山神社の石段が見え、登山は終了。神社前の飲食店でうどんを食べ、バスの時間まで土産店を見て回った。ガマの油売りで有名なだけにガマガエルの置き物が目立った。店主は「失せもの返る、とか、病院から帰る、などと、皆さんが縁起を担いでお土産にしています」と言ってきた。そうか、いろいろな山から無事に帰れますように、と願をかけ、中と小の焼き物を買い求めた。

　2019年正月。竹下から「筑波山で百名山達成」との年賀状が届いた。さすが大塚の仲間、彼の知恵が生きている、と感嘆した。筑波ならば、季節や天候に関わらず、登山経験がない高齢の家族や幼少の孫たち家族でも、一緒に山頂を踏んで百名山登踏を成し遂げた瞬間を祝福できるだろう。日帰りは可能だし、山麓に筑波山温泉があり、泊りがけも楽しいかもしれない。もしも、百名山に登り始めたいという人がいたら、私もこうアドバイスしてあげよう。

　「筑波山には簡単に登らないこと、いつでも登れるから取っておけばいいですよ」

95
九重山
Kujyusan

1,791m

白黒半々の御池の湖面

　2006年師走間近。ヨーコから九州旅行に誘われた。仕事の担当が変わり、年末は予定がぎっしり詰まっていた。「上旬で、山にも付き合ってもらえるなら考えるワ」と言うと、OKの返事で、12月最初の土、日、月曜日の2～4日に久住山登山と九州北部観光が決まった。ただ、準備期間不足で、手配できたのは2日朝一番の往路、4日最終便の復路の各航空券と福岡空港でのレンタカーだけで、宿は当日、福岡空港の観光案内所にぶっつけで紹介してもらうことにした。

　12月2日。JALの機中で、ヨーコは機内誌を広げ、九州の秘湯特集の中の赤川温泉の紹介記事に気付いた。「赤川荘には洞窟風呂があって面白そう。久住山麓で立地も申し分なさそう」。空港到着時に、ダメ元と思いつつ電話をすると、予約できた。九州国立博物館や石橋美術館を回り、赤川荘にチェックインして、露天風呂に行くと、白濁の湯の奥に洞窟、さらに滝まであった。「オフシーズンだからといっても、当日申し込みでも、野趣に富む、こうしたユニークな温泉が空いているとは」。ともに旅行好きでもあるが、当日予約での宿泊は初めてだった。

　12月3日。やまなみハイウェイ最高地点・牧ノ戸峠に向かい、8時20分到着。九州で、まだ師走の入りなのに、意外なことに草や石、地面までが真っ白な霧氷で覆われていた。空気中の水分が凍る霧氷は、気温が上がると、先端から溶け始めるが、草の葉などの先端はすべて白く尖ったまま。やはり標高1,333mの高所だった。私たちはシーズン初めての冬の光景に、嬉しさの半面、気を引き締めた。道路は凍っていなかったけれど、帰りも

凍結しないとはいえない、早く下山しなければ─。

子供連れで霧氷見学？

　駐車場に車は思いのほか多く、子供連れの家族も目立ち、高原のシーズンは、のどかな春から秋までというイメージが覆された。もっとも、私たちのように師走に備え、ひと休みという人もいるだろうし、地元では、ノーマルタイヤで霧氷見物できる、と有名なのかもしれない。前年だったか、三重・奈良県境の高見山に樹氷見物に出かけていた。

　8時45分登山口を出発した。最高峰・中岳と久住山連山の名前が付いた久住山（1,787m）両山を回るつもりだった。歩き始めると、霧氷は道路真ん中から溶け始めたが、積雪はないので、ぬかるみにならなかった。沓掛山展望台に約30分で到着。家族や団体など大抵の人はここで戻っていった。

　沓掛山からは、急な岩場が現れ、そこを乗っ越すと、なだらかな傾斜地になった。地図には、西千里浜と記されており、確かに雄大な浜辺のような場所で、先にはケルンがいくつも積まれていた。久住分かれで、久住山に向かった。路肩の石は次第に大きくなり、坂の斜度が増した。

　11時10分久住山。雲が多くて景色は見えず、寒さのためザックを下ろすことなく中岳へと急いだ。下山中、雲がどんどん厚く黒くなり、暗くなってきた。霧氷は、解けかけていたのを止め、白いままになった。右手の丘を巻いて行くと、小さな池が眼前に現れた。御池だ。湖面は、手前が山に遮られて太陽が当たらないため凍った白色、凍っていない奥が黒みがかった灰色で、まるで水墨画だった。冬の池には強い印象をもったことがなかったが、凛として魅力的だ、と縁を歩いて感じた。

　正午〜12時15分中岳。先客がいたが、私たちの姿を見て、天狗ケ城方面に降りていった。天気は下り坂になりつつあり、私たちは天狗ケ城経由でなく、来た道をピストンで下り、14時30分牧ノ戸峠に戻った。それから夢大橋に立ち寄り、朝、予約した湯坪温泉の民宿『芽』に宿泊。翌日は佐賀城や吉野ケ里遺跡など観光を楽しんだ。

16
月山
Gassan
1,984m

雪の足元は月山神社

2007年4月下旬、山形県の月山に登りたい、と考えた。なだらかな山容で、初級の技術で登れる山である。しかし、時季外れで、残雪の見当はつかず、連れはいない。月山朝日観光協会に電話したら、4月中旬に夏スキーゲレンデが開設され、夏までスキーができる日本でも有数の雪深いエリアという。雪山の単独登山は力不足でできない。「では、山岳ガイドをお願いしたい」と伝えたら、ガイド・設楽國雄を紹介してもらえた。

設楽に打ち合わせの電話で「バスで西川町に向かい、月山に登りたい。雪上訓練で雪山に入ったことはあるが、ここ数十年、スキーに行っておらず、雪山も歩いていない」と伝えると、後に概要が伝えられた。▽27日8時半、月山ロバス停で待ち合わせ▽スキーリフトを利用、終点から山頂までピストン往復▽所要時間は午前中の半日▽雪が深くアイゼン必携、ピッケル不使用、ストックは使ってもいい—。

27日。設楽と合流し、協会事務所でガイド契約手続きを終え、旅館『まいづるや』に荷物を預けてリフト乗り場に行った。平日なのにスキーヤーは多く、混雑したリフトを乗り継ぎ、スキーヤーのいない山の方に移動した。そこでルート説明を聞いた。「二つのなだらかな山が見えますが、山頂はその鞍部の右側です。これから左側の山の中腹を斜めに登り、鞍部から稜線伝いに進むと山頂です。アイゼンは少し先で着けましょう」

太陽は見えないが、明るくて登山日和と思われた。ただ、結構急斜面で、進み始めたら、足の下の雪は、不気味な蒼氷に変わっていた。気温が低いみたいだ。薄気味悪くなり「アイゼンを着けていいですか」と尋ねた。

「そうですね」と設楽。ザックを下して準備をしていたら、アイゼン袋が私の手から離れ、谷の奥に流れて落ちていった。取りに行こうとすると「拾ってきますのでアイゼンを履いていて下さい」。さほど登ったとは思わなかったが、随分上まで登っており、あんなに下りたら体力を消耗した、と思われた。私の不注意なのに、と感謝した。

　体勢を立て直してからは、鞍部まで順調に進んだ。アイゼンは効き、頼りになった。鞍部でひと休みし、稜線を歩き始めと、それまでの固いだけの氷は、雪が混じってミックス状態になり、タイミングが狂って歩きにくくなった。ところどころに雪塊もあり、足を取られやすい。強風まで吹いて、晴れながらも暴風の様相になった時、東沢コースとの合流点などの説明も受けたが、進むことで精いっぱいだった。

　傾斜がなくなり、その先にはもう何もなかった。「山頂です。頑張りましたね。夏季営業の山小屋は氷の造形物に化けています」と設楽。座りながら目で一帯を追っていると「月山神社の上にいるのですよ」と笑われた。確かに体の下には、屋根があった（**写真**）。「お社を下にして、罰が当たってしまいそうですね」といいながら身を正し、手を合わせ、氷交じりの月山登頂を感謝した。遠くまで見渡せなかったが、満足だった。

　下山は、雪氷が緩んできて歩きやすかった。登山時にはあまり話ができなかった設楽との会話も弾んだ。「月山は夏がベストです。花の種類も数も多く、池もあり、見てもらいたいですね。四方にルートがあり変化も楽しめます。湯殿山や羽黒山など三山参りもいいですよ」

　最後はリフトを使わずに下山し、ネイチャーセンターを見学し、16時にまいづるやに戻った。夕食の膳には、タラの芽やコシアブラなど山菜の天ぷらが並んでいた。痛いほど強い風だったけれど、心底冷えてはいなかった、春がすぐそばに来ていたのだ、と思った。

17
朝日岳
Asahidake

1,871m

🌿 曇天時と晴天時の山頂展望 🌿

　変則勤務の仕事は2007年8月1、2日が休みだった。7月31日も休みなので3連休になる。思いがけない夏休みだ、遠くの山に登ろう、と「朝日岳にも同行します」と話していた設楽を思い出し、依頼の電話をした。「8月1日だけ空いています。古寺鉱泉からの日帰り往復なら可能です」とのことで即、お願いした。打ち合わせでは「前日の7月31日に新幹線山形駅まで迎えに出て、宿泊予定の古寺鉱泉手前にある大井沢・江戸屋旅館まで送ります」とも言ってもらえた。

　8月1日4時半。江戸屋に迎えに来た設楽車で古寺鉱泉に向かい、5時に登山口を出発した。いつ降り出してもおかしくないような曇天。長年、8月第1週は好天を経験してきたが、緯度の高い東北の夏山では通用しない、と思った。ジグザグの急坂をゆっくり進んだ。大きい山はゆっくりでも確実なペースで登るのがベストなのだ。約1時間後、雨が降り始め、カッパを着た。雨量は少しずつ増えたが、ひどい降りにならず、ずっと同じペースで歩くことができた。

　うっそうとしたブナ原生林に明るい場所があった。「去年の台風で木が倒れてしまったからで、恐らくキノコが出ています」。設楽はそう話しながら林に入り、キノコを抱えて戻ってきた。「ヒラタケです。煮物にするとおいしく、みそ汁の具にもいいんです」。キノコ博士の解説に、食用と毒キノコの見分け方を尋ねた。「私はすべてのキノコを知っているわけじゃなく、食べられるキノコを知っているだけ。例えばこのヒラタケ、毒キノコのツキヨダケと外観がほぼ同じだけど、ツキヨダケは傘を割ると、墨の

ような点があります。採ったらその点を確かめれば、それで十分なのです」。
簡単かつ明瞭だった。

　ハナヌキ峰を越え、古寺山に着いた時「これでコースのほぼ半分」と
いわれ、山頂まで一体いくつのピークが？　と不安になった。百名山には、
登下山を繰り返さなければならない長丁場の山があることを理解はしてい
たが、大朝日岳は初めての"いくつものピーク越えの山"だった。小朝日
岳から岩だらけの稜線を登り、大朝日避難小屋に着いたが、先に山頂に、
とそのまま進み、大朝日岳に登頂。雲が厚く、視界が悪かったので、すぐ
に小屋に下りた。

　登山中は誰にも会わなかったが、小屋の中は、雨宿りの人でにぎわっ
ていた。無人小屋だが、シーズン中は管理人がおり、設楽の知り合いだっ
た。久しぶりに会ったらしい二人は、タキタロウで有名になった大鳥池に
今も釣り客が来る、とか、泡滝ダムから朝日鉱泉までの縦走者が大鳥小屋
までの道に蛇がウジャウジャいて泣いていた、など、以東岳経由ルートの
情報交換をしており、興味深かった。

　下山のために立ち上がると「晴れたよ」と大きな声が聞こえ、外に出
たら遠くの山並みがくっきり見えた。設楽に「もう一度、登りましょうか」
と言われ、再び、登り約15分の山頂に立った。北の方角には雲が残って
いたが、三方は鮮明に見え、雪を抱く西朝日岳や登ってきた小朝日岳など
のルートが手に取るように分かった。1日に2度、異なる景色の山頂に立
てるとは、ラッキーが重なった。

終ったはずのヒメサユリ

　復路は、景色を見ながら下った。小朝日岳近くで、設楽はヒメサユリ
を見つけ「風雪をしのぎ、こんな岩れき地帯で咲いて健気でしょう」と紹
介した。季節が終わった初夏の花だが、山を知り尽くしているので探し出
してもらえた。有名なY字沢は、直線的で大胆でインパクトが強かった。
17時少し前に古寺鉱泉登山口に戻り、寒河江駅前のホテルに送ってもらっ
た。ガイドのおかげで、また充実した山行を堪能できた。

60
御岳
Ontake

3,067m

🌿 あまりにも人工的な石階段 🌿

　社内山岳会会長として2007年も前年同様、バスをチャーターして1泊2日の日程で「おんたけさん（御岳山）」として親しまれる御岳に登頂する登山大会を開いた。前日、足慣らしとして御岳の展望台といわれる岐阜県二ツ森山に登った後、麓の中津川市で宿泊。翌早朝、長野県大滝村の田ノ原に向かい、王滝口から入山し、御岳の最高峰・剣ケ峰に登頂後、黒沢口へ下り、最後は御岳ロープウェー利用で下山—という計画を立てた。

　9月24日6時。中津川を出て、事前に手配した弁当を受け取り、8時30分、田ノ原に着いた。登山口で空を見上げると、少し雲がかかってはいたが、逆にいえば暑くない、登山には最適な天候で、登山者も多かった。9時王滝口を出発、まず信仰の山らしい大きな鳥居をくぐった。初めのうちは背丈の低い木々に挟まれた緩やかな傾斜の登山道だったが、森林限界を越えると、大きい岩が転がるようになり、高山らしくなった。時々、傾斜のきつい斜面に木造の小さな祠が立っているのを、感心しながら眺めた。10人の参加者の足並みがやや乱れかけた時、山頂小屋が見えたが、到着までには割と時間がかかった。

　11時10〜40分9合目大滝頂上（**写真、226ページ**）。頂上という名前に喜んだものの、いくつかのピークの一つで、剣ケ峰の9合目と判明、そこで昼食をとった。剣ケ峰はすぐ先に見えたが、石だらけの道は想像以上に距離があり、そこから約1時間かかった。

　剣ケ峰山荘脇にある御岳頂上奥社のまっすぐな階段を登った。13時〜13時10分剣ケ峰。この階段は、明るい灰色の立派な石をふんだんに使っ

た立派なしつらえで、大自然の中の 3,000 m 峰ではちょっと人工的すぎる感じだった。

7〜6合目はロープウェイで

下山は、エメラルドグリーンの二ノ池、8 合目の女人堂を通過し、7 号目にある飯森高原駅からロープウェーに乗って 6 合目の鹿ノ瀬駅で下りた。12 時 30 分登頂の予定が約 30 分遅れてしまい、それからは全て 30 分遅れだったが、全員、何事もなく、無事に山行を終えた。

社内山岳会ではその後もバスをチャーターした登山大会の企画を続けたが、泊りがけ山行は実施しなかった。私は会長を定年まで務めたが、新会員は入らないままで、伝統ある会の運営を誰にもバトンタッチできなかった。それでのり子に協力してもらい、記録を調べ、最高齢 93 歳をはじめ、在籍した全会員に廃部を理解してもらい、2012 年に会社に廃部届を出した。この時、会員が積み立ててきた遭難救助費をどうするかたずねた。寄付、分配を上回って「記録などをまとめて」との要望が多く、会報として出版し、関係者などに配布した。昨今の若い人の登山ブームを見ると、今なら山好きの、世話役をいとわない人材を社内で見出せたかも、と想像する。もう少し、早くに登山がブームになっていたら、と残念でならない。

48
劔岳
Tsurugidake

2,999m

🌿 岩雪崩の一部始終を目撃 🍃

　新田次郎の小説『点の記』で劔岳に憧れたが、登る機会はなかった。50歳ころ、けがや病気で山から離れる山仲間が相次いだ。自分も山から離れざるを得なくなったら—。仮定して最も悔やむと思ったのは、劔に登っていないことだと気付き、機会を探っていた。金沢への単身赴任を打診された時、仕事の大変さの一方、劔が近いことも考えた。なのでヨーコに転勤話を打ち明け「夏に一般道で劔岳に登ろうと考えているけど、一緒に登る？」と誘ったら、OKの即答だった。

　2008年3月に金沢生活がスタートし、GW明けから計画を練った。二人とも、夏山登山時期には、梅雨明け直後は雨が残る場合もあるけれど、8月第1週は晴れでベスト、と確信してきた。そこで8月1日にヨーコが来金し我が家で仮眠、2、3日に登頂、4日予備日と決め、7月早々に往復の富山地鉄バスと剣山荘、下山後のホテルを予約した。

　8月2日未明。私の車で富山に向かい、地鉄ビルに駐車。6時30分始発の室堂直行バスに乗り、9時に室堂に着いた。上々の天気で、3日も期待できた。雷鳥平から劔御前岳を巻く道を通り、15時に剣山荘に入った。建て替えて間もない小屋は、一人用のベッドに清潔で暖かい布団が整い、驚いたことにシャワーがあり、温かい湯で汗を流した。

　8月3日4時35分剣山荘出発。一服劔を経て、5時45分に前劔岳に着いた。薄闇は青空に変わり、正面には迫力ある劔岳。登山道も、長年想像していた通りの鋭角の岩場続きで、細心の注意を払いながら進んだ。人の踏み跡が白く残り、岩そのものもがっしりして、ぐらつくようなことが

ない。『かにの横ばい』はさすがの高度感だったが、スタンス、ホールド
とも安定しており、手こずることはなかった。

7時17〜55分劒岳。先客はすぐに下山をし、盛夏日曜日でも、しば
らく二人きりだった。石造りの社に「来られて良かった」と感謝の気持ち
で手を合わせた。周囲は、遠くは霞んでいたが、立山や早月尾根、足の下
の岩場などの景色を眺め、ぜいたくなひとときを満喫した。

猛スピードの赤いヘリ

ところが下山中、前劒で肝を冷やす光景を目撃した。正面の岩峰を「見
納めだね」と眺めていたら、パラパラッという音が聞こえ、直後に「ザ
ザーッ」と地響き、さらに谷底で大音響が鳴り響いた。岩雪崩だ、と気付
くよりも早く、上からの大小の石や土ぼこりが眼前を覆い、それが一気に
谷の方に移っていった。座ってしばらくのタイミングで発生し、最初から
最後まで見届けてしまった。すぐに背筋がゾクッとしたものの、最初に言
葉を発したのは、一息置いてからだった。「早く下りていて本当に良かった」
「遅かったらまき込まれて危険だったね」「登山者は多ければ、危なかった
けど、少なかったよね」「よく起こるのかなあ」「どこかに注意看板みたい
なの、あったよね」「やっぱり劒は怖い」

10時54分〜11時30分。剣山荘で昼食。二人とも岩雪崩を見て疲れ
たのか、別山乗越あたりから歩みが遅くなり、室堂到着は16時20分で
17時の最終バスにギリギリだった。切符を買ってから外に出ると、赤い
ヘリコプターが猛スピードで劒の方に向かうのが見えた。今になってあの
下に人がいたことが分かったのだろうか、と思っていたら、ヘリはトンボ
帰りし、またすぐ折り返し、劒に向かって行った。

8月4日朝。富山駅前のホテルで、各新聞の劒岳岩雪崩の記事を探し
たが、見つけられなかった。大変な岩雪崩と救助ヘリ往復でも、記事にな
らずに済む出来事だったのだろうか。にしても、と思った。山では、石を
落としたくないし、また、落とされたくない。とすれば、落石の危険性の
高い劒には登らないことだ。初めて登れて本当に良かった、けれど、これ
から登ることは、もう二度と、絶対に、ないだろう。

50
薬師岳
Yakushidake

2,926m

🌿 圧倒された雪渓を抱いたカール 🌿

　金沢時代の2009年夏も、ヨーコと薬師岳に登った。前年同様、8月第1週土曜日の1日夜に来金し、我が家で前泊。2日に入山し太郎平小屋泊、3日に下山の1泊2日で、登頂は3日の予定だったが、天気が悪ければ2日も視野に入れた。7月中旬、小屋に予約電話を入れると「今夏最高の混みようになりそう。布団一組に二人です」と言われた。混んだ山小屋は、運良くずっと回避できてきたから、30年ぶりくらいだろうか。年を重ね、昔以上にわがままになったけれど、1泊なら我慢できるし、一睡もしなくても翌日はピストン下山だから大丈夫、と覚悟を決めていた。

　2日未明、金沢を出て5時半頃、有峰林道亀谷料金所に着いた。開門の6時には早過ぎたので、ゲート前の先頭に陣取り、並んでいたら、わずかな間に数台の後続車が並んだ。折立に近づくと、随分手前から縦列駐車が目立った。しかし、下山の人もいるはずだから、と当たりを付けて前進し、登山口に近くに空いた駐車場を探し出した。

　6時50分。二人では30年余ぶりになる折立を出発した。今回は共にザックが小ぶりで荷物は軽く「前回の3分の1に満たないかも」などと昔話に花が咲いた。8時15～30分三角点。のんびりと備え付けベンチで休んでいたが、雲が多く、いつ降ってもおかしくない天気。様子見で、登山を今日にすることも考えようと話し合った。広々と丸いような尾根歩きになると、視界が広がった。なだらかで、草原のような斜面。木道は、石を敷き詰めた階段状の幅広道に変わり、単調になった。五光岩ベンチを過ぎると、薬師岳の稜線がぼんやりと眺められるようになっていた。天気は微

妙だった。

11時40分太郎小屋に到着。宿泊手続きを終え、翌日の天気予報を聞くと「今日と同じで、よくありません」という。時間的にはきついかもしれないけれど、この日のうちに登ってしまおう、と判断した。

薬師岳山荘は建て替え中

大きな荷物を部屋に入れて身軽になり、小屋を出ると、それまで整備されていた道は、岩混じりの北アルプスらしい道に変わった。今日の宿泊者は多いというので、薬師峠のテント場には、テントがぎっしり張られているだろうと思いきや、スペースに余裕があった。きつい坂道から稜線に出てまもなく薬師岳山荘に着いた。当初はここに泊まろうと考えていたが、建て替え中で営業はしていなかった。入り口が開いており、中を見たら人がいて「来年から快適に泊まれますよ」と話した。

再びの白い砂れきの尾根道を登り詰め、遮るものがない広場のような場所に出ると、大きなとんがったケルンがあった。三八豪雪と言われる昭和38年1月に13人全員が遭難した愛知大学山岳部員の遭難慰霊碑だった。周囲には登山者の姿はなく、風も、音もないシーンとした無彩色の世界だった。手を合わせて先を急いだ。

14時55分〜15時05分薬師岳。午後3時という時間は遅いには違いないけれど、8月第1日曜日なのに、ここにも誰もいなかった。三角点に触れ、石を載せた四角い屋根の薬師如来を祭った祠に、無事登頂の感謝の気持ちで再び手を合わせ、少しだけ休んだ。

下山は、周囲の景色を眺め、ゆっくり歩いた。雪渓を抱いたカールはスケールが大きく、圧倒された。薬師岳は雄大なだけと思い込んでいたけれど、魅力的なカールがあるのだなあ、と見直した。17時すぎ、小屋に戻った。部屋は4人部屋で、そこに新潟県からの3人、京都と埼玉各一人ずつの計7人の女性が振り分けられた。

8月3日。下山後、亀谷温泉に立ち寄り、シルバーウイークには鍬崎山に登る話がまとまったが、1カ月半後、登山の途中で敗退し、結局、金沢発のヨーコとの遠出して登った山は、薬師岳が最後だった。

58
焼岳
Yakedake
2,455m

🌿 安房峠カーブ近くの登山口 🌿

　上高地の手前から岐阜県平湯温泉へ向かって安房峠を越す時間は、旧道だと30分かかったけれど、1997年開通の安房峠トンネル経由だと、わずか5分という。焼岳登山の最短ルートといわれる新中ノ湯ルートの登山口は、長野県側の旧道の安房峠11号カーブ近くにあるとのことで、そこをよく知る人でなければ、登山口に辿りつけないと思っていた。ふるさと山の会で親しくなった谷内山正子から「焼岳が好きで毎年、一人で日帰り往復している」と聞き、機会があれば同行したい、と頼んでいたら、2009年夏に実現した。

　8月23日5時。金沢を谷内山車で出発し、神岡、平湯温泉から旧道に入り、7時45分旧安房峠11号カーブに到着した。標高約1,600m。晴天の日曜日で多くの車が路肩にとまっていたが、何とか駐車スペースが見つかった。近くには満車ながら駐車場があり、山側には『焼岳登山口』という目印もあった。

　8時登山口出発。登山道は、すぐに木々がうっそうとして暗くなり、その景色は変わらず、登るだけの単調さだった。飽きたなあ、と思った時、赤くなり始めたナナカマドがあり、樹林帯を抜けると、周囲が明るくなり、焼岳の二つの峰が見えた。

　傾斜が緩くなり、中ノ湯ルートとの合流点があり、その先で休憩した。これから登る北峰と登山禁止の南峰が仲良く並んでおり、中間の鞍部付近の岩肌のあちこちからは火山ガスが噴出していた。真っ青な空の下、周囲には人が多く、白っぽい岩山をスケッチしたり、写真を撮ったり、コンロ

で湯を沸かしたり、寝ていたり、半分くらいは、ここが目的地かのように寛いでいた。

登山道は、再び急になり、登山道の脇には、火山地帯なのにリンドウが咲いていた。両側の噴煙口は、硫黄で鮮やかなクリーム色に変色。「シューシュー」というガスの噴き出る（**写真**）音がおなかに響き、火山特有の硫黄臭が鼻を刺激するなど五感で火山が近いことが分かった。正午、双耳峰の鞍部に到着。水色の五角形をした火山湖のビューポイントで、風向きが良かったからか、硫黄臭はなく、ホッとした。

12時40分〜13時10分焼岳北峰（2,393m）。南峰は登れないので、ここが私の焼岳になる。凸凹ながら広い山頂には多くの人が景色を楽しんでいた。西穂、奥穂、前穂、吊り尾根などの穂高連峰が手に取れるように近く、笠や槍、乗鞍などまで三百六十度の展望も楽しめた。さわやかな風が吹き、眼下には上高地。「若い頃は不便でも通ったのに、安房トンネル開通で便利になったのに、行ってないなあ」とつぶやいたら、谷内山は「ルートを変えてもいいよ。一度上高地に下りてみたいと思っていたの。駐車したカーブまでは、登りになるから1時間以上歩くことになるけど、いいよね」。ピストンは急きょ、新中尾峠経由の縦走に変わった。

昼食を広げながら、そばに座っていた女性と話をしていたら、愛知県扶桑町からの19人グループとのことで、名古屋に近く親しみを感じた。今朝、町内を出て、この日のうちに帰宅予定というから、焼岳は今、名古屋からも日帰り範囲になったのだ。

なつかしい上高地に下山

上高地への道は、山頂直下の大岩のガレ場を越えると、尾根上に踏み跡が付き歩きやすくなった。青空にイワシ雲がかかり、曇ってきた。旧中尾峠近くのアップダウンを過ぎると、辺り一面が白い霧に巻かれた。新中

尾峠の焼岳小屋を越えると、鎖やロープが設置されたちょっとした難所が現れた。往路は単に力任せに登るだけだったが、一転して技術や度胸が必要で、同じ山でも随分表情が違う。そう思っていたら、終盤近く、垂直な岩場に長〜いはしごまでも登場した。

16時焼岳登山口。遅くなったので、歩かずにバスで行けるところまで行こうと、上高地のバスターミナルに向かった。歩道などが見事に整備され、上高地ではないようで戸惑ったが、梓川の流れの畔を歩いているうちに、ここは幾度もなく歩いたことがある、ほぼ同じ季節の夕暮れ時も、と遠い昔の記憶がまだらに蘇ってきた。

バスは次々と発車していた。新中ノ湯登山口は新中ノ湯温泉に近く、バスがあるなら乗ろう、と切符売り場に並び、その旨を告げると「バスはない。釜トンネル出口で途中下車するなら、沢渡行きに乗ればいいが、最終は17時発」と言われた。釜トンネル出口は、かつての中ノ湯であり、そこから歩けばいい。もともと上高地に下りると決めた時、二人とも上高地から歩いて11号カーブまで戻るつもりだったのだ。

最終バスを釜トンネル出口で下車し、昔の中ノ湯があった方向を眺めた。川に沿うように建て増しされた建物や昼間から人が入っていた露天風呂は、跡形もなかった。上高地に行くたびに車窓から露天風呂を見て「一度入ってみよう」とヨーコと上高地に下りてからまっすぐ帰らず、泊まったこともあったけれど、そうか、もう中ノ湯はないのだ、と受け入れた。

駐車場までは、道迷いの心配のない車道で、天気も良かったが、日没が迫っていた。ヘッドランプを準備していたら、背後から車のランプの光が当たった。振り返ると、上高地から下りてきた空車タクシーで、合図をしてとめ、11号カーブまで行ってもらえるか、尋ねると、「OK」と言われ、乗車した。タクシーに遭遇できた時間に運の良さを思った。

18時。駐車した場所に着き「平湯に来たのだから」と日帰り温泉に立ち寄った。19時30分平湯を出て、22時30分に金沢に戻った。ルート変更により長い山行になったが、変化に富んだ縦走路、懐かしい上高地への下山に加え、中ノ湯跡も見られ、最後まで充実していた。

24
那須岳
Nasudake

1,917m

🌿 主峰・茶臼岳に全 11 人登頂 🌿

　百山会で那須岳に登ったのは、高柳から栃木県那須町のニキ美術館閉館の話を聞いたからだ。高柳の長女・有希の夫である黒岩雅志が美術館館長だが、今後は作品を倉庫で保管するため、普通では見られなくなるという。アート大好きの会員もいることから、ニキ作品に触れ、ロープウェイで那須登山を、との話が発展。名古屋から各新幹線を乗り継いでの2泊3日計画が決まった。私は金沢にいたため、平野に企画や様々な手配など骨折ってもらった。

　2009年8月29日13時。参加者計11人は、那須塩原駅で黒岩夫妻と顔合わせし、黒岩に借りた車とレンタカー1台をアシとし、地ビールレストランで昼食。それから那須の自然に溶け込んだ美術館を訪れ、カラフルな大作を拝見し、在りし日のニキを思い浮かべた。

　夕方、ホテルビューパレスに入り、翌日登頂の最終的な打ち合わせをした。那須岳は、主峰・茶臼岳や最高峰・三本槍岳、さらに朝日岳などからなる山域の総称で、茶臼岳はロープウェイで中腹まで登れる。当初は、茶臼以外にも登ることを考えていた。しかし、希望を聞くと、高柳や遠藤、福田功などは「茶臼岳往復で十分」といい、縦走組と茶臼岳往復組の2組に分かれて行動し、夕方ホテルで合流することになった。百山会がスタートしてから13年、会員はそれだけ年を取った、茶臼にはロープウェイがあると安心していたけれど、全員が山頂に到達できない場合も考えなければならないのか、と危ぶんだ。

　8月30日8時50分。ロープウェイ・那須山麓駅に着くと、切符売り

場には長い行列ができていた。幸いというか、並んでいる最中に山田が「JAFカード割引があるじゃないか」と気付いてくれた。1枚提示すると、5人分が割引料金になり、11人いたので、お得感は大きかった。以来、必携にしている。約4分、ロープウェイに乗り、那須山頂駅から駅前の広場に出ると、火山特有の砂混じりのような光景が広がっていた。

　9時40分山頂駅出発。幅広の緩やかな登山道を進むと、驚く速さで追い抜く若者や高いヒール靴の女性など若い人の姿も多かった。11人は各自のペースで登った。

　10時20分。小形、服部、平野浩司、ヨーコと私の計5人の縦走組は、ガレ場の火口周りを回り、茶臼岳山頂に立った。那須連峰や日光連山も見渡せるはずだったが、曇りで見えなかった。そのうちにバラバラで登ってきた会員が集まり、その数は合計11人全員。気弱なことを言う会員もいたけれど、全員が登頂でき、うれしかった。10時50分。往復組と別れ、朝日岳に向かった。多かった観光客も茶臼往復らしく、人の姿はなくなり、道の譲り合いは不要になった。

　峰の茶屋跡という風情のある名前の避難小屋の前を通過すると、恰好のいい朝日岳とそこに至るルートが見えた。険しい岩山の中腹を削った水平道を、左上に剣ケ峰、右下に切れ落ちた谷を見て、気を遣いながら巻いた。続いて厄介そうな岩稜帯の尾根道となったが、鎖が張られていた。三本槍と朝日岳の分岐から急坂を登った。

　12時5〜40分朝日岳山頂。三本槍に行く予定だったが、疲れが出た会員もおり、ここで引き返すことにした。深田久弥の那須岳は、三本槍も含んでいるけれど、私の那須岳は、11人の参加者全員が登頂した主峰・茶臼なのだと考えた。このころから百名山には浅間など入山できない山もあり、深田の足跡を同じように辿れないことについて考えていた。昼食を食べ、一帯を少し歩き、14時峰の茶屋跡。県営駐車場からはアスファルトの道を経て、15時15分ロープウェイ駐車場。その晩、11人は、全員那須岳登頂を祝い、祝杯を挙げた。翌日はゴルフ、町内観光、二期倶楽部でランチの3組に分かれ、私はランチ組になり、レストラン周辺の散歩も楽しんだ。

31
雨飾山
Amakazariyama
1,963m

🌿天気判断ミスで渇きの苦しみ 🌿

　"あまかざり"という美しい響きの山を知ったのは短大時代で、小野寺と「小谷温泉から登りたいね」と話していた。社会人になって実行したのは、共に愛読していた『キネマ旬報』に、当時の話題の映画『人間の証明』の撮影は「原作にあった群馬の霧積温泉ではなく、長野の小谷温泉で行われた」とあり、心を動かしたからだ。しかし、学生時代とは違い、仕事を終えてから夜行列車に乗り、大糸線中土駅からバスに乗り換えて小谷温泉に着いた時は、二人ともバテ気味だった。山田旅館に荷物を預け、登り始めたが、早々に撤退。その後の再計画は、豪雨による鉄道不通となり、二人で登る機会を失った。そんな雨飾山に2010年6月、ふるさと山の会から誘われた。金沢勤務は前年10月までで、名古屋に戻っていたため、金沢で定宿にしていた都ホテルに前後泊して登った。

　6月20日。5時の出発予定は、会員が早く集合したため、15分早まり、8時前に雨飾山登山口に着いた。広い駐車場には何台もの車がとまっており、きれいなトイレが設置され、30年余前には不便で静かだった山麓は大変貌を遂げていた。

　8時10分。21人の参加者は登山口を出発。まず、緩やかな登山道をトラバースした。天気予報は雨だったが、この日は最後まで降らなかった。前年同時期の鳴谷山では激しい雨で、凍えそうになったことを思い出していると、木の根が露出する急坂にかかり、前日までの雨によるぬかるみとの格闘になった。坂のピークを越すと、下降になり、明るい谷が見えてきた。

　10時〜10時15分荒菅沢。蒸し暑い日に残雪を通る風はさわやかだっ

た。ミニ涸沢との別名がある沢の上に視線をやると、布団菱と呼ばれる菱形模様の岩峰は際立っていた。荒菅沢手前に咲いていた、薄紫色の、一度見たら忘れられないような大きな花・シラネアオイ（**写真、横**）は満開らしく、左岸を登るほどに花数が増えていった。やせた岩尾根の登山道は、難所にはしごが架かっていた。大変な急登だけに一気に高度を稼げ、荒菅沢はどんどん遠くなった。

　1,894m ピークを過ぎると、手入れの行き届いた芝生のような笹原が広がった。登山道は、原っぱを分断する線のようで、その奥にどっしりした岩山が見えた。二十歳ころからあこがれ続けながら、初めて対面した雨飾山だった。11 時 50 分雨飾温泉（旧・姫川温泉）との分岐点・笹平を通過し、なだらかな丘を越え、最後の急坂を一息で登った。

　12 時 20 〜 50 分雨飾山。南と北にピークがある双耳峰の南峰の石の祠の近く（**写真、下**）でザックを降ろし、北峰に足を延ばした。山頂から日本海を眺めたかったが、残念ながら視界が悪かった。

　下山は、個人的に忘れられない辛さだった。雨予報だったので、寒さ対策に気を取られて、暑さは考えておらず、飲料は１Ｌのお茶だけで、蒸し暑さで早々と飲み干し、予備の 500ml の真水にも手を付けてしまい、渇きに耐えていた。16 時 25 分。登山口に戻った時、泥まみれになったため、靴の洗い場に喜ぶ人が多かったが、私は自販機に駆けつけた。帰路、道の駅小谷の『深山の湯』に寄り、19 時 30 分金沢に戻った。最終の『しらさぎ』に間に合っていたのか、そういえばタフなメンバー揃いのこの会では予定より遅くなったことがない、と遅ればせに気が付いた。

8
幌尻岳
Poroshiridake

2,052m

膝丈水位で何度も渡渉

　額平川を20回近く渡渉するという高難易度の北海道・幌尻岳。登って
みたいけど、登れっこないと諦めていた。しかし、金沢時代にやはり高難
易度の笈ケ岳に登頂し、横井に「貴女ならどこの山でも大丈夫」と魔法の
言葉をかけられた。そうか、渡渉ポイントを教えてもらえるガイド付きツ
アーに参加すればいい。真に受けて探していたら、アルパインツアー社の
『日高山脈最高峰・幌尻岳登頂12名限定』があった。千歳空港集合解散
の3泊4日で、初日は日高町まで移動してホテル泊、2日目は幌尻山荘ま
で進み2連泊、3日目登頂、4日目は下山して千歳空港解散、という予定
で「天気や水量により、2日目と4日目も予備日に設定する。幌尻山荘は
避難小屋なので、各自シュラフ、マット持参で、食料運搬分担がある」と
いう注意書きも記されていた。それほど大変なところなのだ。だからこそ
思った時に行かなければ、と申し込んだ。
　2010年7月18日。千歳空港で、静岡や愛媛など各地からきた夫婦二
組を含む男性8人、女性4人の計12人パーティーが顔合わせした。その
晩、ひだか高原荘で、ア社のツアーリーダー・田中幹也から説明を受けた。
「しばらく雨が降っておらず、状態がいいので、20日に登頂します。明日
は未明に専用バスで取水施設手前の車止めまで行き、そこから8km歩く予
定でしたが、途中で車に乗り換え、ゲートまで送ってもらえることになり
ました。林道歩きが少しカットできるので、出発は午前7時にします」
　7月19日。バスに約1時間乗り、とよぬか山荘に着いた。2008年閉
校の旧豊糠小中学校校舎を利用した施設で7月1日にオープンしたばか

り。水飲み場では、トマトがバケツいっぱい冷やされており、それを振る舞われた。懐かしい木造の旧校舎、瑞々しいトマト—。長野で過ごした子供時代にタイムスリップしたみたいだった。小型車に乗り換え、ゲートで下車、林道を歩いて取水施設に

着くと、田中は皆に渡渉の支度を指示した。私は、登山用パンツを脱いでスパッツ姿になり、登山靴を、釣りが趣味の同僚に紹介してもらった渓流靴にはき替えた。

　額平川は、しばらく雨が降っていないと言われたが、水量は多く、水に勢いがあった。渡渉イコール沢登り、と重なるイメージを持っていたが、想像を上回る川幅の広さで、明るく、これが幌尻に至る渡渉なのだと合点した。危険な個所では田中と現地ガイド二人に確保してもらって渡った（写真）。水位は、川の真ん中では膝上まであったが、ルートの取り方が良かったおかげで、ほとんどは膝下までだった。地下足袋のような形の渓流靴は裏に滑り止めが付き、足になじんで歩きやすく滑ることはなかった。厚めのスパッツは濡れていても結構保温性があり、装備に助けられている感があった。

　昼すぎに幌尻山荘に着いた。北海道の標高950 m。風はないのに体は冷たく、濡れた渡渉装備を解き、乾いたものに着替えた。それから2階でマットを敷き、シュラフを広げて寝る場を確保した。19、20両日は定員いっぱいとのことだったが、就寝時はさほど窮屈ではなかった。田中は外で休んだので、その分、空いていたのかもしれない。

　夕食は、お湯を注ぐ味付けご飯とおかず、野菜サラダで、ご飯は食味がいまひとつのジフィーズ米を連想し、期待していなかったが、『尾西』というブランドの乾燥米は格段とおいしくて驚いた。1人前が袋に入っていて食器も要らない。山から遠のいていた時間の長さを実感した。

　7月20日曇り。起床すると、我々以外の宿泊者の姿はなかった。恐らく幌尻登頂後、一気に下山するのだろう。連泊の我々は6時に出発した。

山荘裏の標高尾根は初めから急なジグザグ道で、森林帯を過ぎ『命の水』で小休止になった。しかし、狭い急斜面で、座るようなスペースはなく、立ったままで軸足の上下の位置を変えながら休んだ。雨の日に立ったままの休憩は数えきれないほど経験しているが、晴れているのに腰を下ろさない休憩は初めてだった。

　ずっと視界が悪かったが、ハイマツ帯を越えたら、北カールを縁取る稜線で、目の前に大きな日高山脈らしい山々が眺められた。田中は、足元の広大なカールの向こうにある大きなピークを指し「あそこが幌尻山」と言った。一帯には、私たち以外はおらず、しんと静まり返っており、黒味を帯びた山頂は、寡黙で男っぽく、人に例えれば、日高を舞台にした映画『君よ憤怒の河を渡れ』の高倉健だった。眼前にありながら距離がある山頂を目指し、右の尾根伝いに弓形に回り込み、進んだ。

百名山踏破の瞬間に立ち会う

　正午前に幌尻山の山頂に立った。薄曇りだったが、周囲の山々を眺められた。東カール、戸蔦別岳—。北海道の山についてはよく知らなかったが、恐らくもう二度とここに来ることはない、と景色を脳裏に焼き付けた。田中が集合写真を撮影した時、年配男性が「自分のカメラでも撮影してほしい」と遠慮がちに申し出た。手にした大きな紙には『日本百名山達成　幌尻岳』と記されており、気が付いた参加者からは「すごい」「おめでとうございます」と大きな拍手が湧き起こった。初めて立ち合った日本百名山踏破の瞬間だった。

　下山は往路を戻った。小屋到着は早く、下山も可能のように思えた。今日の天気が悪かったら、明日登ってそのまま下山だったから、ツアーの計画には余裕があるのだ。

　7月21日。前々日の濡れたままの渓流靴とスパッツを身に付け、小屋を出て、再び川に入った。来たときと同じ豊かな流れだったが、緊張感はなくなっていた。ゲートに戻り、車からバスに乗り継ぎ、ひだか高原荘の温泉に入り、千歳空港で解散になった。翌年6月末の定年まで1年弱だったが、幌尻が在職中最後の百名山になった。

Memories

2015.7.26　聖岳

2015.9.10　野口五郎小屋

2015.9.21　魚沼駒ケ岳

2015.10.4　八甲田山山頂公園駅

日本百名山分布図

● 北海道
1 利尻岳
2 羅臼岳
3 斜里岳
4 阿寒岳
5 大雪山
6 トムラウシ
7 十勝岳
8 幌尻岳
9 後方羊蹄山

● 東北
10 岩木山
11 八甲田山
12 八幡平
13 岩手山
14 早池峰
15 鳥海山
16 月山
17 朝日岳
18 蔵王山
19 飯豊山
20 吾妻山
21 安達太良山
22 磐梯山
23 魚沼駒ケ岳

● 北関東・尾瀬・日光
24 那須岳
25 筑波山
26 燧岳
27 至仏山
28 武尊山
29 赤城山
30 男体山
31 日光白根山
32 皇海山

● 上信越
33 魚沼駒ケ岳
34 平ケ岳
35 巻機山
36 谷川岳
37 苗場山
38 雨飾山
39 妙高山
40 火打山
41 高妻山
42 奥白根山
43 四阿山
44 浅間山

● 秩父・多摩・南関東
45 両神山
46 甲武信岳
47 金峰山
48 瑞牆山
49 雲取山
50 大菩薩岳
51 丹沢山
52 富士山
53 天城山

● 北アルプス
54 白馬岳
55 五竜岳
56 鹿島槍岳
57 剱岳
58 立山
59 薬師岳
60 黒部五郎岳
61 黒岳
62 鷲羽岳
63 槍ケ岳
64 穂高岳
65 常念岳
66 笠ケ岳
67 焼岳
68 乗鞍岳

● 美ケ原・八ケ岳・中央アルプス
69 美ケ原
70 霧ケ峰
71 蓼科山
72 八ケ岳
73 御岳
74 木曽駒ケ岳
75 空木岳
76 恵那山

● 南アルプス
77 甲斐駒ケ岳
78 仙丈岳
79 鳳凰山
80 北岳
81 間ノ岳
82 塩見岳
83 悪沢岳
84 赤石岳
85 聖岳
86 光岳

● 北陸・近畿・中国・四国
87 白山
88 荒島岳
89 伊吹山
90 大台ケ原山
91 大峰山
92 大山
93 剣山
94 石鎚山

● 九州
95 九重山
96 祖母山
97 阿蘇山
98 霧島山
99 開聞岳
100 宮之浦岳

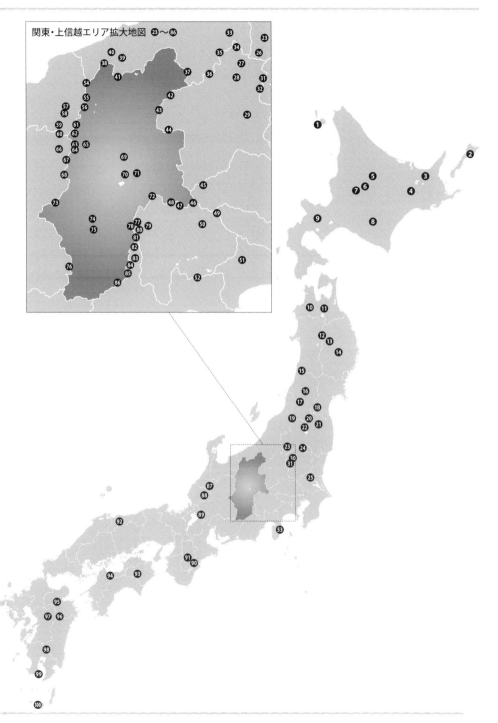

関東・上信越エリア拡大地図 ㉓〜㊏

243

おわりに

　山名を見ただけで、蘇るかけがえのない百名山の時間—。あこがれの頂きへの道中を文字にする作業は、もう一度、それぞれの山に登り直しているようで心が弾んだ。登山には、計画段階のワクワク感、山頂に辿りついた時の達成感、下山後の余韻と充実感、と３段階の楽しみがあると思っているが、ささやかな山行の一コマが、何十年もの歳月を経て出現することに今さらながら驚いている。

　なぜ踏破がこんなにうれしいのか？　最大の理由は、私には容易に登れる山ばかりでなかったからだろう。何日もの山中泊を要する山行は、若い頃から苦手で、極力避けていた。悪条件下で難易度の高い山に登り切れる体力を持ち合わせていない。なので、どんな山でも事前に情報を集めた。とりわけソロでは、時季や天候などを見極め、どこまで無理ができるか、と頭の中で山行を組み立てるようにした。長丁場の登山は、トライしようと思った瞬間から自らにプレッシャーをかけ、あらゆる条件下の山行を想定し、万難を排すように心掛けた。それでも荒天との闘いもあったし、一歩間違えたら登山を続けられない事態にも遭遇している。無事に踏破目的を果たせたのは、運にも恵まれていたと、今さらながら思う。

　御岳や草津白根山の噴火、十勝岳や蔵王山などで活発になった火山活動、台風の巨大化—。ここ10年前後で、天変地異ともいえる大自然の驚異が続いている。深田久弥が諦めた雌阿寒岳の入山規制はなくなった半面、浅間山や焼岳などでは入山が規制されるようになって山頂に立つことができない。当時はなかった新ルートが開設される一方、旧道は利用されずに荒れたり、台風被害のせいで閉鎖されたルートも多々ある。現在では深田が辿ったルートをそのまま、なぞるのは不可能に近く、百名山踏破のありようは、登山者個人の考え方、判断によるものになっている。

ブームといえども、有名な観光地の場合を除くと、鉄道やバス路線などの公共機関が廃止された山麓は多い。この春はコロナウイルスの影響で行動抑制の日々だった。山は逃げないとはいえ、刻々と登山の環境が変わる中、自分の身を守る現地の情報収集や登山のヒントを得ることは、ますます重要になっている。私は、百名山に登り始めたら弾みがついて前向きになったが、最初の一歩がなかなか踏み出せず、ツアーを利用していた。もしも、この本のささやかな情報が、同じように戸惑っている方にヒントを与えることができれば、そんなうれしいことはない。

　振り返ってみると、何と多くの出会いがあったことかと感慨深い。20代のころ、穂高山中で偶然出会った生涯の友をはじめ、単身赴任先の金沢で知己を得た"山の師"や同じ会社の先輩や後輩などの山仲間、学生時代の友人、遡れば山岳会会友、北岳で知り合った山友など─。山を介しての交流は多岐にわたり、広いネットワークも築けた。登らなくても応援してもらった同級生や友人もいる。「恋わずらいならぬ、山わずらいだね」と冗談交じりに冷やかしていた夫や家族の協力もあった。何か一つ欠けても、百名山踏破は難しかった。

　本作りには、表紙絵を画家・稲垣考二、装丁デザインをティーズグラフィックス代表・園部俊美、PC編集をSSテクノスクウエア・四方すすむという高校時代の同級生3人に引き受けてもらい、ティーズ社からは西山真弓のサポートもあり、頼もしい限りだった。出版の段階では、風媒社の林桂吾にお世話になった。

　最後に。登山や人生のご褒美、実りのような気がするこの本を通じて、一緒に登ったり、私の周りにいる皆さんに『ありがとう』と感謝の気持ちを伝えたい。

［著者紹介］
牧野恵子（まきの・けいこ）
1951 年生まれ。
1972 年、南山短期大学英語科卒業。
同年、中日新聞社入社。
2011 年、中日新聞社退職。

カバー 画／稲垣考二
デザイン／ティーズグラフィックス
編集／四方すすむ
IT サポート／SS テクノスクウェア

百名山わずらい

2020 年 7 月 15 日　第 1 刷発行　（定価はカバーに表示してあります）

著　者　　　　牧野 恵子

発行者　　　　山口 章

発行所　　名古屋市中区大須 1 丁目 16 番 29 号　　　風媒社
　　　　　電話 052-218-7808　FAX052-218-7709
　　　　　http://www.fubaisha.com/

乱丁・落丁本はお取り替えいたします。　＊印刷・製本／シナノパブリッシングプレス
ISBN978-4-8331-5377-5